АРКАДИЙ РАЙКИН

воспоминания

аст
ИЗДАТЕЛЬСТВО

МОСКВА
1998

УДК 792.7
ББК 85.36
   Р18

Литературная запись В.О. Семеновского

Редактор книги и автор предисловия Е.Д. Уварова

Оформление О.Н. Адаскиной

Райкин А.И.

Р18   Воспоминания. – М.: ООО "Фирма "Издательство АСТ", 1998. – 480 с.

ISBN 5-237-01249-3

Аркадий Райкин был легендой своего времени и своей страны. Миллионы людей смеялись и плакали, радовались и огорчались вместе с героями Райкина, узнавали его персонажей в реальной жизни.

Перед вами – уникальные воспоминания Великого Артиста, история его восхождения к славе, встреч с самыми знаменитыми людьми эпохи – от собратьев по профессии и до власть имущих, смешные и печальные эпизоды его жизни и многое, многое другое...

УДК 792.7
ББК 85.36

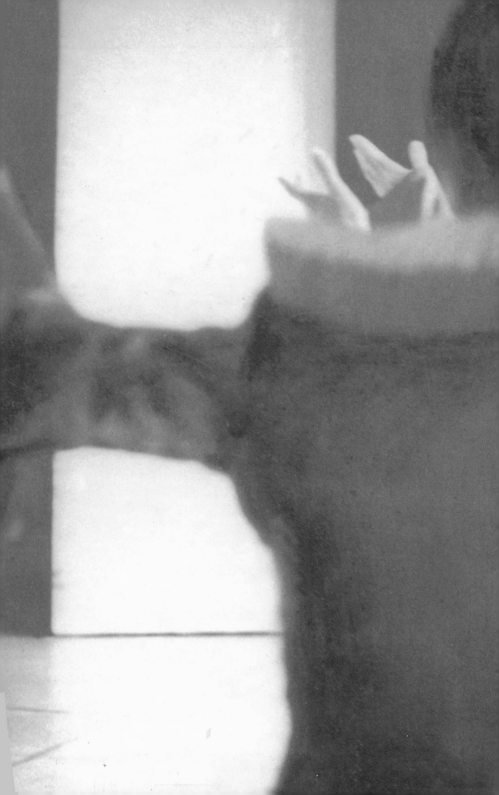

аРКАДИЙ РАЙКИН

воспоминания

ЧУВСТВО ПАТРИОТИЗМА –
ОДНО ИЗ САМЫХ ВЫСОКИХ
И БЛАГОРОДНЫХ ЧУВСТВ.
ТОЛЬКО СОВСЕМ НЕ НАДО КРИЧАТЬ О НЕМ
НА КАЖДОМ УГЛУ...

А. Райкин

ФОНД ПОДДЕРЖКИ
И РАЗВИТИЯ КУЛЬТУРЫ
им. АРКАДИЯ РАЙКИНА

«Воспоминания» Аркадия Райкина

Аркадий Исаакович Райкин задумал книгу воспоминаний и начал работать над ней в конце 70-х. Занятый подготовкой новых спектаклей, бесчисленными заботами в связи с переездом Ленинградского театра миниатюр в Москву, он тем не менее не оставлял эту работу. Записанный с его слов рассказ об искусстве, о жизни, о людях, с которыми довелось встретиться, он не раз переделывал. Ему важно было запечатлеть на страницах рукописи собственную интонацию, освободиться от того случайного, что невольно возникает в процессе рассказа, беседы двух людей, но для широкого читателя не представляется интересным. На последнем этапе он и попросил меня как редактора помочь ему в этом.

В течение месяца, проведенного дома, между возвращением из гастрольной поездки по США и больницей, откуда он уже не вернулся, Райкин успел прочесть отредактированную и набело перепечатанную рукопись, где все его замечания и пожелания, казалось, были учтены. В расчете на небольшие уточнения, чтобы не марать рукопись, я оставила Аркадию Исааковичу простой карандаш, предполагая, что в доме его может не оказаться.

Когда же я пришла снова, мой карандаш был наполовину исписан. Райкин решительно правил, вымарывал целые куски, вписывал отдельные слова, пропущенные буквы. В итоге рукопись понесла и некоторые потери. Так исчезли интересные, характерные для своего времени истории попавших в беду людей, которых Райкину удавалось выручить. Помогал он многим, но — «пусть об этом расскажут другие».

Что-то просил дополнить. Настойчиво подчеркивал богатые традиции русской эстрады, которые у многих вызывали (да и вызывают до сих пор) сомнения. Рассказывал о товарищах по театру, о тех, рядом с кем прошла жизнь. Беспокоился, чтобы не забыть кого-то, хотя и понимал, что упомянуть всех невозможно. Последняя магнитофонная запись моей беседы с ним сделана шестнадцатого октября 1987 года.

Через неделю, двадцать четвертого октября, Райкину исполнилось семьдесят шесть лет. В этот день он в последний раз вышел на сцену. Подведена черта — спектакль «Мир дому твоему» сыгран триста раз. А двадцать восьмого октября его увезли в Кунцевскую больницу.

За две недели до его кончины я была у него в больнице. Мы вышли в парк — ему разрешили двадцатиминутную прогулку. Собственно говоря, прогулка — не то слово, ему можно было посидеть в кресле у входа в корпус. И Райкин снова был Райкиным. По-детски весело смеялся, слушая перепалку одного из больных с медсестрой, заметившей своему подопечному, что тот вышел на улицу в домашних тапочках. Человек в тяжелом зимнем пальто, меховой шапке и... тапочках, по-видимому, был взят актером на заметку.

Потом мы вернулись наверх. Пили чай в палате. Он сильно похудел за время болезни. «Да, мне неплохо бы прибавить килограмма два», — заметил он. Старательно ел булочку, поданную к чаю. О чем мы говорили? Конечно, о театре, о работе. Его волновал спектакль, который готовился силами молодежи. Собирался вырваться на день из больницы, чтобы посмотреть репетицию. Рассказывал о новых замыслах. Написанный С. Альтовым текст его будущего спектакля «Поезд жизни» лежал на столике у кровати. В ближайшее время рассчитывал поехать в Матвеевское, в Дом ветеранов кино, и там работать. Условились, что туда же приеду и я.

И только когда вышел из палаты проводить меня до лифта, грустно вздохнул: «Сколько людей видел этот коридор! И каких!»

Семнадцатого декабря его не стало.

О таланте, невероятной трудоспособности, высокой сценической культуре, артистизме, обаянии Райкина написано много. Но кроме этих качеств, мне думается, решающую роль в его судьбе сыграла редкая сила духа, которой он был наделен, несмотря на то что с раннего детства не отличался здоровьем.

Воля Райкина, казалось, не знала преград. Чего стоила хотя бы поездка в США за три месяца до конца! Его приглашали туда и раньше, приглашали не раз, но жизнь в те годы не располагала к подобным контактам, его воля тут была бессильна. Когда же наконец сам факт таких гастролей стал реальностью, категорически воспротивилась медицина. Возражения врачей были вполне обоснованны. Страшил не только перелет через океан, но и постоянные перелеты внутри страны — по условиям контракта Райкин должен был посетить семь городов. Наконец, волнения и нагрузка, связанные с самим фактом ответственных гастролей. Был момент, когда, казалось, все отменяется. Отказаться от поездки уговаривали и дети. И все-таки гастроли состоялись.

Райкин из жизни ушел победителем, хотя жизнь далеко не всегда была к нему ласковой. Сила духа артиста подкреплялась цельностью его натуры. На своем пути «он знал одной лишь думы власть». Без малого полвека отдано одному театру, которому он никогда не изменял. Более полувека тому назад — еще в школе — встретил он девушку Рому, полюбил и рука об руку прошел с ней всю жизнь. Театр стал их домом, а собственный дом оказался неразрывно связанным с театром. Наделенная умом, талантом, добротой, тактом, Рома была ему верной помощницей. И символично, что последний спектакль «Мир дому твоему» как бы воссоздает квартиру Райкина. Понятия «театр» и «дом» соединяются.

У многих, особенно у молодых, не знавших Райкина в пору расцвета, может возникнуть вопрос: как совместить искусство сатирика, всегда находящегося в оппозиции к обществу, с тем официальным признанием, которое пришло к Райкину в конце жизни?

В беседах с ним я не раз подходила к этой непростой теме. Как-то он сам упомянул, что такой вопрос задавали ему журналисты во время гастролей в Югославии, но о своем ответе не сказал. В разговоре повисла пауза. Мне же не хотелось проявлять бестактность и настаивать. Впрочем, официальный ответ зарубежным журналистам представить себе нетрудно. Труднее угадать, как он со своей прямотой и честностью отвечал на такой вопрос самому себе.

Не грех вспомнить, однако, что звание заслуженного артиста республики он получил в 1947 году, в возрасте тридцати шести лет, хотя задолго до этого уже имел всенародную известность. В 1968 году, то есть в пятьдесят семь лет, он стал народным артистом. Далеко не сразу была присуждена и Ленинская премия. Помнится, еще в середине 60-х годов Институт истории искусств выдвигал Райкина на премию за спектакль «Волшебники живут рядом». Но лауреатом Ленинской премии он стал только в 1980 году.

Реализовать свой талант Райкину удалось исключительно благодаря характеру, настойчивости, вере в свой труд. Мягкость, доброта, деликатность, унаследованные от матери, соединялись в его характере с жесткостью и, не побоюсь этого слова, прагматичной деловитостью отца. Его ломали, но сломать никому не удавалось. Он поднимался и снова брался за свое. Стали давать звания, ордена, награды, но и тут не унимался.

Сегодня, когда наше общество сделало гигантский скачок на пути к свободному, непредвзятому осмыслению действительности, его критика, носившая преимущественно социальный характер, может показаться несколько утилитарной, сосредоточенной на «отдельных» недостатках, не вскрывающей порочность самой системы. Но он, как никто, умел придать этим недостаткам столь обобщающий характер, что за ними вставала система. Нередко приходилось пользоваться эзоповым языком, освоенным им в совершенстве. По словам Жванецкого, «юмор становился все более непереводимым».

Конечно, Райкин не мог себе позволить перейти определенную черту — у него всегда был свой внутренний цензор. Но и это не спасало от неприятностей. Особенно трудно приходилось на рубеже сороковых — пятидесятых годов и в начале семидесятых. Возможно, Аркадий Исаакович меня бы здесь поправил, сказав, что трудно было всегда. Да, к грубым окрикам, предвзятым оценкам рецензентов, а то и просто замалчиванию прессы ему было не привыкать. Но в иные, особенно памятные времена вопрос стоял — как выжить?

Как-то в разговоре с Райкиным речь зашла о духовности, Библии, о христианских заповедях, об отношении к врагам. «Христианская религия учит — если тебя ударили по левой щеке, подставь правую, — сказал Райкин. — Что ж, может быть, есть такие любители. Но я не видел человека, который жил бы по этому завету. Меня же независимо от того, прав я был или виноват, били и по правой, и по левой щеке, а за неимением третьей — все повторялось снова. Мне кажется, дело в том, что надо искать справедливость, бороться за нее». И он боролся.

Как и у Владимира Высоцкого, артиста другого поколения и иной судьбы, у него был свой «черный человек в костюме сером», неотступно его преследовавший. «Сочиняем ли мы очередную миниатюру, репетируем ли песенку, выступаем ли на сцене — перед нами маячит его зловещая тень», — говорил Райкин в одном из интервью. Зловещая тень — не какой-то один конкретный человек, а собирательный образ всех охранителей существующего порядка, сторонников режима, подрыв которого грозил их собственному благополучию: «Он был министром, домуправом, офицером...»

Райкин, слава Богу, выдержал, выжил. Ничем себя не скомпрометировал. Но силы оказались заметно подорванными. Достаточно сказать, что если за предшествующие тридцать лет создано более двадцати спектаклей, то за последние шестнадцать лет — всего три, если не считать составленных в основном из прежних номеров программ «Избранное».

Он подолгу болел. После перерыва в конце 1972 года начал играть одну-две миниатюры в «Избранном», постепенно увеличивая нагрузки. Одним из характернейших примеров райкинского творчества этого периода может служить миниатюра «Единое мнение». В этой миниатюре (авторы В. Синакевич и В. Сквирский) он представал в облике респектабельного, элегантного, вполне современного руководителя, объясняющего подчиненному, что желтый цвет — это вовсе не желтый, а темно-зеленый. Он немногословен, невозмутимо спокоен: «Если вы хотите, чтобы мы и дальше... (пауза) красили вместе, то должны видеть вещи в едином цвете».

Люди близкие, и даже не очень близкие, но знакомые с перипетиями предшествующих конфликтов, узнавали в райкинском персонаже заведующего отделом культуры ЦК КПСС В. Ф. Шауру (на страницах этой книги Райкин рассказывает, как из кабинета Шауры его увезли с инфарктом в больницу). И вот на одном из спектаклей в помещении Московского театра эстрады присутствует не то он сам, не то кто-то из его ближайших помощников. Друзья Райкина советуют, просят не показывать эту миниатюру — она короткая, ее отсутствие не отразится на спектакле в целом. Но он не может отказаться от поединка: «Если не я, то кто?» Легко представить, что аналогичные ситуации случались не однажды. Зрителей, не подозревавших о драматизме подобных поединков, захватывал особый, наэлектризованный воздух спектакля, сдержанность и одновременно отчаянность, с которой он игрался.

Взаимоотношения с публикой — отдельная тема. Сменялись поколения, приходили и уходили кумиры, а авторитет Райкина, его особое место в искусстве оставались незыблемыми. Годы брали свое, сдавала память, утрачивалась легкость движений, но сохранялась атмосфера единения с залом, на протяжении полувека сопутствовавшая каждому его выходу на сцену. И самый рядовой, непремьерный спектакль превращался в единственный в своем роде праздник. Нередко случалось, что зрители поднимались с мест, стоя приветствовали любимого артиста. Мне довелось это наблюдать и в Москве, и в Ленинграде, где театр работал несколько месяцев в течение последнего в жизни Райкина 1987 года.

Что это? Имидж, как принято говорить нынче? Магия таланта? Аура, окружающая его личность? Не знаю, но у него, по-видимому, имелся некий код, с помощью которого происходило общение со зрителями. Не случайно мне не раз приходилось слышать, что его не волнует, когда редакторская рука выбрасывает из монолога какую-то острую фразу. «Я сделаю паузу, промолчу, — говорил он, — и будет ясно без слов. Даже еще острее. Публика все поймет». И она действительно понимала.

Райкин не был ни теоретиком, ни философом. Он воспринимал окружающий мир чисто эмоционально, но, быть может, именно поэтому его миниатюры, а он в той или иной мере был их соавтором, попадали в самые болевые точки нашей действительности.

Искусство Райкина всегда было очень серьезно, и прежде всего по отношению к нему самого художника. Но молодого Райкина горячо полюбили за великолепную «несерьезность», искрометную комедийность его серьезного искусства. Попасть на спектакль Ленинградского театра миниатюр, где бы он ни работал, было всегда непросто. Счастливчикам артист дарил три часа очищающего душу смеха. А те, кому не удавалось побывать на спектаклях, приникали к приемникам, чуть заслышав знакомый глуховатый голос.

Артистом было создано целое направление в нашем искусстве, практически не имеющее аналогов за рубежом. Под непосредственным влиянием Райкина родились театры Геннадия Хазанова, Евгения Петросяна, Романа Карцева и Виктора Ильченко. Благодаря Райкину новыми именами обогатилась и сатирическая литература. Самое крупное из них — Михаил Жванецкий. Пройдя школу Райкина, он нашел свою неповторимую интонацию. Пути разошлись — каждый из них наделен слишком яркой индивидуальностью, сформирован своим временем. Райкину чужды сгущенная парадоксальность, усложненность, свойственные вещам зрелого Жванецкого. На рубеже 70—80-х годов прозрачная ясность, психологизм райкинского «абсурдного» мира обернулись у Жванецкого неким «театром абсурда», не требующим никаких психологических мотивировок. «Как у Жванецкого» — говорят сегодня. «Как у Райкина» — говорили еще вчера. «Закончившие высшую школу А. И. Райкина, — пишет Жванецкий, — привыкают нестись вперед головой. Так и пробиваем лед — кто-то сверху ломом, мы — снизу головой. Привыкаем не бояться написанного самим собой, не дрейфить от своего мужества».

Говорить о демократизме великих людей стало общим местом. Однако не могу не сказать, что в повседневном общении Аркадий Исаакович был неизменно приветлив, прост, никогда не давал оснований почувствовать дистанцию, разделяющую его с собеседником.

Простотой в высоком смысле слова отличалось и искусство Райкина. Все, что от него исходило, было близко, понятно, мгновенно запоминалось и распространялось. В его смехе не было ни снобизма, ни высокомерия. Представим себе на минуту, что значил свободный, раскованный смех в военные и послевоенные годы. Он позволял расслабиться, пусть ненадолго, но снять шоры с глаз, взглянуть на себя и окружающее без той запрограммированной жесткости, что определяла тогда нашу жизнь. Не случайно смех вызывал раздражение, опасение, даже ненависть различных инстанций, презрительно относившихся к «шутам».

С годами не только художественный, но и человеческий авторитет Райкина стал столь высок, что он мог себе позволить в больших вступительных монологах обращаться напрямую к собеседникам — зрителям. Говорить с ними, делиться мыслями обо всем, что его волновало: о правде и лжи, добросовестности и разгильдяйстве, порядочности и подлости, и о многом, многом другом. Его внимательно слушали. Следили за ходом мысли и все же ждали, когда начнется серия райкинских волшебных превращений, когда мысль материализуется в человеческом облике и характере, всегда точном, безупречно художественном.

Реальный мир населялся персонажами, созданными воображением артиста и рожденными из его плоти и крови. При всей обыденности этот мир приобретал гротескные, фантастические очертания. Обнажалась нелепость кажущегося разумным и незыблемым порядка. С позиции здравого смысла и ясного ума артист взрывал этот «разумный» мир и, превращая зрителей в своих союзников, заставлял их смеяться над ним. Но «над кем смеетесь»?

Из огромной толпы райкинских персонажей выделяются лица значительные, по-своему этапные. Они как бы замыкали определенные исторические периоды нашей жизни. Так, в монопьесе «Лестница славы» В. Полякова с грохотом обрушивалась золоченая лестница, по которой уверенно поднимался человек. Вначале вполне скромный и симпатичный, он с каждой новой ступенью терял человеческий облик. В финале не оказывалось уже ни лестницы, ни вознесшегося на вершину грозно рычащего существа.

Шел 1953 год. Менялись верхние этажи власти, падали правители. В исполнении Райкина монопьеса Полякова, которую можно было бы сыграть как некий частный случай, сатиру на очередного вознесшегося бюрократа, точно соотносилась с происходящими историческими катаклизмами. Было ли это смешно? Как мне вспоминается — скорее страшно.

И еще один виток истории — вариант подобной «лестницы» — «Юбилей» А. Хазина (1964 г.). Некто Пантюхов, от френча до мозга костей продукт своего времени, передвигался от одного руководящего поста к другому.

Чем только он не руководил! Каких только указаний не давал! С кем только не боролся! Юбилейная речь Пантюхова заканчивалась неточной цитатой из В. Маяковского: «Читайте, завидуйте, я гражданин СССР!» Внимательные зрители могли заметить, что именно такую же неточность допустил однажды в своем выступлении Н. С. Хрущев.

Но дело не в прямых аллюзиях. Они у Райкина встречались редко. Суть была в типичности фигуры Руководителя, выпестованного административной Системой и державшего эту Систему на своих плечах. При помощи комедийного, насыщенного репризами текста Райкин высмеивал дремучее невежество своего персонажа и одновременно сокрушался абсурдностью его указаний и действий, особенно губительных для науки и искусства.

При всем сочувствии к людям, бессмысленно прожившим свою жизнь, заблуждающимся, грубым, он лепил их фигуры резко, определенно, не жалея красок. Задолго до наступления гласности Райкин в своих миниатюрах устанавливал диагнозы заболеваний, поразивших разные сферы нашей действительности: социальную, научно-техническую, экономическую. Он говорил о наших бедах, со временем все меньше и меньше рассчитывая на то, что его слова могут что-то изменить.

А порой Райкин чувствовал, что мало говорить со сцены. Он ходил в соответствующие учреждения (благо его имя служило пропуском в любые кабинеты), убеждал, доказывал. Но ничего или почти ничего не менялось. «Я боролся, боролся и до чего доборолся! — сказал он мне как-то с грустной улыбкой. — Смешно! Вот получил удостоверение за номером первым: «Дано А. И. Райкину в том, что он работает в театре под руководством А. И. Райкина».

Сильному человеку невозможность что-либо изменить грозит ощущением трагизма, распадом личности. Личность Райкина, по счастью, не поддавалась распаду, но печать трагизма легла как на его последние работы, так и на все его мироощущение.

Чтобы оставаться самим собой, приходилось платить. Он платил и за ценой никогда не стоял. Райкин полюбил уединение. В Москве уезжал в Матвеевское в Дом ветеранов кино. Во время гастролей театра в Ленинграде — в Дом творчества «Репино». Там мне посчастливилось провести с ним несколько дней, заполненных работой над «Воспоминаниями». Его жизнь шла по строго заведенному распорядку. После двух свободных дней два вечера подряд играл большой, трехчасовой спектакль «Мир дому твоему». Возвращался около часа ночи в Репино, где в номере, заставленном цветами, его ждал холодный «домотдыховский» ужин. По моим наблюдениям, в быту он был на удивление нетребователен и неприхотлив. Не случалось, чтобы попросил в столовой заменить какое-то блюдо. Его радовал (во всяком случае, так казалось) скромный чай, который мне удавалось «сервировать» ему в этих походных условиях.

Сразу после завтрака мы начинали работать. Небольшой отдых после обеда, получасовая прогулка, и снова работа. Вечером шел в кино — помнится, мы вместе смотрели двухсерийную комедию Г. Данелия «Кин-дза-дза», фильм В. Абдрашитова «Плюмбум, или Опасная игра». После просмотра любил обменяться впечатлениями, поговорить со знакомыми. Всегда собранный, приветливый, неизменно элегантный, он оказывался в эпицентре всеобщего внимания.

В отличие от многих своих коллег Аркадий Исаакович отличался широтой интересов, жизненной активностью, не поддававшейся ни возрасту, ни усталости, ни болезни. Постоянно посещал театры, выставки, концерты. Я встречала его и в «Ленкоме» на «Диктатуре совести», и в Доме культуры медиков на очередном юбилее бывшего театра-студии М. Розовского «Наш дом». Радовался успехам молодых. Очень нравились ему фильмы Алексея Германа, которого он знал еще мальчиком, будучи хорошо знаком с его отцом: «Вот бы пригласить Алешу поставить у нас спектакль!»

В эти последние годы и месяцы Райкин много думал о будущем своего театра. Изменения в политической жизни радовали и одновременно заставляли размышлять о содержании сатирического искусства в условиях гласности. Понимал, что нацеленность на социальную критику должна уступить место интересу к личности человека, к его духовному миру. Новый спектакль, над которым он работал с писателем С. Альтовым, сохранял прежнюю структуру, однако Райкин видел, что обновления требует не только содержание, но и форма. «Нельзя бесконечно эксплуатировать ту форму, в которой мы привыкли играть. Молодежь может нас не понять. А театр, который не посещается молодежью, мертв», — говорил он мне не раз, утверждая и вместе с тем как бы спрашивая, проверяя себя.

Создание «Сатирикона» (название появилось позднее, в 1987 году, с 1982-го — Государственный театр миниатюр) потребовало от Райкина решимости и мужества. Дело заключалось не только в тех титанических усилиях, которые надо было затратить, чтобы построить здание театра, получить квартиры и прописку приехавшим из Ленинграда актерам, репетировать новые спектакли дома, в гостинице «Пекин» — где придется... Трудности набегали одна за другой, и, как правило, никто, кроме самого Аркадия Исааковича, не мог их решить. Но главная трудность — преодолеть самого себя. Без малого сорок пять лет каждый спектакль был его, Аркадия Райкина, спектаклем. Публика шла «на Райкина», хотела встречи именно с ним. Теперь же, оставаясь во главе театра, нужно уступить место другим! Чего стоило ему такое решение, мы никогда не узнаем. На его счастье, вырос талантливый сын, на которого он мог положиться. Не знаю, согласился бы Аркадий Исаакович иметь рядом кого-то со стороны. Верил в своего Котю. Гордился им. И все-таки было трудно.

Райкину не довелось увидеть спектакли, показавшие, что «Сатирикон» имени А. И. Райкина ищет и обретает свое собственное художественное лицо. Оно совсем иное, но ведь театр и не мог оставаться прежним — известно, что нельзя дважды войти в одну и ту же реку.

О быстротечности актерского творчества Аркадий Исаакович с горечью говорит на страницах этой книги. Но искусство самого Райкина, исполненное любви к человеку и боли за его несовершенство, продолжает жить. Выходят диски с его записями. На телеэкране миниатюры Райкина (к сожалению, полностью записан лишь последний спектакль «Мир дому твоему») по-прежнему приковывают внимание зрителей.

Райкин успел сделать очень много. Хорошо, что он успел рассказать и почти довести до конца свои «Воспоминания». Путь рукописи к читателям оказался долгим и непростым. Подготовленная к печати в издательстве СТД РСФСР и набранная в типографии, она лежала без движения в то время, как наша жизнь разительно менялась. Уже нет Музея эстрады, открытие которого так радовало Райкина. Некоторые главы, например, рассказ автора о любимых художниках, записанный в начале 80-х годов, когда о выставке П. Филонова не могло быть и речи, утратили свою свежесть и остроту. Но менять что-либо в тексте мы не сочли возможным.

Е. Уварова
1988—1998

Мемуары — коварный жанр.
По моим наблюдениям,
некоторые мемуаристы-актеры
оказывают себе плохую услугу,
когда, прибегая к помощи
профессиональных литераторов,
излагающих на бумаге то,
чем они сами
в состоянии поделиться лишь устно,
в то же время вольно
или невольно делают вид,
что не только вспоминают и размышляют,
но и владеют пером.
Во избежание излишней двусмысленности,
подрывающей доверие к мемуаристу,
я не считаю нужным таить,
что литератором не являюсь.
Эта книга не написана мной,
а рассказана.
И прежде всего прожита.
Что, полагаю, само по себе
достаточное основание для того,
чтобы я мог отвечать за все,
о чем в ней говорится.
Фотографии из семейного альбома
дополнят мои воспоминания.

А.Р.
1980—1987 гг.

Эспланада

Родился я в 1911 году в Риге. Родители увезли меня оттуда пятилетним, но во мне существует как бы мерцающее ностальгическое чувство к этому городу, к дому номер 16 по улице Дзирнаву.

Однажды, впервые за целую вечность, я решил посетить свое детство. Приезжаю в Ригу, иду на Мельничную — Дзирнаву, не без труда отыскиваю дом, поднимаюсь на второй этаж и, поколебавшись немного, звоню в квартиру, где когда-то — бог знает когда — обитала наша семья. Твердо сознавая, что мне это необходимо (зачем — не знаю), прошу меня впустить. Конечно же, я обнаружил совсем незнакомых людей. От нашей семьи не осталось никаких следов. Чувствую себя в чужом доме. И все же то, что я тогда испытал, нельзя назвать разочарованием.

Наша жизнь воскресла передо мной. Точно не исчезала вовсе, а только таилась под спудом времени — невидимая, неслышная посторонним, ожидающая моего прихода.

Не помню, впрочем, сколько было у нас комнат (не исключено, что теперь там что-то перестроено). И какая была у нас мебель, тоже не помню. Вообще, как ни странно это прозвучит, облик той жизни в моем восприятии смутен, притом что образ ее весьма отчетлив.

Образ раннего детства, невыразимо волнующий, почти музыкальный, отнюдь не фантазия, не причуда сентиментальной старости. Скорее — голос памяти. Реальность промежуточных состояний между явью и сном. Или — пожалуй, так будет более верно, более полно — точка отсчета эмоциональной и даже духовной биографии человека. Воспоминания обрывочны, пунктирны, они никак не выстраиваются в сюжет.

В самом деле, чего только не было в моей жизни... но ничто не стерло, к примеру, восторга от первой в жизни поездки на трамвае, который казался мне ослепительным чудом.

Скорость движения (небывалая скорость!) захватывала дух и рождала чувство превосходства над пешеходами.

Прижавшись носом к стеклу и как бы забегая вперед (насколько позволял ракурс обзора), я выбирал кого-нибудь из тех, кого трамваю предстояло настигнуть, и постепенно, по мере обгона скашивая взгляд в противоположную сторону, следовал за своей «жертвой» до тех пор, пока она совершенно не скрывалась из виду.

Немало удовольствия получал я и от наблюдений из окон нашей квартиры. Одно из них — кухонное — выходило на дровяной склад. Подъезжали подводы с запряженными в них громадными лошадьми «битюгами», и под громкие крики возчиков и грузчиков шла выгрузка бревен, досок и жердей.

Другие окна выходили во двор, где находилась частная гимназия. Мне нравилось смотреть, как гимназисты, удивительно ловкие, а главное, такие самостоятельные (и в то же время не настолько большие, чтобы я не чувствовал в них детей), занимаются во дворе гимнастическими упражнениями или просто носятся как угорелые на переменах... Но сколько же можно стоять у окна без движения?! И сколько же можно вести наблюдения за тем, в чем не можешь принять участия сам?!..

Двор был запретен, зато была доступна Эспланада.

Эспланада — парк возле оперного театра. Мало сказать, парк. То была моя вотчина. Или, если угодно, — средоточие моих страстей.

Две соседские девушки возили меня туда в сидячей прогулочной коляске. По нынешним моим подсчетам, я в ту пору уже перестал быть «колясочником», к тому же расстояние было небольшим, я мог одолеть его и пешком. Однако таков был ритуал, очевидно, доставлявший моим спутницам удовольствие не меньше моего. Как я теперь понимаю, они были очень молоды, и гуляние со мной являлось для них чем-то вроде игры в «дочки-матери». Впрочем, это наверняка были серьезные девушки, если моя мама оказывала им такое доверие.

В парке, или, как рижане говорят до сих пор, на Эспланаде, всегда было привольно и радостно, по воскресеньям еще и торжественно. В воскресные дни по аллеям фланировали нарядные господа и дамы, а в раковине играл духовой оркестр.

Помню, оркестр играет, а вокруг — всеобщее смятение: потерялся чей-то ребенок. Оркестр играет, а ребенка ищут и не могут найти. Вдруг дирижер обрывает музыку, поворачивается к публике:

— Родители, не волнуйтесь, ваш ребенок здесь.

Меня потрясло, что дирижер, оказывается, наделен даром речи.

Много позже я оценил в этом событии могущественную природу апарта — такого сценического приема, который, явно разрушая магию представления, замкнутого в себе, способен творить новую магию — открытого сближения артиста и публики.

Мамино и папино

Дед — отец мамы — владел аптекой. Она примыкала к жилым помещениям его дома, пропитанного запахом лекарств. Я был привычен к этому запаху, не вызывавшему во мне тоскливого, гнетущего беспокойства, как часто бывает. Напротив, он связан для меня с чем-то уютным, теплым, очень домашним.

Самого деда помню плохо. Но по семейным преданиям знаю, что он, как и вообще родственники по материнской линии (все они были коренными рижанами), отличался спокойным и мягким нравом, деликатностью, отзывчивостью, свойственной как натуре его, так и профессии, миссии медика, которую он, получивший образование не только фармацевта, но и врача, осознавал прежде всего как миссию нравственную.

Мне представляется естественным, что такой человек не был чужд гуманитарных интересов и воспитывал в своих детях эстетическое чувство. Один из маминых братьев стал журналистом. Другой славился как страстный книжник и оставил после себя огромную, со вкусом собранную библиотеку. Сестра стала скульптором. Сама же мама была акушеркой.

Впрочем, она принадлежала к тем женщинам, жизнь которых не столько определяется профессией, сколько растворяется в семейных заботах и именно в этом качестве излучает внутренний артистизм.

Существует распространенное суждение, что артистическое начало — во всяком случае, на бытовом уровне — выражается непременно в экстравагантной легкости, чуть ли не в легкомысленности и поверхностности. Что ж, бывает и так. Но это вовсе не правило.

Мне приходилось, что называется, по роду своих занятий много размышлять на эту тему и не раз убеждаться в том, что артистизм высшей пробы не что иное, как форма проявления мужества перед жизнью. Способ переносить невзгоды и тяготы стоически, не цепенея от них, не опускаясь до того, чтобы признать даже в самых жестоких из них подавляющую силу рока.

Моя тихая, добрая мама Елизавета Борисовна этим редким талантом обладала вполне. Как она умела терпеть! Как умела прощать! Не унижая себя и ничего не требуя взамен.

Помню, что, исполняя бесконечные домашние дела, она пела арии из опер, романсы, особенно из репертуара Анастасии Вяльцевой, которая ей очень нравилась. Мамина природная музыкальность не получила развития отчасти по отсутствию у нее честолюбия, отчасти по природному неумению действовать решительным образом, когда дело касалось ее лично. Шутка ли, четверо детей, война, революция, голод... постоянная борьба с обстоятельствами. К тому же отец наш, вечно погруженный в работу, не обременял себя участием в домашней повседневности; по крайней мере гармонию в нее не вносил.

Все проблемы, связанные с нашим воспитанием, ложились на мамины плечи, и она несла этот груз самоотверженно и скромно, никому не навязывая своих переживаний и тревог.

Сколько, бедная, она настрадалась, когда я в 13-летнем возрасте заболел ревмокардитом и болел так серьезно и тяжело, что врачи не надеялись на мое выздоровление, не скрывая этого от родителей. В течение долгих месяцев дни и ночи проводила она у моей постели, не позволяя выплеснуться своему отчаянию и вместе с тем не выказывая передо мной ложной бодрости, которая обычно только раздражает больного, усиливает его мнительность, укрепляет в нем подозрения в неискренности окружающих.

Вряд ли, однако, она исповедовала осознанные педагогические принципы. Отношения с детьми она строила не на принципах, а на любви. Такой светлой, такой беспредельной любви, которая, как мне кажется, давала ей полное право проявлять временами педагогическую да и просто логическую непоследовательность.

Строга она бывала с нами редко, и, даже решившись действовать строго, как, собственно, вынуждала ситуация, она не выдерживала роль до конца. В чем, правда, была одна особенность, которую трудно передать словами, но которую мы ощущали явственно и благодарно. А когда повзрослели, ощутили еще и то, что в этой особенности как раз и заключался неотразимый воспитательный эффект.

Попробую объяснить это так: не то чтобы мама всегда шла у нас на поводу, но она всегда шла нам навстречу. А если все-таки выговаривала нам, то не заходила в этом дальше сдержанно-укоризненной интонации.

Не хочу делать обобщающие выводы, но именно в нашем случае такое воспитание не оказывалось чревато ни разболтанностью, ни эгоцентризмом детей. Разумеется, мы и проказничали, и капризничали, но огорчить или обидеть маму невольно, а тем более намеренно, значило совершить нечто невыносимое для самих себя.

Был у меня на совести один проступок перед мамой, обусловленный расчетом на ее доброту и доверчивость. То есть это, конечно, не единственный и, наверное, не самый серьезный мой проступок. Но он врезался в память, так как имел неожиданные последствия много лет спустя.

В школьные годы (мы жили уже в Ленинграде) мне прописали рыбий жир, к которому я относился с омерзением, вполне понятным каждому ребенку. На какие только хитрости я не пускался, чтобы избежать очередной столовой ложки этого пойла. То клятвенно уверял, что сегодняшнюю порцию уже принял, а мама забыла или не заметила; то в ее присутствии имитировал, что наливаю из бутылки в ложку и затем проглатываю (хотя на самом деле наклонял бутылку под таким углом, чтобы ее содержимое не достигало отверстия). При этом я убеждал маму невинным взглядом — глаза в глаза. Или же тем, что натурально морщился и кривился. Так продолжалось несколько лет, и постепенно ее бдительность окончательно ослабла. В результате в кухонном леднике (был такой предшественник холодильника: специальный шкафчик, вмонтированный в стену и тыльной стороной выходящий прямо на улицу) образовалась целая батарея бутылок с рыбьим жиром. Там они простояли много лет, как обычно в доме хранятся старые вещи.

Вышло так, что этот рыбий жир помог во время войны маме, папе, сестре Белле и младшему брату Максиму. Поддерживал их силы.

Конечно, это случайность. Спасительная случайность, не более того. Но мне видится в ней нечто символическое, достаточно верно схватывающее дух мамы, каким он навсегда запечатлелся во мне. Ибо все, в чем она принимала участие, рано или поздно оборачивалось спасительным или утешительным исходом для ее близких.

Рассказывать о маме очень трудно. Труднее, чем об отце. Ее биография лишена видимой событийности, острой характерности, занимательности, всего, что может придать объемность и живость портрету ушедшего человека.

Мамы давно нет на свете (она умерла в середине пятидесятых, восьмидесяти восьми лет), а мне все кажется, что я не все ей сказал. Был недостаточно внимателен. Жизнь была скупа на радости, а мы не то что не замечали этого, но как бы считали, что это в порядке вещей, что по-другому и не может быть: какова жизнь, таковы и радости...

Среда, в которой сформировался мой отец, Исаак Давидович, была иной.

Дед по отцовской линии происходил из какого-то местечка, затерянного в лесах Белоруссии, и до конца дней изъяснялся на невообразимой смеси идиш, русского, белорусского и немецкого. Дед держался обрядов с той чрезмерной и как бы демонстративной педантичностью, какая присуща людям, признающим над собой лишь закон формы, закон обряда. Будучи домашним деспотом, он пытался и детей, и внуков своих наставить на путь ветхозаветных истин. По его настоянию меня даже пробовали отдать учиться в частную древнееврейскую школу.

Благочестие деда сочеталось с суровостью, даже жестокостью. Ему ничего не стоило отвесить оплеуху уже взрослому женатому сыну — моему дяде. Что должно было способствовать развитию в сыне главного, с дедовской точки зрения, жизненного качества — умения твердо стоять на ногах. Сам дед был полон жизненной силы во всех отношениях. Он прожил до девяноста четырех лет. Может, прожил бы и дольше, но, танцуя на чьей-то свадьбе, неудачно спрыгнул со стола.

Его жизнеощущение в какой-то степени передалось моему отцу, с отрочества узнавшему, что такое самому заработать кусок хлеба, и не просто запомнившему эту науку на всю жизнь, но и на всю жизнь оставшемуся в ее плену, то есть так и не сумевшему подняться над ее сугубо «хлебной» философией.

Отец изведал много лишений, прежде чем занял относительно безбедную должность лесного бракера в Рижском морском порту. Там в его обязанности входило встречать и контролировать груженные лесом суда и баржи, а также ездить в другие порты, где он отбирал и закупал образцы лесоматериалов. Круг его общения составляли купцы, подрядчики, лесничие, сплавщики леса — люди, к сантиментам непривычные и, казалось, кроме своих лесоторговых дел, ничем не интересующиеся.

Как я уже говорил, он мало уделял нам внимания. Мы его попросту редко видели: работая не покладая рук, отец постоянно находился в разъездах. Стоило ему появиться, как он тотчас же начинал отчитывать нас. И не по какому-нибудь конкретному поводу, а на всякий случай, для острастки. По праздникам он ходил в синагогу, соблюдая обряд, но не так истово, как дед, и нас, детей, не неволил. Иногда я сопровождал его (мама редко ходила в синагогу). Помню кантора, который очень старался показать, что у него сильный голос. Но я совсем не понимал, о чем он поет, и скучал.

Странными были наши отношения с отцом. Если бы не скрытое, почти бессловесное сопротивление мамы (она умудрялась выгораживать нас, не переча ему), было бы и вовсе не весело. Достаточно сказать, что в нашей семье не имели обыкновения отмечать дни рождения детей. У нас почти не было игрушек. Нас не фотографировали (считалось дорогим удовольствием). Впрочем, как я понял позднее, не всегда это зависело от отца. В пору гражданской войны и военного коммунизма (а это ведь тоже мое детство) он был вынужден на детское «хочется» отвечать «перехочется». Как бы то ни было, мы привыкли ничего не просить и не ждали сюрпризов.

Если же он решался сделать какой-нибудь подарок детям, то требовал, чтобы подарку непременно было найдено практическое применение. Чтобы польза была. Однажды он почему-то приобрел скрипку-восьмушку. Но если есть скрипка, должен быть и скрипач. Значит, надо учиться. А я не хотел учиться играть на скрипке. Она мне нравилась вовсе не потому, что из нее можно было извлекать звуки, а потому, что она превосходно скользила по снегу. А из смычка получался прекрасный кнутик.

Долго еще отец говорил мне с искренним осуждением:

— Ну и что же ты не стал скрипачом?!

Я убежден, что он самым серьезным образом считал, что я упустил эту возможность.

Впрочем, не следует думать, будто мы только боялись отца, не любили его. Напротив, как обычно бывает в таких случаях, редкое его расположение ценилось на вес золота. Как-то раз, точно обмолвившись, он назвал меня ласково — Котей. И это так взволновало меня, что много лет спустя, когда у меня родился сын, мы с женой решили дать ему это имя. Конечно, официально его зовут Константином, и для товарищей он Костя, но дома он всегда Котя.

В связи с работой отца во мне с младенчества засело слово «пробс». Так, если не ошибаюсь, назывались особо прочные бревна, которыми крепились своды шахт. И хотя это слово в отличие от слова «эспланада» не окружено для меня волшебным ореолом, но все же четко соотносится с волнующим до сих пор запахом древесины, который, как и запах лекарств, напоминает о детстве.

Между этими запахами нет ничего общего. Подобно тому, как в характере родственников с материнской стороны нет ничего общего с характером родственников по отцовской линии. Однако в моем характере из этих, казалось бы, несовместимых величин все-таки образуется некая общность. Во всяком случае, не стану утверждать, что во мне продолжается только мама. Или что маминого во мне больше, чем папиного.

Так, совершенно очевидно, что склонность к лицедейству унаследована мной от отца.

Его импровизаторский актерский дар был бесспорен, притом что к театру он относился как к пустой забаве. Думаю, этот дар не угас в нем лишь потому, что известная степень актерства требовалась, как ни парадоксально, самой его профессией. Он должен был завлекать своих клиентов, а иногда и отвлекать их от сути дела, отвечая на прямо поставленный вопрос какой-нибудь притчей, каким-нибудь анекдотом. В этом смысле профессиональной можно было назвать и его жестикуляцию, и вообще способность менять манеру поведения в зависимости от «предлагаемых обстоятельств».

Когда отец бывал в настроении, он рассказывал нам — весьма выразительно, артистично — множество разнообразных баек, исполненных сочного, хотя и грубоватого юмора. Правда и выдумка перемешивались в них так искусно, что никогда нельзя было с уверенностью определить, что же здесь принадлежит реальному жизненному опыту отца, а что является сочинительством.

Иногда он любил, чтобы домашние устраивали ему своеобразный экзамен: мы указывали на какой-нибудь предмет в комнате, и он тут же начинал импровизировать связанную с этим предметом забавную историю, якобы (а может быть, и в самом деле) происшедшую с ним или с кем-нибудь из его знакомых. Скажешь «карандаш», он — о карандаше, скажешь «комод» — о комоде.

Эти «театрализованные» миниатюры отличались такой выстроенностью, законченностью, словно их сюжет и форма обдумывались загодя. Хотя, наверное, если бы кто-нибудь об этом сказал отцу, он не только не оценил бы такого комплимента, но еще и высмеял бы человека, обращающего внимание на всякую чушь.

Однажды, будучи уже профессиональным артистом, я репетировал дома комическую пантомиму. Рыбак ловит рыбу и никак не может ее поймать: то рыба сорвется, то леска запутается, то крючок зацепится за корягу. В конце концов рыбак вынужден лезть в воду спасать свои снасти. У меня эта сценка никак не вытанцовывалась, я пробовал несколько вариантов. Отец находился в той же комнате и читал газету, точнее, делал вид, что читает, а на самом деле посматривал на меня. И вдруг он рванулся с места с видом человека, которому смертельно надоели все эти тщетные попытки, и, в одно мгновение преобразившись в моего рыбака, показал, как надо входить в холодную воду. Да так точно, что впоследствии мне оставалось только копировать отца. В этом виде номер и вошел в мой репертуар.

Огорошив меня в тот момент, он явно получил удовольствие. Но, вообще говоря, не испытывал ни малейшего почтения к артистическому, художественному началу в людях и отнюдь не жалел, что в свое время не пошел в артисты.

Артисты, полагал он, в большинстве своем бродяги, перекати-поле. Они несерьезны, непригодны для жизни и потому, за редким исключением, безденежны и лишены устойчивого положения в обществе. Быть врачом, адвокатом, в конце концов лесным бракером — это дело, а быть артистом — не дело.

Есть люди — и отец был из их числа, — которые свою жизнь строят в соответствии с общепринятыми нормами. Точнее сказать, с теми нормами, которые они считают общепринятыми. И есть другие люди — люди артистического склада, которые живут по каким-то своим правилам, и, хотя это далеко не всегда для них выигрышно, они тем не менее чувствуют это как свое преимущество. Что и раздражает остальных. Разумеется, далеко не все артисты обладают независимым характером, яркой человеческой индивидуальностью. В быту они бывают и жалки, и мелочны. Но сцена — хотя бы на время, хотя бы отчасти — делает их независимыми, действительно преображает их — не только в глазах зрителей, но и в собственных глазах...

Отец, с его житейской целеустремленностью, во всем этом видел только искушение. Иначе, наверное, и быть не могло. Но меня не оставляет мысль, что по своим природным данным он и сам мог бы быть артистом. Я думаю, что жизни слишком часто свойственно заглушать голос человеческой природы, искажать его и ставить это искажение условием выживания человека.

Уверен, что отец был достаточно силен, чтобы преодолеть излишнюю утилитарность тех понятий о жизни, которыми он был пропитан с детства. Но обстоятельства его биографии сложились так, что ему оставалось лишь крепче держаться этих понятий. Всю жизнь он должен был выживать. На другое уже не хватало. И значит, он должен был убедить себя в том, что это другое нецелесообразно в принципе.

Что тем более грустно потому, что во многих отношениях — и прежде всего в своем истовом отношении к труду — он не был человеком обывательского склада.

Он убежденно и в самой резкой форме противился моему намерению поступить в театральный институт, считая, что это добровольная гибель и что его долг во что бы то ни стало не допустить этого во имя тех надежд, которые, ценою многолетних душевных и материальных затрат, родители возлагали на мое будущее. Любопытно, что впервые свою точку зрения на сей счет он высказал задолго до того, как это мое намерение всерьез оформилось. Будто уже тогда предчувствовал в нем реальную угрозу.

Мне было шесть лет, когда отец повел меня на цирковое представление. Прежде я видел лишь ярмарочных «индусов», демонстрировавших способность ложиться обнаженной спиной на утыканную острыми гвоздями доску. Этот фокус удивил меня, но удивление было на грани испуга. В цирке было по-другому. Там возникало чувство праздника, там я открыл для себя какой-то неведомый, загадочный и заманчивый мир, неизмеримо более яркий, чем тот, который окружал меня повседневно.

Особенно запомнился клоун, и дома я стал играть в клоуна: становился перед зеркалом и подражал его ужимкам.

Как-то за этим занятием меня застал отец, и оно его разгневало. Не чувствуя за собой вины, я пробовал ему объяснить, что не просто кривляюсь, а «выступаю». Но это разгневало его еще больше.

— Что?! — кричал он в неописуемом ужасе. — Быть клоуном?! Еврею! Никогда!

На закате своей жизни (он умер в 1942 году) отец примирился с тем, что я стал артистом. Оказавшись на спектакле с моим участием, он, хотя и сдержанно, одобрил мою игру. Думаю даже, внутренне он гордился мной. Но все же ему льстил не столько мой успех (понятие для него достаточно эфемерное), сколько мое положение.

Дело в том, что в 1939 году, когда я стал лауреатом Первого Всесоюзного конкурса артистов эстрады, нам с женой горисполком выделил большую комнату в коммунальной квартире — сорок восемь квадратных метров. По тем временам, по тогдашним понятиям, это было прекрасное жилье. Отец полюбил приходить к нам в гости и все дивился тому, что артистам дают такие «апартаменты». Выходило, что и на этом сомнительном поприще можно добиться чего-то стóящего. Правда, вслух он так и не признался в своем «поражении», но всем своим видом давал понять, что доволен или по крайней мере спокоен теперь за меня.

Но этому предшествовала просто-таки яростная непримиримость его к моим мечтам.

Когда после вечерних репетиций в театральной самодеятельности или после посещения какого-нибудь театра (во второй половине двадцатых годов я чуть ли не каждый вечер ходил в театр, пересмотрел весь ленинградский репертуар) я возвращался домой близко к полуночи, отец не ложился спать, все караулил меня. Что он только не пробовал, уяснив, что все уговоры забыть о сцене действия не возымеют! И в квартиру подолгу не пускал, заставляя томиться у дверей «хоть всю ночь», и даже за ремень хватался.

Несмотря на то что мама всегда была готова меня пожалеть и понять (она тоже поначалу не одобряла мою страсть к театру, не понимала, боялась ее, но все же признала меня как артиста гораздо раньше, чем отец, и даже иногда растроганно плакала, видя меня на сцене), мне в конце концов пришлось решиться на бегство из родительского дома. Это, впрочем, был поступок, достойный сына своего отца: сворачивать с избранного пути было не в наших правилах.

Путешествие на лесопилку

Во время первой мировой войны, когда к городу вплотную приблизились немцы, мои родители, забрав меня и двух младших сестер — Беллу и Софью, — покинули Ригу.

Решено было перебраться на Волгу, в Рыбинск. Почему именно в Рыбинск, затрудняюсь сказать. Вероятнее всего, выбор нового местожительства был продиктован деловыми расчетами отца, его лесоторговыми связями. Так или иначе, в самом Рыбинске ему не удалось поступить на службу; работу он нашел только за чертой города, на лесопильном производстве.

Как-то раз он взял меня туда. Это было целое путешествие: полтора часа поездом. Собственно, весь поезд состоял из одного-единственного вагона, прицепленного к паровозику — «кукушке». Паровозик шел бойко, старательно пыхтел и время от времени вопил для порядка. И от этого — невесть почему — на душе становилось весело и легко.

На лесопилке я увидел, как рабочие — загорелые, сильные, пышущие здоровьем, — уверенно и ловко орудуя крючьями, баграми и еще какими-то приспособлениями, обрабатывают поваленные деревья и подталкивают очищенные от сучьев стволы к грохочущему конвейеру. Конвейер был соединен с механическими пилами, доставлял к ним стволы, и в результате неуловимым, скрытым от наблюдателя способом неказистые толстенные бревна превращались в гладкие, аккуратные доски. Наблюдать за этим процессом было большим удовольствием, дававшим простор воображению.

Возникало чувство, что весь этот механизм точно живой. Что он заглатывает бревна и выплевывает доски сам по себе, в какой-то момент как бы отделяясь от людей. В чем тут заключались функции отца, не могу припомнить. Помню только, что он давал какие-то советы и распоряжения и голос его тонул в адском лязге и скрежете. Но там все понимали друг друга с полуслова, с полувзгляда, с полужеста, и отец не выглядел лишним, а даже напротив — очень значительным лицом. Его деловитость, сосредоточенность, увлеченность не оставляли на этот счет никаких сомнений, и, хотя он стоял поодаль от конвейера, наблюдать за ним, столь непохожим на «домашнего» отца, тоже было очень интересно.

Помню еще, как удивительно пахло вокруг: опилками, смолою, летним лесным дождем, нахлынувшим и отхлынувшим внезапно, будто специально для того, чтобы придать свежесть разгоряченным работой людям.

Дома я поспешил поделиться впечатлениями со своими сестрами. Мне тогда было семь лет, а им и того меньше:

Софье — пять, а Белле — три. Конечно, я не сумел описать увиденное так, чтобы передать им мой восторг. Мне не хватало слов, да если бы и хватило, они еще не были способны проникнуться тем, чем так загорелся я.

С тех пор я не раз испытывал чувство невысказанности. И разумеется, по более серьезным поводам. Но в детстве это чувство не менее, а может, и более досадно, чем в зрелости. В зрелости хотя бы понимаешь его природу, его неизбежность. И можешь даже ободрить себя тем, что если сегодня не получается передать другим всю полноту своего внутреннего волнения, своих переживаний, то это удастся тебе в будущем. В детстве же просто невыносимо оставаться один на один с каким-нибудь поразившим тебя открытием: тебе нужно незамедлительно приобщить к нему других. И лучше, чтобы это были не взрослые, в которых ты предполагаешь разрушителей всяческих открытий и тайн, лучше, чтобы это были те, кто младше тебя, те, кого твой жизненный опыт может по-настоящему удивить.

В общем, я решил показать сестрам лесопилку. Руководила мной поистине детская логика. С одной стороны, я счел опасным посвящать в свой замысел родителей. С другой стороны, почему-то был уверен, что когда отец увидит нас втроем у себя на работе, то непременно обрадуется.

Улучив момент, мы с сестрами улизнули из дома; отправились на вокзал, где беспрепятственно проникли в тот самый вагон, прицепленный к «кукушке». Без всяких приключений доехали мы до нужной станции. Там надо было отыскать место, где работал отец. Мы и это проделали благополучно: никто, как ни странно, не остановил нас, не поинтересовался, что мы тут делаем одни, без взрослых.

Не выразил удивления в связи с появлением столь подозрительной компании и сторож лесопилки. Он лишь спокойно сообщил нам, что Райкина надо искать совсем на другом участке: раньше, мол, Райкин здесь работал, а теперь почти не бывает. Сторож тем не менее допустил нас к конвейеру, предупредив, чтобы слишком близко мы не подходили, а то — не ровен час — распилит пополам.

Лесопильный конвейер действовал, как и раньше. Но прежнего удовольствия уже не было. Напротив, с каждым мгновением росла моя тревога: я вдруг со всей отчетливостью почувствовал неизбежность наказания за свое самовольство. К тому же сестренки устали, проголодались, конвейер им совсем не понравился. И, услышав, что он может нас распилить, они заревели от страха.

Как я их ни успокаивал, они продолжали реветь в течение всего обратного пути от лесопилки до станции. Младшую я нес на руках, а старшая плелась рядом. Когда мы наконец добрались до железной дороги, уже смеркалось. Но тут-то меня подстерегала еще одна неожиданность: последний поезд на Рыбинск уже ушел. Уехать можно было только на следующее утро.

Легко вообразить мое отчаяние. Что делать? Где ночевать? (Денег у меня не было, к тому же я весьма смутно представлял себе, как ими распоряжаться.) А что подумают родители?! Они же просто сойдут с ума!..

Если бы я оказался в таком положении один, то, наверное, растерялся бы, тоже заплакал. Но чувство ответственности за сестер сделало меня в тот час взрослее своих семи лет.

Увидев единственный на станции паровоз, я подбежал к кабине машиниста. Машинист кончил смену и собрался уходить. Но я, буквально преградив ему дорогу, стал умолять его довезти нас до города. Озадаченный машинист вполне разумно сослался на расписание: пускаться в путь по железной дороге, когда тебе заблагорассудится, никак нельзя. Однако сцена, по всей видимости, была душераздирающей, и он все-таки повез нас.

Невероятно, но факт!

Еще более невероятным было то, что дома наказания не последовало. Мама, уже не чаявшая увидеть детей живыми и здоровыми, встретила нас молча. Сил на упреки у нее не осталось. А отец — вот везение! — в тот вечер вернулся еще позднее нас, завернув куда-то по дороге с вокзала. Дома он застал обычную картину: мы безмятежно спали в своих кроватках, а мама ждала его с ужином. Конечно, она не выдала нас, и наутро, когда я проснулся с неприятным осадком в душе, с предчувствием неминуемой выволочки, мама сделала вид, будто вчера ничего необычного не произошло.

Это был один из самых впечатляющих уроков ее педагогики. Разве можно забыть великодушие, с каким тебя предоставляют твоей собственной совести?! И разве, кроме благодарности, ты не испытываешь также и чувство раскаяния, оказываясь прощенным как раз тогда, когда обреченно сознаешь, что прощения тебе нет и быть не может?!

Рыбинск

Судя по моим детским воспоминаниям, в этом российском захолустье, каким был тогда Рыбинск, протекала своя культурная жизнь. В двухъярусном Зимнем театре постоянно выступали гастролеры — сказывалась близость Ярославля, города с давними театральными традициями. Кроме того, был Летний театр, он именовался Городской дачей.

Здесь в мою бытность состоялся концерт Федора Ивановича Шаляпина. Имя Шаляпина гремело по России. Он был больше чем артист: он был живая легенда. К тому же легенда эта среди рыбинских зрителей произрастала на почве волжского патриотизма (Шаляпин ведь волгарь), так что его приезд стал для них событием из ряда вон выходящим. Мои родители тоже пошли на концерт и даже взяли меня с собой: запомни, мол, такое не каждый день происходит. В результате я запомнил не столько Шаляпина, сколько сам факт, что слушал и видел его и что этому факту следовало придать большое значение.

Что касается Зимнего театра, то при нас он сгорел. После чего спектакли перенесли в помещение синематографа, пригодное скорее для какого-нибудь склада.

Хорошо помню обитые железом массивные ворота, ведущие с улицы прямо в зал.

С этим помещением связана забавная история, в которую я опять-таки втянул моих сестер Беллу и Софью. В отличие от путешествия на лесопилку на сей раз без скандала не обошлось.

Я повел сестер на вечернее представление пьесы Эдмона Ростана «Шантеклер». Разумеется, в зал мы пробрались обманом (иначе кто бы нас впустил!). Запамятовал, как именно удалось это сделать, но уж наверняка не без помощи соседского мальчика, которого звали Витя Голохвастов.

Дело в том, что в доме напротив, где жил этот мальчик, квартировали две артистки, и, когда заезжей труппе, в которой они подвизались, понадобился юный исполнитель, они посоветовали взять его. Правда, вся его роль в «Шантеклере» заключалась в том, что он должен был молча сидеть на сцене и строгать палочку. Но это не мешало мне еще загодя, до премьеры, восторгаться им и ужасно ему завидовать.

К тому времени я тоже успел хлебнуть отраву публичности — принять участие в спектакле. Что, однако, лишь обострило мою зависть к Вите Голохвастову. Потому что «его» спектакль был настоящим, «взрослым», а «мой» — только игрой в спектакль.

Игра эта была затеяна другим соседским мальчиком — Колей Савиновым, по чьей инициативе ребята (все значительно старше меня) соорудили в сарае сцену, сшили из тряпок занавес, украсив его елочными игрушками, и срепетировали пьесу из жизни разбойников. Сначала мне было позволено присутствовать на репетициях и выполнять мелкие поручения, а потом — даже роль перепала. Я должен был лежать без движения с кинжалом под мышкой, изображая убитого купца. Легко вообразить степень достоверности этого семилетнего «купца», который к тому же от безумного волнения непрестанно шевелился и поглядывал в зал. В том спектакле был постановочный эффект, до которого ни один взрослый режиссер никогда бы не додумался. В финале над горящей свечой подвешивался боевой винтовочный патрон — исполнители разбегались кто куда, публика в страхе замирала, и, наконец, патрон оглушительно взрывался. Хорошо еще, никто не пострадал от этой смелой «находки».

Надо сказать, сам факт присутствия на сцене я ощущал как чудо. Причем это детское ощущение вовсе не притупилось за мою долгую жизнь.

Соблазн убедиться, что это чудо может произойти — и не в сарае, а в городском театре! — с моим приятелем, с таким же мальчиком, как я сам, был слишком велик, чтобы задумываться о последствиях очередной самовольной отлучки из дому.

Между тем ушли мы из дому в пять часов, спектакль начался в семь, а в девять отец вернулся с работы и, обнаружив наше отсутствие, ринулся на поиски. Кто-то подсказал ему, где мы находимся. И вот он — у входа в бывший синематограф, что есть силы колотит в железные ворота руками и ногами.

Как я уже говорил, ворота вели прямо в зал. Поэтому публике слишком хорошо были слышны эти дикие звуки. Поначалу все делали вид, что так и должно быть; кто знает, может быть, это какая-нибудь канонада или гром, необходимые по ходу действия. Но спектакль идет, а канонада не прекращается, и постепенно даже самым доверчивым зрителям становится ясно, что здесь что-то серьезное. К тому же в зал долетают приглушенные вопли:

— Откройте! Что за безобразие! Что за манера играть в пьесы с пяти до десяти! Откройте, в зале дети!

С этими словами отец каким-то образом преодолевает могучую преграду и, отшвырнув перепуганных капельдинеров, врывается в зал. Актерам приходится прервать представление. Одни зрители возмущены, другие хохочут. А отец, ни на кого не обращая внимания, бегает по центральному проходу туда-сюда и продолжает кричать:

— Аркадий, девочки, я знаю, что вы здесь! Аркадий, ты слышишь меня? Немедленно марш домой!

В конце концов он хватает нас мертвой хваткой и со свирепейшим видом выводит вон.

Смешно и грустно: мы, маленькие, чувствовали, что это позор, а он — нет.

Дома мне сильно влетело, но о своем поступке я не сожалел. Я жалел лишь о том, что отец не дал досмотреть спектакль, который мне очень понравился.

Конечно, туманные аллегории пьесы были мне непонятны. Громоздкое, велеречивое сочинение о галльском петухе Шантеклере (его именуют «певец зари» за то, что он является поборником добра и поэзии) я воспринимал просто как сказку. Сказку о петухе и прочих обитателях птичьего двора, среди которых особого моего расположения удостоились такие экзотические персонажи, как Павлин и Фазанья курочка.

Возможно, будь я постарше, зрелище показалось бы мне достаточно бессмысленным и жалким. И даже вполне вероятно, что таким оно было на самом деле. Но так или иначе с «Шантеклера» началась моя биография театрального зрителя. И поэтому, наверное, у меня сохранилось особое отношение к этой пьесе; даже не к пьесе, а к самому названию. Помню, когда по нашим экранам прошел испанский фильм «Королева Шантеклера», к «моему Шантеклеру» никакого отношения не имеющий, у меня почему-то возникло ощущение, что я получил привет из своего далекого детства.

Из рыбинских театральных впечатлений мне вспоминаются еще «Проделки Скапена». Наверное, я был уже постарше. Не знаю, какая труппа играла этот спектакль, но помню, что шел он в Летнем театре, то есть на Городской даче в парке. Когда много лет спустя, оказавшись с концертом в Рыбинске, я попробовал пройти путь от дома, где я жил в детстве (самого дома на бывшей Столыпинской улице я так и не нашел), до парка, то обнаружил, что расстояние было порядочным. Так вот, «Проделки Скапена» поразили меня тем, что в спектакле участвовали наши городские мальчики. Я сразу увидел их, как только, задолго до начала, пришел в парк. В спектакле они изображали арапчат, которые открывали и закрывали занавес. Но их функции этим не ограничивались. Они все время были на сцене и, хотя не произносили ни слова, по-своему участвовали в действии.

Как известно, никаких арапчат в пьесе Мольера нет. Очевидно, театр решил взять их «напрокат» у Всеволода Эмильевича Мейерхольда, который этих арапчат придумал, когда ставил в Александринском театре другую мольеровскую пьесу — «Дон-Жуан», с Юрьевым — Дон-Жуаном и Варламовым — Сганарелем.

Вообще, заимствовать у столицы было в порядке вещей. Как известно, целые спектакли ставились по столичным мизансценам. (Что, впрочем, вряд ли можно было считать плагиатом, поскольку о том объявлялось в афишах. В более позднее время, когда режиссура вполне утвердилась в качестве самостоятельной творческой профессии, подобные объявления делать перестали. Их

45

стали стыдиться, но не знаю, к лучшему ли это, так как по-прежнему не стыдятся копировать.)

Пройдут годы. Я стану завсегдатаем уже бывшего Александринского театра. Увижу сохранившийся на его подмостках мейерхольдовский «Маскарад» с Юрьевым в главной роли. И по рассказам очевидцев — прежде всего Владимира Николаевича Соловьева, сподвижника Всеволода Эмильевича и моего театрального учителя — восстановлю для себя, выучу, как будто бы сам смотрел, «Дон-Жуана». А потом, еще позже, когда ни Мейерхольда, ни Соловьева, ни Юрьева уже не будет в живых, откроется мне пронзительный смысл ахматовских строк:

> Все равно, подходит расплата —
> Видишь там, за вьюгой крупчатой,
> Мейерхольдовы арапчата
> Затевают опять возню?..

И тогда другие арапчата, рыбинские, будут всякий раз всплывать в моей памяти в странной, не поддающейся логическому объяснению взаимосвязи с моим настоящим и будущим.

Надо сказать, что отношение к революции в нашей семье было лояльным. Когда установилась советская власть, отец в отличие от многих людей его круга не метался в поисках иного существования. Трудиться в поте лица было ему привычно, а капиталов, с которыми было бы жаль расставаться, у него никогда не было.

Конечно, и он, и мама были далеки от революционных настроений; вообще я не помню, чтобы у нас в доме велись разговоры о политике. В крайнем случае говорили так: «Ну что они там еще придумали?» И тут же переходили на бытовые темы.

В Рыбинске мы пережили военный коммунизм.

Помню, мама купила или скорее всего выменяла на базаре несколько фунтов сливочного масла. Это было большим событием, вызвавшим подъем духа у всех домочадцев. Даже малявки Белла и Софья прониклись торжественностью момента. Дождавшись, когда отец вернется с работы (чтобы и он участвовал в торжестве), мы приготовились смотреть, как мама разрежет масло. Вот она взяла большой кухонный нож, примерилась и... Каково же было наше огорчение, когда оказалось, что там внутри — картошка!

Хотя в таких случаях бывало очень обидно, родители никогда не делали из них трагедию.

— Что поделаешь, — говорил отец, — некоторые люди совсем потеряли совесть, но из этого не следует, что надо сходить с ума.

Я же теперь могу сделать вывод, что при всех странностях нашего семейного уклада в основе он был крепок и по-своему естествен. В моменты существенных житейских испытаний это проявлялось наиболее отчетливо.

Еще помню, когда объявили нэп, то буквально в течение суток витрины магазинов заполнились разнообразными товарами. Мы ходили от витрины к витрине и любовались этим изобилием, не веря своим глазам. Ведь мы уже привыкли довольствоваться одной затирухой. Особенно поразили меня шоколад, торты, пирожные! Глыбы шоколада! Раньше мы могли это видеть только на картинках.

Сейчас, к старости, я вспоминаю эти поразившие детское воображение витрины, переполненные снедью.

В Рыбинске я пошел в школу сразу в третий класс, где был не очень ретивым учеником, не сильно себя утруждал. Запоминал то, что сразу ложилось в голову.

В этой школе я проучился всего один год. Летом 1922 года наша семья переехала в Петроград.

Петроград

Отец решил, что где, как не в Питере, можно по-настоящему развернуться человеку такой энергии и такой предприимчивости?! Приглашения на работу, насколько я помню, он не имел. Но это компенсировалось его уверенностью в том, что глубокие знатоки лесных пород на улице не валяются.

Подобный ход мысли, способный обескуражить неожиданной в отце непрактичностью, каким-то веселым своим прожектерством, свидетельствует, что задавленные на корню некоторые артистические склонности отцовской натуры иногда все-таки давали о себе знать.

Впрочем, может быть, им руководила чисто коммерческая интуиция. К тому же несколько раньше в Питере успели обосноваться его родственники, которые настоятельно советовали последовать их примеру, воспевая из своего далека неоспоримые преимущества жизни в бывшей столице и обещая помочь.

Спору нет, на первых порах будет непросто, но волка бояться — в лес не ходить, риск — благородное дело, особенно если учесть, что никто еще не умер, решив поменять худшее на лучшее.

Таков был главный аргумент в пользу отъезда.

Но, с другой стороны, мало ли что! У одних на новом месте все складывается, а у других может и не сложиться. Не говоря о том, что с тремя детьми в три раза сложнее.

Таковы были аргументы против.

Но даже мама колебалась, как мне кажется, только для видимости, только потому, что как-то вроде и неприлично принимать такое решение с бухты-барахты. В сущности, агитировать их не требовалось. До революции вследствие черты оседлости переехать в столицу было для них невозможно. А теперь появился соблазн дать желаниям волю.

Что касается меня, маленького провинциала, то, сколь бы красочно ни рисовал я себе этот город, встреча с ним превзошла все мои ожидания. Да и могло ли быть иначе?!

Полагаю, у меня есть достаточно веские причины считать себя ленинградцем. Шутка ли, я прожил там шесть десятилетий. Вплоть до 1982 года, когда Театр миниатюр, которым я руковожу, в полном составе перебрался в Москву.

Я люблю Москву. Не столько за стремительность, сколько за разнохарактерность ее жизни, которой хватило бы на несколько городов.

Как город театральный, она, по-моему, живее, мобильнее Ленинграда (что имеет не последнее значение для артиста). Наконец, в Москве давно живут и работают мои дети. Были и другие, куда менее приятные основания покинуть город, ставший родным, но всякий раз, когда в числе пассажиров «Красной стрелы» под звуки «Гимна великому городу» я выхожу на ленинградский перрон, мне неизменно чудится, будто после долгих гастролей я наконец вернулся домой.

В Петрограде мы поселились на Троицкой. На этой тихой, неширокой улице, позднее переименованной в улицу Рубинштейна, лишь два-три здания — начала XIX века — относятся к памятникам архитектуры. В нашу бытность, правда, стоял еще прелестный деревянный домик екатерининской поры, но доныне он не сохранился. Преобладают же там здания довольно-таки скучные. Во вкусе той эпохи, когда смешение стилей стали почитать образцом красоты и когда окончательно нарушился общий план Петербурга времен Растрелли и Росси; план, придававший ему тот строгий, стройный вид, которым восхищался Пушкин.

Были, конечно, улицы более благородные и более славные, нежели Троицкая. Но это не бросалось мне в глаза не только потому, что я еще не умел как следует видеть. Местоположение Троицкой, весьма оживляющее ее, позволяло чувствовать себя патриотом всего района, а не только улицы. Она упирается в Невский проспект, другим концом выходит к Пяти углам и параллельна набережной Фонтанки, куда можно свернуть переулком или же проходным двором так называемого толстовского дома, замечательного своими массивными чугунными воротами, по решетке которых так здорово было карабкаться, играя в матросов революционного крейсера.

Толстовский дом, этот океан жилплощади, кишел уплотненными и подселенными жильцами. Однако были также квартиры, в коммуналки не превращенные. В одной из них, пятикомнатной, располагалась семья моего дяди, маминого двоюродного брата. Кажется, он был инженером. Наверное, даже занимал ответственный пост, раз уж ему оставили отдельную квартиру. Дядю я помню главным образом лишь в той связи, что у него я впервые услышал радио. Это был приемник с наушниками, и знакомые, соседи, родственники — все, кто только мог, — ходили к нему подивиться этому чуду двадцатого века. Так же, как тридцать лет спустя стали ходить к счастливым владельцам первых телевизоров марки «КВН» — с крошечными экранами, увеличенными приставными аквариумными линзами.

Мы поселились на шестом этаже соседнего (если идти по Рубинштейна в сторону Пяти углов) дома № 23. Всякий желающий может и сегодня убедиться в том, что этот дом не менее внушителен, чем толстовский. Но в сравнении с последним он всегда проигрывал, всегда был менее приметен, ибо на его воротах не было такой решетки, да и двор наш был самый обыкновенный, не проходной. Двор делился на две части забором, за которым находилась школа, в которой я учился. Пространство двух этих дворов — дома и школы — равняется пространству двора толстовского дома.

Сначала мы жили в большой пятикомнатной квартире. Вскоре к нам подселили одну семью, потом другую, в конце концов остались в двух комнатах, так что я оказался вместе с сестрами.

Номер школы тоже был 23, и в это число я вкладывал символический, точнее, ложно многозначительный смысл. Например, прибегнув к вычитанию, говорил себе, что дом минус школа, как, впрочем, и школа минус дом равняется нулю. Какой из этого следовал вывод, мне сейчас трудно объяснить. Но вывод следовал и почему-то был очень важен.

Подобные игры, упражнения неокрепшего ума, в которых то ли разбазаривается, то ли, напротив, накапливается умственная энергия, наверное, всем известны. Взрослея, начинаешь стесняться их: какая чушь приходила в голову! Но, повзрослев окончательно, улавливаешь в них иные оттенки: какая невинная, безоблачная, безвозвратная чушь!..

Итак, чтобы очутиться на школьном дворе, достаточно было выскочить из дома черным ходом и перемахнуть через забор. Он был высоковат, к тому же покрыт колючей проволокой, зато я был ловок и цепок. И хотя, говоря по-спортивному, я «выступал» в наилегчайшей весовой категории, ничто на свете, включая неоднократно испытанную опасность оставить на заборе кусок штанов, не могло бы заставить меня пренебречь кратчайшей дорогой.

Много воды утекло с тех пор, и жизнь научила меня брать препятствия посерьезнее. В частности, научила брать их в обход. Что поделаешь, путь непрямой, извилистый, хотя и требует долготерпения, нередко является более верным способом достижения цели. По крайней мере в искусстве мало что удается, когда действуешь в лоб и с наскока. Это не мешает мне завистливо вздыхать о той мальчишеской прямолинейности, которой все было нипочем.

Между прочим, могу заметить не без удовольствия, что в последний раз я перелезал через забор совсем недавно. Мне шел тогда 72-й год. Я жил в Серебряном бору, в Доме отдыха Большого театра, и несколько раз в неделю ездил в Москву играть вечерние спектакли. Как-то раз, возвращаясь после спектакля в Серебряный бор, я несколько задержался, так как наша театральная «Волга» сломалась и пришлось вызывать такси. Видимо, в Доме отдыха решили, что я остался ночевать в городе, и ворота наглухо закрыли. Время за полночь, сторож куда-то ушел или заснул; ни дозвониться, ни достучаться, ни докричаться не могу. Видя такое дело, таксист предлагает везти меня обратно, на городскую квартиру. Что ж, думаю с досадой, хочешь не хочешь, придется ехать. Но вдруг вспоминаю, как в школьные годы запросто справлялся с заборами. И неожиданно для себя решаю тряхнуть стариной... Получилось, представьте себе. Изумлению таксиста не было предела. Еще бы! Я потом вообразил, как он рассказывает в кругу друзей, что видел Райкина, ночью перелезающего через забор!

При царе наша школа называлась Петровской, потом название отменили как старорежимное, а нового не дали, только пронумеровали ее. Но в обиходе она как была Петровская, так и осталась. Это была отличная школа. Когда-то она имела статус коммерческого училища, за которым укрепилась негромкая, но солидная репутация благодаря отлично подобранному преподавательскому составу. Но и в годы моего учения она по-прежнему славилась высоким уровнем преподавания.

В отличие от множества других петроградских заведений здесь почти все педагоги согласились сотрудничать с советской властью. Они оставались на своих привычных местах и занимались своим привычным делом как ни в чем не бывало. Как бы наперекор разрухе, голоду и разброду в умах, подвергавших интеллигентов старой закалки (даже и тех, что не были настроены непримиримо) искушению опустить руки, устраниться от активной деятельности.

Благодаря этому нашу школьную жизнь отличала стабильность давным-давно установившихся и тщательно оберегаемых традиций. Во всем чувствовались организованность и рачительность.

Так, учебные кабинеты, будто их не коснулось время, были превосходно оснащены. Доски и парты, атласы и книги не только не пошли на растопку (что случалось сплошь и рядом, ибо за годы гражданской войны нужда в топливе доводила и не до такого), но сохранились в идеальном порядке. Даже когда занятия, как и везде, прерывались на неопределенный срок, педагоги и служители школы, точно защитники осажденного бастиона, не покидали ее.

Конечно, я не успел застать тот период, но, близко узнав этих людей впоследствии, могу с полным основанием утверждать, что они это делали вовсе не по инерции, не по привычке к служебному рвению. Они руководствовались убеждением, что даже и в таких условиях необходимо делать все от них зависящее, чтобы в школе теплилась жизнь. Так они понимали свой долг. Так проявлялась их подвижническая преданность идее просвещения.

Директор. Одноклассники. Елена

И до революции, и после нее многие из педагогов жили при школе. Там же была и квартира Виктора Феликсовича Трояновского.

На общих собраниях, которые время от времени устраивались в рекреациях, Виктор Феликсович напоминал генерала на смотре войск. Вообще он был, что называется, фигура.

Он обладал замысловато разветвленной бородой, которую мы прозвали двуспальной. Но если мы и позволяли себе шуточки на сей счет, то недоброй насмешки в них не было. Несмотря на то что школьника всех времен и народов хлебом не корми, лишь дай ему повод обнаружить в педагоге какую-нибудь слабинку, директор являлся для нас авторитетом непререкаемым. Мы относились к нему с добровольной почтительностью, которая распространялась и на его бороду, в самом деле почтенную, как бы роднившую его с бородатыми жрецами науки, чьи портреты висели в классах. И даже ученики других школ, случалось, приходили к нам целыми делегациями, чтобы украдкой на нее посмотреть. Возможно, Виктор Феликсович догадывался об этом. Он ухаживал за своей бородой с каким-то демонстративным, как бы что-то доказывающим педантизмом. То был педантизм особого рода. В нем сказывалось умение держать не только внешнюю, но и внутреннюю форму.

Трояновский пользовался известностью как автор нескольких учебников по физике, как одаренный популяризатор науки и, по-видимому, как серьезный ученый. Он состоял профессором одного из ленинградских институтов. Как я убедился годы спустя, в академических кругах его помнили и произносили его имя с большим уважением.

Другие педагоги тоже совмещали преподавание в школе с чтением лекций и научными исследованиями. Загруженные в университете или в других вузах города, они имели возможность не держаться за школу, не тратить на нее время. Но никто из них не уходил. Повседневное общение с детьми было для них профессиональной и человеческой потребностью.

Они были энтузиастами специализированного среднего образования. Задолго до дискуссий о ранней профессиональной ориентации Трояновский и его коллеги пришли к убеждению, что адаптированные знания не приносят пользы. Своим девизом они могли бы выбрать известный афоризм Гете: «Лучше знать все о немногом, чем немного обо всем». (Я, правда, принадлежал к той весьма распространенной категории учеников, которые всегда были готовы к полемике с этой точкой зрения веймарского олимпийца. Но об этом чуть позже.)

Нельзя сказать, что гуманитарными предметами в школе пренебрегали. Но акцент ставили на математике, химии и, конечно, физике.

Чего только не делал Трояновский, чтобы влюбить учеников в физику!

В физическом кабинете хранились паровые машины, аппарат для выкачивания воздуха и еще какие-то замысловатые аппараты, назначение которых осталось для меня непостижимой тайной, но самый вид которых, казалось, агитировал в пользу физики.

В нашем классе Виктор Феликсович не преподавал, но всякий мог обратиться к нему за консультацией. Вряд ли я преувеличу, сказав, что во многом благодаря Трояновскому значительная часть моих одноклассников связала с физикой всю свою жизнь.

Думаю, он в какой-то степени причастен и к тому, что мой соученик Яша Зельдович стал выдающимся деятелем отечественной науки, академиком, лауреатом Ленинской премии, трижды Героем Социалистического Труда. Между прочим, в детстве Яков Борисович Зельдович не производил впечатления вундеркинда. Мальчик как мальчик: маленький, тихий, застенчивый.

Как-то раз, вскоре после окончания войны, мы с ним столкнулись в трамвае.

— Ой, — сказал он, — говорят, вы стали актером?

Несколько удивившись, почему он со мной на «вы», я вдруг ощутил прилив большого уважения к собственной персоне и тоном знаменитости, уставшей от поклонников, подтвердил, что я действительно актер. Актер, а не какой-нибудь там...

Он почему-то очень обрадовался этому сообщению, наговорил кучу комплиментов по поводу моих успехов еще в школьной самодеятельности и собрался выходить.

— Ну а вы чем занимаетесь? — спросил я из вежливости, точно исключая возможность, что этот маленький Яша может заниматься чем-нибудь интересным.

— Физикой, — ответил он скромно. — Если вы помните, я всегда любил физику.

Я про себя посочувствовал ему: надо же, какая тоска!

В то время Якову Борисовичу было чуть больше тридцати, но он уже успел стать членом-корреспондентом Академии наук СССР, автором глобальных научных открытий. Обо всем этом я понятия не имел. Но вспоминая потом встречу в трамвае, не раз задумывался о преимуществах скромности.

Из своих одноклассников, к сожалению, помню немногих. Например, Сойкина. Его звали Арик. Он был сыном знаменитого издателя, который еще до революции начал выпускать журнал «Вокруг света». В те годы, когда мы с Ариком учились в школе, Сойкин-отец, напутствуемый А. В. Луначарским, принимал активное участие в становлении советского издательского дела.

Помню Толю Жевержеева, чей отец был также известным деятелем культуры, основал Ленинградский театральный музей и театральную библиотеку. Кроме того, он субсидировал кабаре под экстравагантным названием «Баба-яга». Это кабаре, между прочим, помещалось на Троицкой улице, там, где теперь Малый драматический театр.

Учился я с племянником композитора Е. Б. Вильбушевича, который был постоянным аккомпаниатором артиста

Александринского театра Николая Николаевича Ходотова, настоящего «фрачного героя», выступавшего уже в советское время в концертах с мелодекламациями. Ясно вижу себя у них дома (они жили на противоположной стороне Троицкой улицы), стены увешаны афишами и фотографиями с дарственными надписями знаменитых артистов, комнаты уставлены цветами и даже лавровыми венками, подаренными Вильбушевичу на концертах.

— Это все дядино, — с гордостью говорил Володя.

Впрочем, наверное, я не случайно запомнил эту картину. Всяческие предметы артистической жизни были для меня по-особому значительны, по-особому волновали. Ведь уже в седьмом-восьмом классе я знал, или, вернее сказать, предчувствовал, что буду артистом либо... шут его знает кем.

Помню Шуру Миллера, с которым я сидел на одной парте. В свободное время мы развлекались игрой в угадывание: по внешности человека, его поведению старались определить профессию.

Большинство моих соучеников стерлись из памяти. Точнее, я помню их зрительно или по фамилии, но об их судьбах почти ничего не знаю.

Но вот судьба, которая мне известна. Был среди нас мальчик, которого мы ласково называли Левушкой. Рано лишившись родителей (они погибли в результате несчастного случая), он жил у своей тетки в Павловске. Каждый день Левушке приходилось вставать затемно, чтобы вовремя добраться до школы. Но он никогда не жаловался на это, да и вообще мне трудно представить, чтобы он на что-нибудь жаловался. Левушка, как почти все наши ребята, был склонен к точным наукам, и, очевидно, по этой причине Петровская школа так ему нравилась, что он и не думал о переводе в другую, поближе к дому. Судя по всему, условия для домашних занятий были у него далеко не идеальными, но все это восполнялось его старательностью и вдумчивостью. Вообще, несмотря на свой кроткий вид, он производил впечатление внутренне сильного, целеустремленного парня. Казалось, он знает, а если не знает, то ищет какую-то тайну, делиться которой совершенно не намерен ни с кем.

После школы Левушка поступил в химико-технологический институт, проучился там два или три года, но, видимо, убедившись, что в инженерии он не найдет того, что необходимо его душе, пошел учиться снова — в медицинский.

В 1940 году, получив диплом хирурга, он отправился воевать с белофиннами. Отечественную войну — с первого и до последнего дня — провел у операционного стола во фронтовых госпиталях. Был награжден боевыми орденами и медалями. Демобилизовался... и опять пошел учиться. В духовную семинарию. Семинарию он окончил с отличием, потом окончил духовную академию, тоже с отличием, и его оставили в академии преподавать. Теперь он архиепископ.

Мы с ним до сих пор поддерживаем добрые отношения. Я нахожу его интереснейшим собеседником. Он посещает театры, концерты, интересуется книжными новинками и обладает, на мой взгляд, тонким чувством юмора.

Как-то раз он пригласил меня в церковь послушать его проповедь. Говорил он прекрасно. Он говорил о людях, погибших на войне, и о том, какую ответственность несут все живущие перед их памятью.

Я слушал его и думал, сколь действенным может быть слово, обращенное с кафедры к людям, и как мы безбожно транжирим слова, которые произносим со сцены, забывая, что сцена — та же кафедра.

Да, выбор, сделанный Левушкой, вероятно, нетипичен. Но я хотел бы подчеркнуть, что для него этот выбор явился результатом глубокого потрясения, отзвуком тех тяжелейших испытаний, которые нашему поколению довелось пережить.

Вернемся, однако, в Петровскую школу.

Трояновский был верным рыцарем физики и педагогики, но любовь к ним ослепляла его.

Когда его дочь Елена Викторовна изъявила желание стать актрисой, он категорически воспротивился. Не то что был противником театра вообще или исходил из прагматических соображений, как мой отец в подобном конфликте. Просто не мог смириться с мыслью, что дочь пойдет не по его стопам, что семейная традиция заглохнет. И потребовал от нее прежде всего закончить педагогический институт, а уж потом, если захочет, пусть стремится к театральному поприщу. Елена Викторовна не посмела его ослушаться и, получив диплом преподавателя, некоторое время вела физику у нас в классе.

Все мы чувствовали, что учительствовать ей скучно. Однако это не означает, что на ее уроках было скучно нам. То были самые веселые, самые легкомысленные уроки!

Приходя в класс непосредственно из отцовской квартиры, она не чувствовала себя неудобно оттого, что на ней был домашний халатик, облегавший стройную фигуру. Замечу, что наружность ее была весьма привлекательна.

Объясняя закон, допустим, Бойля — Мариотта, она могла взбивать в чашке гоголь-моголь, который иной раз, не дожидаясь звонка на перемену, предлагала отведать в знак поощрения за остроумие и находчивость: эти качества она ценила в нас больше, нежели прочность знаний.

Кроме того, ей приходило в голову взбираться на широкий подоконник и прогуливаться по нему, пока мы писали контрольную.

Может быть, она и не задавалась целью эпатировать зеленых юнцов (хотя, конечно, от нее не могло укрыться, что такой необычный метод приобщения к знаниям мы принимаем с восторгом, весьма сомнительным с точки зрения классической педагогики). Но несомненно, что свою эксцентричность она подчеркивала сознательно. То ли просто от скуки, то ли стремясь доказать отцу, что она все-таки актриса, а не учительница.

Когда я был уже в восьмом классе, мы с ней вместе участвовали в школьном спектакле «На дне». С тех пор она стала видеть во мне кого угодно, только не ученика. Главным образом я был для нее партнером по сцене. Партнером тем более подходящим, что от души разделял ее отношение к физике.

Много позже я встретил Елену. Оказалось, что в конце концов она сбежала из школы и поступила в театр.

— Представляешь, — горячо говорила она, как будто мы только вчера расстались, — представляешь, сколько я могла бы успеть, если бы из-за папиной прихоти не потеряла кучу времени!

Не знаю, как этой непредсказуемой женщине удалось распорядиться своим временем впоследствии. Не знаю, простил ли ее Виктор Феликсович и простила ли она его. Но, как бы то ни было, он имел полное право сказать, что не только искусство, но и физика требует жертв. А она имела полное право ответить, что жертвы хороши лишь тогда, когда к ним не принуждают.

А самое главное — и это уже не зависит от чьей-либо правоты или самоотверженности — никогда не бывает известно заранее, требуются ли искусству, равно как и физике, жертвы именно от тебя.

Типичный гуманитарий

В отличие от большинства моих соучеников, для которых оказаться в нашей школе значило вытянуть счастливый лотерейный билет, я был типичный гуманитарий и тяготился тем, чем они дорожили.

Белая ворона среди технарей, я, бывало, на уроках актерствовал, веселил товарищей и всем своим поведением убеждал педагогов, что легче медведя научить кататься на роликах, чем заставить меня решать уравнения и доказывать теоремы.

Поначалу педагоги пробовали бороться с моим лицедейством. Однако не на того напали!

Отчасти меня выручала идеальная память. В то время мне было достаточно два-три раза услышать какой-нибудь монолог в театре, чтобы я мог воспроизвести его слово в слово и даже скопировать интонации. Эту способность я иногда применял на уроках математики и биологии.

Биологию, ботанику и зоологию вел у нас Виктор Михайлович Усков, отец Владимира Викторовича Ускова, впоследствии известного ленинградского артиста, одного из сподвижников Николая Павловича Акимова по Театру комедии.

Виктор Михайлович был милейший, незлобивый человек, гордостью которого была коллекция бабочек, собранная в трех шкафах биологического кабинета. Бабочки мне очень нравились, равно как и диковинные растения, аквариумы, чучела птиц, скелеты животных, которые Усков также собирал с большой любовью и выставлял уже не только в кабинете, но и в школьных коридорах.

Конечно, стоило ему задать вопрос, скажем, о рыбах, как сразу же обнаруживалась вся бездна моего невежества. Но я не терялся и начинал подробно рассказывать о ящерицах... Он морщился, как от зубной боли, и с интонацией, с какой здоровый человек может обращаться только к безнадежно больному, обрывал поток моего краснобайства:

— Понятно, Райкин. Посиди пока.

Бывало, впрочем, что сама имитация сообразительности, то есть, в сущности говоря, лицедейство, производили на него известное впечатление, и вместо того, чтобы поставить мне единицу, он говорил:

— Ну, Райкин, ты артист!

Между прочим, несколько лет назад я получил забавное письмо, которое заставило меня вспомнить свое поведение в школе и с благодарностью оценить адское терпение, которое требовалось педагогам, чтобы выдерживать мои фиглярские интермедии.

Вот это письмо.

Здравствуйте, Аркадий Райкин!

Я Вам пишу, потому что очень-очень хочу стать актрисой. Я понимаю, что готовиться к своей будущей профессии человек должен еще со школьной скамьи. Вот я и готовлюсь, а учителя говорят, что это хулиганство. Ну как они не понимают того, что я готовлюсь?! Вот, к примеру, Юрий Дуров подошел однажды к экзаменаторам на руках, а стал всемирно известным дрессировщиком. Я же всего-навсего повторяю все движения учителей, и то сажусь для этого на самые последние парты, чтобы они не видели. Но каждый учитель, как только входит в класс, обязательно глазами ищет меня. Когда учительница стоит, ничего не делает и смотрит на меня, я тоже ничего не делаю, но, как только начинает говорить, я тоже начинаю, только не говорить, а руками махать. Учительница вдруг делает страшное лицо, подбегает к моей парте и кричит: «Хулиганство! В колонии таких отправлять надо!» Она бы меня еще козой напугала. Я же хотела сделать как лучше, хотела, чтобы она на себя со стороны посмотрела, я, как Вы, хотела показать теневые стороны жизни. Вот директор — это совсем другое дело, он меня вызвал к себе и не ругался, ему, наверное, это ужасно надоело, он просто сказал: «Напиши какому-нибудь очень знаменитому, самому твоему любимому артисту и спроси, как он расценивает всю эту твою подготовку».

С большим уважением — Наташа...
г. Тюмень, улица Республики...

Что мне было посоветовать этой Наташе?

Проще всего мне было сказать, что ведет она себя неправильно и вряд ли не сознает этого. Скорее всего просто не хочет сознавать. Но если так, то письмо написано с юмором. Не может быть, чтобы она и в самом деле думала, что я, взрослый человек, благословлю ее на подобные выходки!

С другой стороны, если быть до конца откровенным, мне хотелось воскликнуть:

— Милая девочка, я тебя понимаю! Я и сам был таким!..

Признаваться в этом, наверное, было бы непедагогично. Но, во всяком случае, лучше, чем обвинять ее в хулиганстве.

Думаю, мои педагоги страдали от меня не меньше, чем от тюменской Наташи — ее учительница. Но колонией мне не грозили. И даже не ставили вопрос о моем переводе в обычную, неспециализированную школу.

Если бы я был просто бездельником, со мной наверняка бы не либеральничали. Но поскольку у меня был достаточно выраженный круг интересов, педагоги предпочитали делать вид, будто не замечают, как я всеми силами уклоняюсь от точных наук. К моему увлечению искусством относились с пониманием. Поощряли мои занятия в школьной самодеятельности. И не видели ничего ужасного в том, что больше всех предметов я люблю рисование.

То обстоятельство, что педагоги жили при школе (точнее, школа являлась для них продолжением дома), во многом обусловливало доверительный, как бы полудомашний характер их отношений с учениками. Вместе с тем они не допускали какой бы то ни было разболтанности, фамильярности. У нас на занятиях и вне занятий царила легкая, я бы сказал, творческая атмосфера. Процесс познания не ограничивался временем, отпущенным на уроки, продолжался в непосредственном общении педагогов и учеников. Все это внутренне раскрепощало нас.

Тогда еще не слыхивали об игровом методе обучения. Но несомненно, что творческая атмосфера устанавливалась в Петровской школе вследствие сознательных, целенаправленных усилий Трояновского и его коллег.

Им я обязан тем, что, несмотря на все муки, какие приносили мне физика и математика, школьные годы остались в моей памяти как счастливое время.

Мне повезло: для педагогов, которых я встретил, ученики не были безликой массой, всегда готовой, дай только ей волю, к каким-нибудь диким выходкам. В нас не подозревали подвоха. Нам доверяли, понимая, что мелочной опекой не обуздать анархические порывы, не воспитать чувство ответственности. Мы были не лучше других детей и выдаваемые нам авансы оправдывали далеко не всегда. Но все же доверием педагогов дорожили, неловко было не дорожить.

Теперь, жизнь спустя, я могу в полной мере оценить, как это важно. Как это важно в любом возрасте — доверять человеку, уважать его, видеть в нем личность. Всякий раз, когда я видел, как усредняют, умаляют человеческую индивидуальность, я с досадой думал: ну почему приходится тратить свое жизненное время, свои душевные да и физические силы на доказательство этой, казалось бы, элементарной истины?!

Я храню, может быть, и наивную веру в воспитание чувств, в его действенную силу. Я убежден, что недостатки воспитания не могут быть компенсированы ни суммой знаний, ни жизненным опытом. Так или иначе они сказываются: необязательно в откровенном хамстве или в неумении вести себя в обществе, но уж по крайней мере в том, что можно назвать душевной неуклюжестью.

Могут возразить, что есть ведь простые люди, университетов, как говорится, не кончавшие, но по своим внутренним качествам превосходящие иного цивилизованного хама. Разумеется. Но не стоит полагать, что эти люди таковы по природе, и только. Они тоже воспитаны. Воспитаны этическими нормами жизни, которые складывались веками.

Воспитание чувств — это благоприобретенная выдержанность внутренне раскрепощенного человека, это самоуважение, которое неотъемлемо от уважения к другим.

«Старайся понять, как сделана вещь...»

Моим любимым предметом, как я уже упоминал, было рисование. Впрочем, правильнее сказать — уроки ИЗО (изобразительного искусства). Потому что наш преподаватель Владислав Матвеевич Измайлович учил нас не только держать в руке карандаш и кисть, но также разбираться в истории живописи, в ее новейших течениях.

Столь обширная задача не вменялась Измайловичу в обязанность. Забегая вперед, скажу, что позже, в театральном институте, историю живописи у нас вел другой педагог — Брюллов. Его имя и отчество стерлись из моей памяти. И вообще ничего примечательного вспомнить о нем не могу. Может быть. это несправедливо. Но так уж получилось, что образ Измайловича живет во мне, а образ Брюллова — нет. Помню только, что он был правнуком художника Карла Брюллова, водил нас смотреть «Последний день Помпеи» и, стоя у картины, рассказывал свою родословную.

Измайловичу были тесны рамки школьной программы, отводившей рисованию второстепенную роль. Он исходил из того, что научиться хорошо рисовать по силам не каждому, но грамотно воспринимать искусство, знать и чувствовать его — это для каждого возможно и желательно. Увлечь он умел даже тех, кто был равнодушен ко всему, кроме физики.

Мы занимались в специальном классе, устроенном как амфитеатр. Перед каждым стоял мольберт, и, когда в сосредоточенной тишине мы что-нибудь срисовывали, сторонний наблюдатель, случайно заглянувший к нам, мог бы решить, что попал в художественную школу.

Источником педагогических взглядов Владислава Матвеевича являлась деятельность П. П. Чистякова, которому, как известно, были многим обязаны не только передвижники, но и художники последующих поколений, не учившиеся у него непосредственно. Подобно Чистякову, непримиримому врагу холодного академизма, подобно таким выдающимся педагогам начала века, как венгр Шимон Халлоши и особенно серб Антон Ашбе, которого он почитал чрезвычайно и на которого часто ссылался, Измайлович воевал со всякой скованностью и заученностью, ориентируя нас на индивидуальную работу мысли.

Когда у кого-нибудь из нас рисунок явно не получался, он не ждал, пока незадачливый рисовальщик вконец измучается, а спокойно, не ущемляя самолюбия ученика, приходил на помощь; с изумительной легкостью и безошибочностью подправлял контур или проводил по контуру своим штрихом, сообщая фигуре живое дыхание. При этом Владислав Матвеевич любил повторять слова Дега о том, что рисунок не форма, но ощущение, которое получаешь от формы.

У него на каждый случай было припасено афористическое высказывание, и часто мы затруднялись определить, кому оно принадлежит: то ли какому-нибудь великому живописцу, на которого он счел возможным не ссылаться (полагая, что нам и так ясно, кого он цитирует), то ли самому Измайловичу. Он до того увлекался этими высказываниями, что из попутного комментария к практическим занятиям они незаметно развивались в искусствоведческую лекцию, так что мы только со звонком вспоминали о том предмете, который должны были нарисовать в течение урока.

Но даже если его рассуждения носили общий характер, они всегда включали в себя исследование тех или иных технических приемов. Он никогда не говорил только о сюжете, настроении, идее картины, и, пожалуй, главное, чему мы научились от него, — ясное понимание, что все это не существует вне особенностей перспективы, композиции, колористического решения и т. д.

Он убеждал нас:

— Если хочешь получить подлинное наслаждение, старайся понять, как сделана вещь.

До революции Владислав Матвеевич сотрудничал в «Ниве». На последних страницах этого толстого респектабельного журнала нередко помещали рисунки на злобу дня. Не столько карикатурного, как теперь в журналах водится, сколько репортажного характера.

Например, полетел на воздушном шаре какой-нибудь воздухоплаватель, или английская королева дала обед в честь какой-нибудь важной персоны, или еще что-нибудь экстравагантное случилось в мире — рисовальщик все это изображает. Причем, как правило, не с натуры, а по сообщениям издалека. Напомню, что профессия фоторепортера тогда только зарождалась, фотоаппаратура была слишком громоздкой, несовершенной, чтобы можно было поспеть за всяким событием. К тому же фототелеграфа не было и в помине. И вот многие события — в особенности те, что происходили за тридевять земель, — становились объектом изображения рисовальщика.

Этим своеобразным жанром журналистики, приносившим неплохой заработок и даже некоторую — сомнительную, впрочем, для серьезного художника — известность, деятельность Измайловича не исчерпывалась.

Окончив Академию художеств, он стал принимать активное участие в столичных выставках. В основном как портретист. Правда, успехи его были весьма скромны. Насколько я помню, он принципиально не примыкал ни к одной из многочисленных в ту пору художественных группировок, стремился к независимости, но независимости в его работах как раз и не ощущалось. Он писал добротно, не более того. На фоне выдающихся достижений русской живописи 1910—1920-х годов у него, пожалуй, не было шансов обратить на себя внимание.

Думаю, Измайлович это понимал. Думаю даже, это была драма его жизни. Драма недостаточной одаренности как живописца.

В таких случаях нередко начинает развиваться комплекс Сальери. Но он был бескорыстен в своей отзывчивости ко всему, что отмечено талантом. И по моему твердому убеждению, вовсе не был бесталанным человеком. Прежде всего он был одарен как профессиональный знаток и ценитель изобразительного искусства.

Любопытно, что в своей живописи Измайлович придерживался достаточно консервативных, старомодных установок (ему как бы не хотелось расставаться с девятнадцатым веком), а вот на наших занятиях это не отражалось. Менее всего он был склонен рассматривать явления искусства в свете собственных страстей и пристрастий. В этом отношении его вкус, такт, чувство меры казались мне безупречными. Если же и можно было в чем-то упрекнуть его, так это, пожалуй, в некотором объективизме, в излишней нейтральности суждений. Он как бы самоустранялся, когда анализировал и оценивал, решающим для него оставался один и тот же критерий: входила ли такая-то задача в авторский замысел, добился ли художник того, чего хотел. Выражения «мне нравится» или «мне не нравится» в лексиконе Измайловича отсутствовали. И не потому, что он не имел своего мнения.

Но потому, что его идеалом была точность. Точность без примеси вкусовщины...

Большой художник часто бывает несправедлив к своим собратьям по профессии. И в предшественниках, и в современниках он прежде всего ищет косвенного подтверждения своим собственным идеям. Его симпатии и антипатии тесно связаны с тем, что делает он сам. Измайлович же провозглашал идею мастерства, идею таланта, который в конечном счете возвышается над направлениями и тенденциями, над междоусобицей художественных группировок, над временем.

Он мог говорить о картинах Ван-Дейка или Вермеера так, словно они были написаны в наши дни. И с другой стороны — о картинах Пикассо или Филонова, как если бы они уже давно стали достоянием истории.

Такой педагог, как наш Владислав Матвеевич, был незаменим для того, чтобы мы могли научиться без предвзятости и, так сказать, с достаточного расстояния постигнуть природу разнообразных «измов» двадцатого века, не противопоставляя один «изм» другому, но ощущая их взаимообусловленность, их общую историко-культурную значимость.

На уроках Измайловича наступал час моего торжества. Здесь я мог дать фору любому. Вообще в школе меня считали заправским художником: поручали расписывать стены комсомольского бюро, оформлять выпуски стенгазеты. Я занимался этим с удовольствием, особенно увлекался шрифтами, и на районных и городских конкурсах школьных стенгазет не раз получал призы.

Владислав Матвеевич считал, что если я буду много работать над собой, то смогу поступать в Академию художеств. Одно время я всерьез готовился последовать его совету, несмотря на то что моя любовь к театру определилась вполне. Сейчас даже странно подумать, как я мог колебаться. Но тогда во мне происходила нешуточная борьба. В конце концов перевесил театральный институт, но, прежде чем принять окончательное решение, я счел своим долгом посоветоваться с Владиславом Матвеевичем. Он был в курсе моих увлечений, относился к ним сочувственно, хотя в то же время, как мне казалось, и ревностно. Я шел к нему, боясь, что он не одобрит мой выбор, сочтет его легкомысленным. Но он сказал, что никто, кроме меня самого, не может сделать этот выбор.

— Ты должен поступить так, как чувствуешь сам. Ничьи советы здесь тебе не помогут. Но учти: за двумя зайцами погонишься — ни одного не поймаешь.

Поддерживая с Владиславом Матвеевичем добрые отношения и после окончания школы, я захаживал к нему в Дом ученых, где он вел любительскую изостудию, пока не началась война. (Кстати, блокаду от первого и до последнего дня он пережил в Ленинграде.) Всякий раз я находил его приветливым и внутренне спокойным, как может быть спокоен лишь тот, кто занимается своим делом и этим удовлетворен вполне.

Но в то же время он напоминал мне этакого алхимика, сосредоточенного на чем-то таком, что недоступно пониманию непосвященных и даже как бы не нуждается в понимании.

Нет, я не могу сказать, что он был не от мира сего. Он выказывал живой интерес к моим театральным делам, да и вообще к театру. Обо всем судил здраво, и я не замечал в нем затаенной подавленности или желчности. В сущности, он не менялся, хотя годы, как говорится, брали свое. Он искренне радовался встречам со мной. Прежде всего — возможности продемонстрировать работу какого-нибудь своего ученика. И когда я говорил, что эта работа и мне кажется удачной (хотя, часто бывало, не видел в ней ничего особенного), он радовался еще больше:

— Вот увидишь, из этого мальчика обязательно выйдет толк.

Он все так же любил искусство. И ничего не требовал взамен.

Я — тоже любил. Но по-другому.

Выходя от него на улицу, я обычно испытывал облегчение. Хотя еще час назад спешил в Дом ученых на всех парах. За те несколько месяцев, что я не видел его и даже о нем не вспоминал, я успевал незаметно соскучиться. Тем не менее, в очередной раз прощаясь с ним и обещая, что теперь-то уж не буду пропадать надолго, что на будущей неделе загляну непременно опять, я сам себе не верил, да и он, вероятно, не верил мне. Уходя от него, я всегда с некоторой грустью думал, что Владислав Матвеевич не очень удачлив и заслуживает большего, нежели добился.

Откуда такие мысли? Разве этого мало — прожить жизнь, пусть небурную, негромкую, но достойную, долгую, целиком отданную искусству, благодарным ученикам?!

Наверное, я чувствовал в нем недовоплощенность. Наверное, и впрямь ему не хватало простора, чтобы раскрыться, развернуться прежде всего как деятелю, а не только как педагогу. А может быть, корень вопроса вовсе не в нем, а во мне. Мне, особенно в молодости, трудно было понять людей, не склонных добиваться внешнего успеха.

К сведению
о «знающем глазе»

Возглавляемые Измайловичем, мы всем классом часто ходили в Русский музей, в Эрмитаж, а также на выставки современной живописи. Одна из них, в Доме печати в 1927 году, произвела на меня неизгладимое впечатление.

Это была выставка Мастерской аналитического искусства или, иначе говоря, «выставка школы Филонова». С той поры Павел Николаевич Филонов — один из наиболее почитаемых мною художников.

На стенах театрального зала Дома печати висели внушительных размеров полотна, которые, как гласила афиша, объединялись темой «Гибель капитализма». (В том же зале вечерами давали спектакль «Ревизор» в постановке Игоря Терентьева, замечательного режиссера мейерхольдовской закваски, который к тому же был еще и поэтом-футуристом; спектакль был оформлен также группой филоновских учеников и сподвижников.) Другие картины, размером поменьше, почему-то стояли — именно стояли! — на полу, и зрители бродили между ними, как по лабиринту.

Возможно, столь странный принцип экспозиции был продиктован просто-напросто тем, что все картины нельзя было разместить на стенах. Но не исключено и такое объяснение: этот лабиринт возник в результате сознательного намерения устроителей выставки усилить в зрителе то ощущение дискомфортности, которое рождалось самими работами филоновцев и прежде всего — основным мотивом творчества их лидера: наступлением урбанизма, «асфальтовой» культуры города, вызывавшей в Филонове смятение и тревогу, побуждавшей стремиться к высвобождению из-под власти механических щупалец этой «всепоглощающей гидры», как он сам говорил.

Не помню кто, вероятно, Измайлович, мне объяснил, что Филонов делит художников на две категории: у одних — «видящий глаз», у других — «знающий». Первые замечают в предмете только видимые или только невидимые его особенности. А вторые — связывают воедино видимое и невидимое, предметное и беспредметное. Дают «формулу предмета». Знающий глаз — это универсальность взаимосвязей, свойственная и самой природе.

Мне так нравилась эта идея! Я находил, что и к актерскому творчеству она приложима.

В годы моей юности Павел Николаевич Филонов был очень популярен, особенно среди молодежи, настроенной воинственно по отношению к академизму. Он для нас был одним из тех, кто олицетворял рождение нового, революционного искусства.

Но так сложилось, что сегодня он слишком мало известен широкой публике. Конечно, его имя то здесь, то там появляется, мелькает. И все же его биография, характер его идей, наконец, его работы остаются, как правило, объектом внимания лишь узкого круга специалистов.

Расплывчатость общераспространенных представлений об этом художнике — следствие той расточительности, которую мы иногда позволяем себе, будучи поистине богачами, владеющими несметными сокровищами отечественной культуры,

Я не был знаком с Филоновым. И хотя при жизни мог быть ему представлен, откровенно скажу, что даже в достаточно самостоятельном возрасте, уже окончив институт и играя в театре, я не стремился к этому.

Дело не просто в робости поклонника перед мэтром. (Скажем, по отношению к Ю. М. Юрьеву или Е. П. Корчагиной-Александровской я робости не испытывал, хотя, будучи знаком с ними, смотрел на них, естественно, снизу вверх.) Дело в том, что слишком уж разными были наши орбиты.

Художникам его масштаба, его склада свойственна особенная замкнутость, особенная разборчивость общений. Было бы наивно полагать, что ими руководит гордыня. Нет, это совсем другое. Следуя жестким, подчас до обидного жестким принципам отбора людей, которых они считают возможным допустить в свой мир, они оберегают себя от опустошительного воздействия полувзаимности, полупонимания, нередко скрывающихся за самыми, казалось бы, искренними изъявлениями восторга. В сущности, они признают только учеников, последователей или же равных себе оппонентов. Бытовые же формы общения для них излишни, неувлекательны, и это вполне естественно, особенно если учесть их обостренное чувство быстротечности жизненного времени.

Я бегал из театра в театр, с выставки на выставку, легко отзывался на каждое впечатление. Чем только я не увлекался! В том числе и Филоновым. И по-видимому, чувствовал себя неспособным к тем душевным затратам, которые, судя по картинам Филонова, а также по легендам, окружавшим его имя, были бы необходимы при личных контактах.

Когда я думаю, почему Филонов так волнует меня, я не могу дать исчерпывающего объяснения. Во многих отношениях он, казалось бы, должен быть мне чужд или, во всяком случае, неблизок. Так, присущие его натуре и неотъемлемые от его живописи категоричность, резкость, истовость, хотя и свидетельствуют о необычайной мощи его духовного мира, никогда не являлись для меня, так сказать, идеальными качествами. То есть я не считаю, что именно такие качества непременно украшают любого художника и что именно к ним дóлжно во что бы то ни стало стремиться.

Будучи прежде всего человеком театра, я испытываю некоторое утомление, когда не ощущаю в натуре человека, равно как и в его творчестве, игры полутонов, игры, которая может быть сколь угодно серьезна, но при этом ведется с внутренним чувством собственной условности, собственной относительности.

Тем не менее было бы заблуждением полагать, будто пристрастия в искусстве ограничиваются лишь кругом близких тебе явлений. Если ты, что называется, открыт миру, если ты восприимчив ко всему живому, тебя не могут не потрясать и те творения, которые на первый взгляд бесконечно от тебя удалены.

В искусстве, как и в жизни, существует бесчисленное множество взаимосвязей между явлениями, казалось бы, несопоставимыми. Когда не так давно я смотрел фильм «Рим» Федерико Феллини, фильм, прославляющий величие «вечного города», то вспоминал, как ни странно, «городские» картины Филонова, написанные в основном еще до революции. Хотя ничего нет более противоположного фильму Феллини по восприятию городской цивилизации.

У Филонова это восприятие мрачное, гнетущее. Город у него представляет собою хаотическое нагромождение построек, в груду которых втянуты какие-то кошмарные человекообразные существа с уймой ног, уймой рук и почти без голов (как, например, в картине «Перерождение человека»); от безлюдной улицы, равно как и от переполненного посетителями кабачка (в картинах «Улица» и «Кабачок»), веет одиночеством. Но вместе с тем все здесь протестует против утраты человеком индивидуальности, и в этом ощущаешь огромный заряд человечности его искусства.

Пусть Филонов несколько утрировал опасности урбанизма, зато совсем не утрировал опасности бездуховного существования, существования-потребления.

Именно с Филонова для меня началось постижение одного из важнейших мотивов искусства и литературы двадцатого столетия: преодоление власти предметного, «вещного» мира.

Для меня Филонов стоит в одном ряду с Мейерхольдом. Недаром и тот и другой предпочитали называться «мастер». Недаром те, кого они обращали в свою веру, проходили обучение в «мастерских». Любопытно также, что они равно не любили глаголов «создать», «сотворить», а говорили «сделать». Не любили слово «картина» или слово «спектакль», а говорили «вещь».

Этой «производственной» терминологией подчеркивалось, что творчество не есть божественное наитие, опьянение, но прежде всего — целенаправленный, конструктивный процесс, превращающий объективную реальность в реальность художественную.

Мне представляется, что между филоновским и мейерхольдовским началом в искусстве можно найти немало общего. Несмотря на то что как люди и как художники они были весьма несхожи, в работе никогда не встречались и на многое смотрели по-разному.

Возможно, это мое ощущение выглядит слишком субъективным: в конце концов между всеми людьми и всеми художниками можно отыскать что-то общее. Возможно, я сближаю их, повинуясь главным образом логике своего собственного духовного развития. Но с другой стороны, это развитие было обусловлено объективными обстоятельствами, вполне конкретным отрезком исторического времени. Само время сблизило эти дорогие для меня имена.

Любовь на любовь не похожа

Изобразительное искусство — одно из наиболее глубоких и трепетных увлечений моей жизни. Я постоянный зритель художественных выставок, читатель искусствоведческой литературы, любитель посещать запасники картинных галерей, мастерские художников и скульпторов. Мне нравятся самые разные манеры и стили. Но, хотя мои эстетические привязанности достаточно устойчивы, систематизировать их я бы не взялся, да никогда и не чувствовал в том необходимости.

Иногда меня спрашивают, кто мой самый любимый художник (писатель, композитор, артист и т. д.). Несерьезный вопрос. Во всяком случае, ответить на него всерьез я не могу.

В «малых голландцах» меня привлекают прелесть обыденной жизни, настроение интимности и уюта. В этой на первый взгляд незамысловатой простоте много поэзии и много мудрости. Портреты Франса Хальса или натюрморты Виллема Ходы, достигающего поистине совершенной натуральности, иллюзорности фактуры, в иные моменты необходимы мне в большей степени, чем все новаторы двадцатого века, в том числе и Филонов. Они действуют на меня умиротворяюще, пробуждают во мне, пусть ненадолго, вкус к созерцательности как основе душевного равновесия, основе приятия мира. В моей не очень простой жизни это необходимо. И даже пейзажи Якоба Рейсдаля, такие, как «Болото» или «Еврейское кладбище», где на одном из надгробий художник начертал свое имя, сообщают мне, как ни странно, гармонию. Живопись «малых голландцев», каковы бы ни были их сюжеты, всегда излучает внутренний покой и явственно ощутимую, я бы сказал, осязаемую тишину, какое-то тихое свечение духа. Кстати, свои натюрморты они называли «stilleven», что означает «тихая жизнь», и это гораздо точнее выражает тот смысл, который они вкладывали в изображение вещей, нежели «natur mort», что означает «мертвая натура».

Люблю Валентина Серова. Его творчество для меня неразрывно связано с тем, как мучительно он работал. И может быть, именно этим прежде всего ценно. Он просто не мог работать иначе как стиснув зубы, постоянно воюя с самим собой. Достаточно почитать его письма, чтобы понять, какими колоссальными усилиями воли достигал он легкости, непосредственности, от природы ему несвойственной. В его личности меня всегда поражало это упорство, соединенное со стремлением быть и казаться беззаботным. Последнее, впрочем, почти никогда ему не удавалось. Разве что во время путешествий по Греции или Италии. Путешествий, которые скорее напоминали бегство от собственных замыслов.

Но зачастую я не в состоянии ответить, почему один художник оставляет меня равнодушным, а другой — не перестает волновать. И это не противоречит той заповеди Измайловича, о которой я говорил выше: старайся понять, как сделана вещь.

Можно стараться это понять, можно отдавать себе отчет в том, в какой технике, в какой манере исполнена картина, и, храня объективность, отдавать должное одаренности автора. Но все аргументы будут мертвы, если главным из чувств, которые вызывает в тебе художник, остается лишь чувство почтительности.

В юности, когда все вокруг восхищались скульптурами Огюста Родена, умом я понимал: Роден — великий скульптор. И говорил вместе со всеми: Роден прекрасен! И даже не задумывался о том, что мне-то он, в сущности, мало что дает; как ни силюсь его полюбить, ощущаю в нем какую-то приторность, я бы сказал, чрезмерную увлеченность остановленным мгновением. Именно мгновением, моментом, которому при всей пластической выразительности недостает, на мой взгляд, волнующего драматизма.

Не помню, что послужило толчком к тому, чтобы сознаться себе в этом. Но факт: задумался и сознался. И это явилось полезным открытием для меня. Потому что, повторяя общие места о Родене, я тем самым затушевывал свое собственное восприятие пластического искусства.

Гораздо ближе мне творчество Аристида Майоля — в известной степени антипода Родена.

Подлинным потрясением стала для меня встреча с работами современного венгерского скульптора Имре Варга. В Будапеште открыта галерея, где выставлены его вещи. Каждый раз я выходил оттуда с бьющимся сердцем.

У нас его, к сожалению, знают мало. Поэтому позволю себе описать некоторые из его работ. Вот, например, такая: стоит солдат в полный рост, но... без головы. В руке он держит шапку, как бы ожидая подаяния. Одной ноги нет, она отнята по колено. На груди большим трехдюймовым гвоздем прибит бумажный орден. Ошеломляет сочетание разных, казалось бы, несовместимых материалов: бронзы, дерева, железного гвоздя, бумаги.

Огромное впечатление произвел на меня памятник художнику Дюла Дерковичу, установленный на площади одного из небольших венгерских городов. Здесь скульптор также использует вольное сочетание различных фактур — бронзовой фигуры, деревянной конструкции и живой природы, в которую вписывается памятник. Изможденный человек (художник умер от голода) стоит на подиуме — деревянном полу, на фоне стены с открытым окном. В его руках палитра и кисти. Деревянные рамы окна с разбитыми стеклами хлопают от ветра, то открываются, то закрываются, издавая жалобный звук. Они пропускают и дождь, и снег — в зависимости от времени года.

Имре Варга — автор памятника Ф. Листу в Будапеште. Бронзовая фигура с белыми развевающимися волосами (скульптор обработал их паяльной лампой) стоит на балконе, выстроенном на уровне второго этажа дома, где жил Лист. Решетка балкона не видна, она как бы обвита разноцветным плющом — зеленоватым, сиреневым. Бронзовый Лист смотрит на проходящих внизу по улице людей. Возникает удивительная сопричастность монументальной скульптуры жизни улицы. Ничего подобного видеть мне не приходилось.

Все работы Имре Варги исполнены захватывающего драматизма. Конечно, мое восхищение этим скульптором отнюдь не принижает значения Родена. Если бы даже я и поставил перед собой такую безумную цель, достигнуть ее все равно было бы невозможно: значение того или иного художника, его роль в истории искусства — вопрос не вкусовой.

Я хочу сказать лишь то, что не верю в непосредственность эстетического чувства людей, готовых всегда восхищаться тем, чем принято восхищаться. Бесцветность, безликость отношения к искусству бывает свойственна отнюдь не только людям неподготовленным, робеющим перед авторитетами и потому бездумно озабоченным лишь тем, как бы не попасть впросак. Такое отношение нередко проявляют и люди осведомленные, занимающиеся искусством профессионально.

В этой связи мне вспоминается рассказ Измайловича: на одном из вернисажей, куда собрался весь цвет российской художественной критики, художники, входившие в группу «Бубновый валет», решили проучить знатоков, которые, с точки зрения этих художников, не столько вникали в особенности новой живописи, сколько стремились доказать, что «бубнововалетовцы» чересчур подвержены влиянию французов. И вот картину русского художника Савенкова снабдили табличкой с фамилией французского художника Дерена, а картину Дерена, висевшую рядом, — табличкой с фамилией Савенкова. Эффект превзошел все ожидания: картину, подписанную фамилией Дерена, знатоки признали образцовой, а другую — подражательной.

Легко вообразить, какой был конфуз, когда обман раскрылся!..

Штрихи к портрету Пьеро

С художником Василием Михайловичем Шухаевым я познакомился в начале шестидесятых. Это было в Тбилиси, где он обосновался после войны. Знакомство наше не было близким, но при этом оно чрезвычайно значительно для меня.

Шухаев был человек несговорчивый, неулыбчивый. Глаза его были полны, я бы сказал, строгой печали. Но едва нас представили друг другу, едва было произнесено несколько слов — в сущности, всего лишь дань вежливости, — как я почему-то почувствовал себя легко и свободно, будто был с ним знаком всю жизнь.

Впрочем, для меня в этом не было ничего удивительного. Как раз было бы странно, если бы все было наоборот. Дело в том, что я и раньше, задолго до этой встречи, ощущал, что меня связывают с ним какие-то незримые нити.

Столь существенные для его творчества мотивы комедии дель арте, мотивы лицедейства и маскарада еще со студенческих лет вызывали во мне глубокую симпатию, ощущение некой сопричастности. Ведь то была и моя — игровая — стихия.

Кроме того, когда мы встретились, я был достаточно информирован о драматических обстоятельствах его биографии (еще в конце сороковых годов мне рассказывал о них Николай Павлович Акимов, который был одним из верных учеников Шухаева). Эти обстоятельства были достаточно типичны для своего времени; нечто подобное случалось со многими моими друзьями и знакомыми, так что я хорошо понимал, чего стоило этому внешне мягкому, но притом чрезвычайно волевому человеку до самых преклонных лет сохранить в себе эту великую способность «быть живым, живым, и только».

Шухаев прожил долгую жизнь, которая как бы разделилась, раскололась надвое. Настолько вторая половина жизни была не похожа на первую.

Первая половина, безоблачная, полна внешних событий, счастливых и шумных начинаний, которые восторженно приветствовались широкой публикой и вызывали уважение в солидной профессиональной среде. У него в ту пору было все, что так необходимо художнику для спокойного и уверенного самоощущения. Заботливое отношение друга-учителя Д. Н. Кардовского, у которого он прошел отличную школу мастерства, школу любви к мастерству, любви к совершенству. Поддержка друга-единомышленника А. Е. Яковлева, с которым в молодости он был неразлучен: вместе работали, грезили, путешествовали, делили поровну первые успехи. На Капри в 1914 году они написали знаменитый двойной автопортрет «Арлекин и Пьеро», подлинник которого находится в Лувре (Яковлев в костюме Арлекина, Шухаев — Пьеро). Я очень люблю эту картину.

Шухаев той поры был окружен атмосферой товарищества, творческого содружества; той атмосферой, при которой искусство и жизнь как бы перетекают друг в друга, образуют некую слитность и в этом качестве воспринимаются как нечто абсолютно естественное, безотносительное, точно и быть не может никакого разрыва, никакого противоречия между ними.

Любопытно, что в театре Шухаев дебютировал поначалу не как художник, а как актер. Это было в 1911 году, когда он еще учился в Академии художеств и однажды оказался на репетиции пантомимы «Шарф Коломбины», которую ставил Мейерхольд. Репетиция Мейерхольда произвела на него огромное впечатление, он пришел и на следующую и потом старался не пропускать ни одну из них вплоть до премьеры. А когда по каким-то причинам из спектакля ушел исполнитель роли слуги Пьеро, Мейерхольд решил занять в этой роли Шухаева. Затем он играл и в «Балаганчике» Блока, удостоившись похвалы режиссера, призывавшего его даже бросить занятия в академии и стать профессиональным артистом. Впоследствии, когда Шухаев перед самым началом первой мировой войны вернулся в Петербург из Италии, Мейерхольд, репетировавший в то время «Маскарад» в Александринском театре, вновь предлагал ему участвовать в спектакле... Все это свидетельствует не только о том, что Василий Михайлович был человеком разносторонней одаренности, но прежде всего о том, что он во всех проявлениях своего таланта был человеком театра.

В первые годы революции Кардовский, Шухаев и Яковлев организовали так называемый «Цех святого Луки» — союз художников, отличавшихся неоклассическими устремлениями, вкусом к традиционализму, намерением опираться на искусство старых мастеров в поиске новых художественных завоеваний.

В 1921 году, когда в Петрограде было так голодно, что продуктовые пайки Академии художеств состояли из полугнилой капусты и конопляных семян (Горький называл эти пайки «великолепным кормом для канареек»), Шухаев, как и многие другие деятели искусства, был направлен за границу. Он подчеркивал в разговоре со мной, что его именно направили туда — по инициативе самого Луначарского.

Оказавшись в Париже, он быстро вошел в моду. Так, великая русская балерина Анна Павлова обратилась именно к Шухаеву с просьбой написать ее портрет, отказав в этом Юрию Анненкову, одному из лучших портретистов. Как театральный декоратор Шухаев сотрудничал с труппой знаменитой танцовщицы Иды Рубинштейн, а также с театром Никиты Балиева, называвшимся, как и прежде в Москве, «Летучая мышь». Этот театр с успехом гастролировал не только в Европе, но и в Америке, и многие русские художники, находившиеся тогда за границей, увлеченно работали для него. Среди них, кроме Шухаева, были Александр и Николай Бенуа, Ладо Гудиашвили, Сергей Судейкин.

Замечу, между прочим, коль скоро речь зашла о Никите Федоровиче Балиеве, что деятельность его всегда вызывала у меня обостренный профессиональный интерес, хотя, разумеется, я не мог видеть его ни на сцене, ни в жизни. Его «Летучая мышь» в какой-то степени прародитель и нашего Театра миниатюр. Это один из первых в России и наиболее самобытных опытов создания театра малых форм. Вот почему я всегда пользовался удобным случаем, чтобы расспрашивать о Балиеве и его театре тех, кто хорошо знал его лично, — того же Шухаева, Гудиашвили, Анненкова, с которым познакомился в 1966 году в Лондоне.

Все они свидетельствовали, что Балиев, мастер точной, блестящей пародии, обладал какой-то неуловимой, «гуттаперчевой» техникой, позволяющей ему передавать оттенки того или иного пародируемого стиля с такой убедительностью, словно это был его собственный стиль. Как артист и как режиссер он никогда не строил свои пародии лишь на формальном подражании, копировании, передразнивании. Но всегда исходил из того, что всякий стиль, всякий прием, доведенный до некоего сгущения, предела выразительности, как бы начинает пародировать сам себя. Я думаю, впрочем, дело тут не только в технике, но прежде всего в скептическом складе его натуры.

Шухаев рассказывал, что с Балиевым было легко работать, все любили его, хотя он бывал и капризен, и противоречив в своих симпатиях и антипатиях, что подчас доходило до эксцентрических крайностей, утомительных для близких ему людей. Эту легкость в работе Шухаев объяснял виртуозным профессионализмом Балиева, широтой и непредвзятостью его художественных ориентиров.

В 1935 году Шухаев вернулся на родину и несколько лет активно участвовал в художественной и театральной жизни Ленинграда.

Я помню в его декорациях оперу «Луиза Миллер» Верди на сцене Театра оперы и балета имени С. М. Кирова. Помню, как живо обсуждали мы, студенты Театрального института, громогласный конфликт между Шухаевым и режиссером В. В. Люце, который должен был ставить в Большом драматическом театре «Каменного гостя». Конфликт состоял в том, что художник не принимал предложенного режиссером сугубо бытового решения спектакля и отказался продолжать совместную работу. Премьера вышла без фамилии Шухаева на афише, провалилась, что называется, с треском, к вящему удовольствию рьяных его сторонников, среди которых были и мы, ученики Соловьева.

Надо сказать, что в те годы он так и не обрел «своего» режиссера. Исключение составлял только Сергей Эрнестович Радлов, да и то с оговоркой. Сотрудничали они с Радловым только один или два раза и, по правде говоря, тоже без особого успеха. Но все-таки с Радловым Шухаев хотя бы мог изъясняться на одном театральном языке, с другими же вообще взаимопонимания не было. И это не случайно.

В сценографии Шухаев развивал традиции А. Я. Головина, А. Н. Бенуа, М. В. Добужинского, отчасти Леона Бакста. Что, конечно, никак не сочеталось с унылой бесстильностью, безобразностью, с пустопорожней патетикой режиссуры иллюстративной, натуралистической, предъявлявшей к работе театрального художника слишком прикладные, «вспомогательные» и зачастую удручающе приблизительные требования. В тридцатые годы такая режиссура стала главенствовать в ленинградских театрах, и мастерство Шухаева, вся живописная и — шире — игровая культура его, все его опыты оказались просто ненужными.

Вскоре он стал жертвой доноса и очутился где-то под Магаданом. Там ему повезло: определили чертежником в лагерную контору. Потом ему удалось устроиться художником в Магаданском театре. В этом театре в ту пору были, между прочим, собраны отменные творческие силы. В частности, там находился и известный режиссер-мейерхольдовец Леонид Викторович Варпаховский. Рассказывая об этом этапе своей биографии, Шухаев полушутя подчеркивал, что в том театре он получил счастливую возможность оформить ряд спектаклей, близких ему по духу. Причем оформить их, не поступаясь своими творческими принципами. Это были «Стакан воды» Скриба, «Мадемуазель Нитуш» Эрве, «Лев Гурыч Синичкин» Ленского, «Трактирщица» Гольдони и еще несколько других...

В 1947 году Шухаев получил разрешение поселиться в Тбилиси. Там он осел прочно. Вторая половина его жизни резко отлична от первой. Почти полное отсутствие публичности. Упорный труд, что называется, для себя. Тяготы быта. Скромная преподавательская работа на кафедре рисования в Академии художеств в Тбилиси. Тихое, едва ли не келейное (в противовес его человеческому и художническому темпераменту) существование «последнего из могикан».

Впрочем, Василий Михайлович не роптал. В известном смысле ему повезло больше других: в Тбилиси он обрел новых друзей, чья помощь и чье понимание были для него спасительны. В этом достаточно узком кругу грузинской художественной интеллигенции его уважали и ценили именно как художника. И не только за прошлые заслуги. В конце сороковых годов он снова вернулся в театр: оформил три спектакля в Театре имени К. Марджанишвили, работал в опере, в русском театре. И, как некогда в молодые годы, подолгу сидел на репетициях спектаклей. Тем не менее главной сферой его деятельности становится живопись.

В Москве и Ленинграде мало кто имел тогда представление обо всем этом. Мы толком и не знали, как работает Шухаев и работает ли вообще. Лишь в 1962 году в Ленинграде — впервые почти за тридцать лет — состоялась первая персональная выставка художника, приуроченная к его 75-летию. К тому времени, будучи в Тбилиси, я уже лично познакомился с Шухаевым. Хорошо помню ту выставку. Ее открывал Акимов. Он взволнованно говорил о «возвращении на круги своя», имея в виду, что Шухаев таким образом возвращался в город своей юности, на свою культурную почву. И еще говорил, что честность учителя для него, Акимова, всегда была вдохновляющим примером. И все, кто потом выступал, так или иначе говорили о честности.

Народу собралось видимо-невидимо. Что, конечно, понятно: в ту пору мы не были избалованы хорошими выставками, жажда духовных впечатлений, носивших характер общественного события, была огромна. Но все же я был удивлен, обнаружив, что подавляющее большинство зрителей люди совсем молодые. Те, кто по возрасту не мог помнить Шухаева в довоенное время и, как мне казалось, вообще не мог знать о нем.

Когда мы познакомились, Василий Михайлович был уже стар, абсолютно сед, одышлив, в движениях медлителен, тяжеловат. Вообще он выглядел болезненно. Хотя невозможно было назвать его дряхлым. Меня поразило, до чего изменился его облик, сохранившийся в моей памяти еще с довоенного времени. Объективно говоря, поражаться тут было нечему: прошло ведь очень много лет, и каких лет! Но когда в эти годы заходила речь о Шухаеве (это происходило, как правило, в наших, как говорится, сугубо частных беседах с Акимовым, больше, пожалуй, ни с кем я его не вспоминал), всякий раз я воображал его именно таким, каким видел до войны. И как-то невольно привык к тому, что Шухаеву пятьдесят с «хвостиком», всего — пятьдесят.

Но конечно, больше всего поразила меня крепость его духа, о которой свидетельствовали не только его глаза, очень живые и ясные, при всей печали, затаенной в них, но также живость и ясность его суждений. Особое свойство человека, привыкшего много и напряженно работать, находящего в работе смысл всей жизни.

Моя коллекция

За долгую жизнь у меня собралась солидная, хотя весьма разнородная коллекция живописи. Я не случайно говорю «собралась» — так, будто это произошло само собой. Дело в том, что считать себя настоящим коллекционером я не вправе. Большинство имеющихся у меня работ подарено мне их авторами — художниками самых разных направлений и дарований, с которыми я был дружен или просто знаком. Остальные работы я приобретал от случая к случаю, специально ничего не искал. Вообще, при всей своей страсти к коллекционированию (и не только живописи), я никогда этим не занимался всерьез (то есть с той систематичностью и целенаправленностью поиска и отбора, в силу которой грани между увлечением и профессией стираются).

Тем более я никогда не стремился превращать свою квартиру в подобие музея. Вплоть до середины пятидесятых годов, когда мы с женой и двумя детьми жили в коммунальной квартире, где, кроме нас, было еще двадцать шесть соседей, я и возможности такой не имел. Но дело не только в этом. Повидав на своем веку такие квартиры, где вещи, пусть и антикварные, как бы вытесняют человека, я всегда испытывал внутреннее сопротивление этому стремлению людей эстетизировать окружающее их жилое пространство до такой степени, словно они задаются целью выкачать из этого пространства воздух. Дома надо жить, а не только вытирать пыль.

Впрочем, я вовсе не хотел бы выглядеть поборником бытового аскетизма, который, на мой взгляд, отдает ханжеством в тех случаях, когда не является вынужденным образом жизни. Аскетизм, выставленный напоказ, — это уже ненормальность. Это все равно что кричать: смотрите, смотрите! вы видите, какой я скромный?! Тут все дело в чувстве меры, в том, чем наполнена твоя жизнь.

Сколько, например, я знавал замечательных людей, у которых за душой, как говорится, копейки не было, но жилище которых не производило впечатления угнетающей бедности только потому, что отражало индивидуальность хозяев, их содержательный внутренний мир. В этом отношении, как и во многих других, для меня был и остался ориентиром Владимир Николаевич Соловьев. Я уже упоминал о нем на этих страницах, но главный разговор о нем впереди. Здесь же, раз уж к слову пришлось, скажу, что он был удивительным бессребреником, человеком на редкость непрактичным в бытовом отношении. Но от частых посещений его весьма скромного дома у меня осталось стойкое ощущение, что он богач. Потому что это был дом, переполненный книгами. Причем это ощущение объяснялось не столько даже количеством книг, сколько тем, что они, если так можно сказать, постоянно функционировали. Чувствовалось, что они здесь отнюдь не для мебели, хотя, если бы вдруг их убрали, бросилось бы, наверное, в глаза, что это чуть ли не единственная «мебель» в доме...

Вернусь, однако, к своей коллекции. Мне хочется рассказать забавную и почти фантастическую историю о том, как неожиданно появилась в ней картина Фрагонара.

Это было вскоре после войны. Как-то раз жена вошла в комнату к одному из наших соседей по «коммуне»; обычно мы с ним не очень-то общались, но тут возникла какая-то хозяйственная надобность. И вот, в проеме между дверьми, там, куда были впихнуты (иначе не скажешь) санки, лыжи и еще какая-то утварь, она заметила продырявленный лыжной палкой холст. Очевидно, картина вот так валялась с незапамятных времен, и никто из живших в этой комнате не обращал на нее внимания. Жена попросила разрешения посмотреть. Удивившись причудам интеллигенции, которую интересуют всякие глупости, сосед тем не менее разобрал свою свалку и извлек картину на свет... Несомненно, это была прекрасная живопись! Решенный в так называемом галантном жанре, сюжет картины представлял собой следующее: пастух, облаченный в шкуру, спит полусидя; рядом дремлет пес, свернувшийся в клубок; и пастуху этому является видение: из кареты, запряженной ланями, выходит богиня, тут же купидон.

— Ну, видите, — сказал сосед, — я же говорил: ерунда.

— Да нет, не ерунда.

— Ну, если вам нравится, давайте меняться. Небось Екатерину свою на это не поменяете.

Оказывается, он запомнил висящий у нас на стене портрет Екатерины Второй, вполне сносный, но все-таки ординарный образец русской усадебной живописи конца XVIII века.

Мы, честно говоря, очень обрадовались. Вручили ему Екатерину, а «пастуха» отнесли к реставратору, который как увидел его, так сразу и сказал нам, что это Фрагонар. Потом приезжали эксперты из Эрмитажа и подтвердили: да, Фрагонар, никаких сомнений.

Сомнения, впрочем, возникли, хотя и задним числом. Не эстетического, а этического свойства. Имели ли мы с женой моральное право не говорить соседу о том, что в его руках настоящий клад? (Конечно, в тот момент мы не знали, чьей кисти эта работа, но, повторяю, нам сразу же бросилось в глаза, что это нечто из ряда вон выходящее.) Наверное, подобные сомнения выглядят наивными в глазах профессиональных коллекционеров и знатоков. Как бы то ни было, я рассудил так: теперь эта картина не пропадет, не исчезнет.

Кстати, как я потом узнал, до войны она не значилась ни в одной из частных коллекций. В точности неизвестно даже ее название.

Есть в моей коллекции еще две работы неизвестных мастеров прошлого. В частности, любимые мною «малые голландцы». Но главное ее достоинство — современная живопись. И прежде всего она дорога мне тем, что едва ли не за каждой картиной или рисунком, которые составляют ее, стоит история живого и памятного для меня общения.

Так, я горжусь, что был знаком с Ладо Гудиашвили, Мартиросом Сарьяном, Натаном Альтманом.

Альтмана я особенно любил, не уставая восхищаться его творческим долголетием, его мобильностью и каким-то непостижимым свойством удовлетворять самые разнообразные вкусы. Еще в ранней молодости Альтмана признавали все. С одной стороны — Велимир Хлебников, который включил его в число «председателей земного шара»; с другой стороны — Александр Бенуа, который ценил в нем изысканного стилиста. Хорошо помню последнюю прижизненную выставку Альтмана, состоявшуюся в Ленинграде в 1969 году и вместившую в себя все шесть десятилетий его творческой деятельности. Меня всегда поражало в нем прежде всего то, что он чуть не с самых первых шагов в искусстве (во всяком случае, уже в 1915 году, когда его портрет Анны Ахматовой произвел настоящую сенсацию) был виртуозом.

С нежностью вспоминаю и Константина Рудакова, замечательного графика, мышление которого было, на мой взгляд, во многом родственно мышлению Зощенко. Рудаков до войны активно сотрудничал в журналах «Чиж» и «Бегемот», а впоследствии — это, пожалуй, вершина его книжной графики — прекрасно иллюстрировал Мопассана. На вид он был простоват: этакий мужичок с неизменной трубочкой во рту, с хитрецой, себе на уме. Но это было обманчивое впечатление. Страстью его была Франция, ее искусство, ее воздух. Он очень тонко ее чувствовал, очень любил ее и говорил о ней так, как будто всю жизнь там прожил. Но между тем во Франции ему ни разу не довелось побывать.

С удовольствием вспоминаю также встречи с Кукрыниксами, с Вл. Лебедевым и Н. Жуковым, В. Горяевым, О. и Г. Верейскими, А. Капланом, Л. Сойфертисом, Джеммой Скулме, Еленой Ахвледиани, польской художницей-миниатюристкой Анной Стерн, венгерскими скульпторами Имре Варгой и Маргит Ковач. Часто, очень часто вспоминаю Савву Григорьевича Бродского, не только как художника, который, на мой взгляд, превзошел своим Дон-Кихотом иллюстрации всех времен, за что получил «Гонорис Каузе» в испанской Академии художеств, но и как очень любимого мною друга.

Конечно, не с каждым устанавливался глубокий контакт, бывали общения поверхностные. Но, не скрою, сам факт знакомства с художником, представляющим собою хоть сколько-нибудь значительную фигуру в искусстве, всегда был как-то по-особому мне приятен. Может быть, это причуда, но таково уж мое отношение к людям этой профессии.

Вот, скажем, встречался я с Рокуэллом Кентом во время его приезда в нашу страну. Встреча произошла в начале шестидесятых годов в телевизионной студии, где записывалась передача, в которой по случайному совпадению мы оба принимали участие.

Картины Кента, выставлявшиеся у нас, я более или менее знал. Ну, познакомили нас, обменялись мы светскими любезностями. Потом стали ждать, пока работники телевидения устранят какие-то технические неполадки. Ждать пришлось довольно долго. Так и возник разговор. Если, конечно, это можно назвать разговором. Я ему — комплимент, он — мне, остальное — о погоде. Во всяком случае, о чем-то таком, для чего совершенно необязательно встречаться с Рокуэллом Кентом.

Конечно, впоследствии взяла меня некоторая досада: как же так, познакомился с самим Кентом — и никакого, так сказать, результата, ничего для души!

Есть, впрочем, одно обстоятельство, в какой-то степени объясняющее мою пассивность в том мимолетном общении. При всем моем любопытстве к художникам вообще степень этого любопытства, разумеется, не всегда одинакова и зависит от того, насколько творчество этого художника мне близко. Что же касается Кента, то его северные пейзажи (их-то в основном я и запомнил), на мой вкус, слишком «северны», слишком холодны и рациональны. Поэтому, кроме самых общих, весьма невразумительных слов, я просто не находил, что ему сказать, о чем спросить.

А может быть, все-таки зря не спросил...

Гуттаперчевый мальчик

У меня хранится телеграмма, которую я получил от Героя Советского Союза Марка Галлая — летчика-испытателя, впоследствии ставшего литератором и доктором технических наук. Поздравляя меня с шестидесятилетием, Галлай в той телеграмме, в частности, писал, что оценил во мне артиста «еще когда ребята нашей пятнадцатой школы повадились ходить на вечера в вашу, двадцать третью». Трогательное свидетельство. Хотя, честно сказать, не знаю, что в ту пору мог разглядеть во мне Галлай: до настоящего артиста мне было еще очень и очень далеко.

Но — что правда, то правда — самодеятельность Петровской школы действительно была на высоте. Нас приглашали выступать и в другие школы. Вообще самодеятельности я многим обязан.

Еще в восьмом классе вместе с однокашниками Борисом Кикиным (он стал архитектором), Леней Копытко и Яшей Баренбаумом (они погибли на фронте) я организовал так называемый джаз-гол. Для сегодняшнего читателя требуется, очевидно, пояснить: джаз-гол — это голосовой джаз. А в ту пору никаких пояснений не требовалось. Это была одна из самых модных эстрадных форм; кто только не увлекался джаз-голом на рубеже двадцатых — тридцатых годов! И разумеется, молодежь — в первую очередь.

Мы с друзьями, как и многие наши сверстники, находились тогда под сильнейшим влиянием Леонида Утесова. Его оркестр, рождение которого состоялось весной 1929 года, был законодателем моды.

Впервые я увидел Утесова на сцене, когда мне было тринадцать лет, и он стал для меня безусловным авторитетом на эстраде, а его программой «От трагедии до трапеции» все мы тогда просто бредили. Не меньшим успехом пользовался у нас и спектакль Ленинградского театра сатиры «Республика на колесах», где Утесов играл роль Андрея Дудки — главаря бандитской шайки.

Мало сказать, что эти работы были талантливы. В них органически соединялись элементы эстрадной и театральной зрелищности. Склонность к этому сказалась и в нашем доморощенном школьном джаз-голе.

В те же годы, в седьмом-восьмом классе, я играл Актера в школьном спектакле «На дне».

Как я уже говорил, в нашем школьном театре играли и педагоги, и ученики. А руководил этим необычным театром энтузиаст студийного самодеятельного творчества В. А. Сенцов. Он и пригласил меня в театральный коллектив ленинградского Дома работников просвещения, который помещался в бывшем дворце Юсуповых.

Во дворце был уютный театрик с ложами бенуара, с партером всего на сто двадцать пять мест и с довольно просторной, хорошо оснащенной сценой. (Должен заметить, что подобных помещений, о которых можно только мечтать и артистам, и зрителям, в Ленинграде и по сей день сохранилось множество, но, к сожалению, они далеко не всегда используются по назначению.)

Сенцов ставил «Гуттаперчевого мальчика» по Д. В. Григоровичу, где я играл небольшую роль. Как читатель помнит, действие повести происходит в цирке. Я взбирался до самых колосников по шесту, который держал стоящий внизу исполнитель роли свирепого немца. Достигнув колосников, я скрывался из видимости зрителей, переходил на помост. «Немец» же начинал усиленно вращать шест, так что у зрителей возникала иллюзия, будто он, из последних сил удерживая равновесие, вращает шест вместе со мной; будто я и в самом деле исполняю смертельный номер под куполом цирка. Это, наверное, было эффектно. Во всяком случае, в это мгновение публика всякий раз замирала.

Будучи школьником, я выступал еще и в Передвижном театре Щербакова. К слову сказать, моей постоянной партнершей там была молодая Ольга Лаврова, представительница известной театральной фамилии. Ее родной брат — Юрий Лавров, начинавший в Ленинграде, стал одним из корифеев киевского Театра имени Леси Украинки в далекую ныне пору расцвета этого театра, славившегося крепкими актерскими силами. А Кирилл Лавров приходится ей племянником.

Играл я и в театре «Станок», куда меня пригласили заменить заболевшего исполнителя. (Театр «Станок», между прочим, некоторое время давал свои спектакли в Доме печати, как раз в помещении, где в 1927 году состоялась столь поразившая меня выставка Мастерской аналитического искусства.)

Директором «Станка» был известный в свое время театральный деятель Иосиф Ефремович Бортнянский, впоследствии он руководил Мосэстрадой. Он пригласил меня, школьника, принимать участие в спектаклях театра. Несмотря на то что дело свое он знал хорошо, «Станок» успехом у зрителей не пользовался. Художественной ценности его спектакли не представляли. Но все-таки это был профессиональный коллектив. Первый в моей жизни.

Обычно спектакли «Станка» шли на сценах домов культуры и на предприятиях, где я впервые попробовал себя и в качестве эстрадного артиста: читал рассказы Зощенко, придумывал и исполнял интермедии. Тогда же родился и пародийный номер «Узник», с которым я потом (правда, в несколько измененном и отшлифованном виде) выступал на эстраде.

Об этом номере стоит рассказать подробнее. Позволю себе частично процитировать его описание, принадлежащее перу безвременно ушедшего ленинградского критика Н. Милина, который еще подростком присутствовал на одном из концертов с моим участием и впоследствии по памяти воспроизвел его в своей статье.

«Райкин, — пишет Н. Милин, — читал пушкинского «Узника», вернее, изображал, как прочитали бы это хрестоматийно известное стихотворение актеры разных жанров. Вот как это сделала бы танцовщица. Райкин выходил в балетной пачке, надетой на его обычный костюм. Из-под пачки нелепо торчали ноги, развернутые по всем правилам первой позиции классического танца».

Здесь, впрочем, надо прервать цитату, чтобы уточнить попутно: никакой пачки поверх костюма у меня не было; она была воображаемой; но подобная ошибка критика мне, честно сказать, только льстит; очевидно, я убедил его, так что он годы спустя уже не сомневался в подлинности того, что являлось лишь условностью.

«— Сижу... — начинал чтение артист и менял первую позицию на третью, низко при этом приседая.

— ...за решеткой... — продолжал он, и средний и указательный пальцы обеих рук складывались крест-накрест.

— ...в темнице... — Широкий жест, и руками он закрывал глаза. — ...сырой... — Выразительный плевок в сторону.

Так иллюстрировалось каждое слово всех трех строф».

Надо сказать, что этот «обалеченный» «Узник» был отчасти пародией на бескрылую имитацию бытовой пластики, противоречащую самой природе классического танца, его законам.

Одним из первых, кто преподал мне уроки классического ремесла, а главное, уроки театральной этики, был режиссер Юрий Сергеевич Юрский, отец талантливого артиста и режиссера Сергея Юрского.

Как и Сенцов, Юрий Юрский режиссировал у нас в самодеятельности (это именно он поставил у нас «На дне») и обратил на меня внимание, поверил в меня еще тогда, когда вряд ли можно было сказать что-либо определенное о моих творческих возможностях.

Способности к лицедейству есть ведь у многих, и опытные люди знают, как легко обмануться, приняв жизненный напор, энергию юности за талант.

Между тем именно в юности, в тот переходный период, когда излишняя уверенность в своих силах чередуется с внезапным и столь же неопределенным отчаянием, нам так необходим ненавязчивый наставник, предостерегающий нас от опрометчивых решений и скоропалительных выводов. Наставник, не столь даже помогающий нам советами чисто профессионального свойства, сколько укрепляющий наш дух примером собственной жизни в искусстве.

Юрий Сергеевич был очень достойный человек. Доброжелательный, интеллигентный. Знал его, конечно, весь театральный Ленинград, и вряд ли кто мог сказать о нем худое слово. Мне очень повезло, что, вступая в мир театра, который в принципе не столь идилличен, как представляется юношескому воображению, я встретил именно такого человека.

Мы сохраняли с ним теплые отношения вплоть до его кончины в 1958 году. Одно время, когда он был художественным руководителем Ленэстрады, общались особенно часто.

Его творческие интересы были весьма широки. Он ставил и в театре, и на эстраде, и в цирке. Пожалуй, в цирке он работал наиболее увлеченно и изобретательно. Скромная дань памяти о Юрском — его портрет, который висел в фойе старого Московского цирка на Цветном бульваре среди портретов самых видных мастеров цирка. (Надо полагать, после реконструкции здания о Ю. С. Юрском не забудут.)

Не помню, была ли у него такая постановка, которой бы он, что называется, прогремел. Кажется, не было. Но не в этом дело. И дело даже не в степени его дарования, которое все-таки осталось, на мой взгляд, не вполне реализованным. Главное, чем бы он ни занимался в тот или иной период своей жизни, он всегда и во всем оставался деятелем, настоящим деятелем искусства.

Такие люди, каким был он, ценны прежде всего тем, что создают и всячески поддерживают вокруг себя атмосферу творчества. Они редко бывают на первых ролях, они часто остаются незаметны широкому кругу зрителей, но в узком, цеховом кругу без них просто невозможно. Их присутствие необходимо на генеральных репетициях, на обсуждениях премьер, в «капустниках». Профессионалы всегда прислушиваются к их суждениям, а какой-нибудь каламбур, рожденный ими по поводу вчерашнего театрального события, на следующий день передается из уст в уста и ценится артистами подчас неизмеримо выше, нежели газетная рецензия.

В своей книге «Кто держит паузу» Сергей Юрский (подумать только, он сам недавно разменял шестой десяток, а я ведь помню его еще маленьким мальчиком, не по возрасту чинным, которого мама и папа приводили на дневные спектакли!) благодарно вспоминает отца как своего первого театрального учителя. Он пишет, что и после смерти Юрия Сергеевича продолжал как бы мысленно советоваться с ним, всякий раз спрашивая себя, каким было бы мнение отца об очередной роли сына.

Мне было приятно читать эти строки. Я думал при этом: как хорошо, когда отец продолжается в сыне не только, так сказать, в биологическом смысле, но и в духовном, творческом, профессиональном. Я думал о том, что многие качества артистической индивидуальности Юрского-младшего (и прежде всего его резко выраженная склонность к гротесковой выразительности, гротескному театральному мышлению) заложены в нем генетически.

Не скрою, что эти мысли волнуют меня по-особому в связи с тем, что и мой сын причастен к делу, которому всю жизнь служу я. К сожалению, Юрий Сергеевич умер слишком рано; ему не довелось увидеть творческий взлет своего сына, который, несмотря на свою молодость, еще в начале шестидесятых годов стал зрелым мастером, одним из ведущих артистов обновленного Г. А. Товстоноговым БДТ...

Итак, уже в школьные годы я был «отравлен» театром. Причем театр продолжался и дома — в буквальном смысле. В нашем доме на Троицкой, на одной лестнице с нами, но тремя этажами ниже, жил мальчик, несколько старше меня, который устраивал домашние спектакли. Вход был открыт для всех желающих, и я, конечно, не преминул туда заглянуть в тайной надежде, что и меня пригласят участвовать. Не пригласили. Но спектакль (они там играли «Бориса Годунова», ни больше ни меньше) мне очень понравился. В отличие от рыбинского спектакля в сарае, где я изображал убитого купца, здесь все было как в настоящем театре. Я и до сих пор ясно вижу сцену в корчме из того «Бориса Годунова». А мальчишку, который все это устраивал с таким размахом, все почему-то звали Ася. Через несколько лет он переехал в Москву и там проявил еще больший размах в своем увлечении студийностью.

Мальчик Ася стал драматургом Алексеем Николаевичем Арбузовым.

После окончания школы я в течение года работал лаборантом (дежурным по цеху, где получали синтетическую камфару) на Охтинском химическом заводе. Тогда был такой порядок: чтобы поступать в театральный институт, требовался годичный стаж работы на производстве. Без этого не допускали к вступительным экзаменам.

Химический завод на Охте был довольно большим по тем временам предприятием. Там я, что называется, узнал жизнь. Ту жизнь, которую прежде представлял себе весьма приблизительно. Я познакомился с самыми разными людьми, среди которых были и потомственные питерские рабочие: люди серьезные, положительные, со своей, я бы сказал, философией труда. Были и такие, знакомство с которыми сослужило мне впоследствии хорошую службу именно как сатирику.

Запомнилась, к примеру, такая картина, которую я имел возможность наблюдать чуть ли не каждый день. В помещении, смежном с нашим цехом, по трубам протекал спирт. И вот один мастер, сдавая цех своему сменщику, всякий раз втолковывал тому: проверь шкивы, отрегулируй центрифугу, посматривай на термометры, записывай в специальный журнал их показания... Все это было довольно нудно, и сменщику, да и всем нам, известно до тонкостей, так что в сентенциях такого рода никто не нуждался. Поначалу я думал, что мастер этот просто педант, потому и повторяет каждый день одно и то же. Но, приглядевшись, понял, чем вызван его «педантизм». Произнося свои наставления, он время от времени незаметно прикладывался к бутылке из-под «Боржоми», в которой был спирт. Он не мог позволить себе уйти, пока бутылка не становилась пуста. Таким образом, начав выпивать еще во время своей смены, он напивался уже во время чужой. Когда обнаруживалось, что он, только что трезвый, лыка не вяжет, его рабочий день был окончен, и никто не мог обвинить его в том, что он пьет во время работы.

Пьянея, он после каждого глотка — в паузах между наставлениями рабочим — непременно произносил: «Буль-буль». А в конце орал: «Шумел кишмиш!» (не «камыш», а именно «кишмиш») и, еле держась на ногах, уходил домой отсыпаться. Все это не так смешно, если подумать, что жизнь человека тем и исчерпывалась.

А рядом были совсем другие люди. Хорошо помню, как работница фабрики Женя Вигдорович читала вслух Ахматову и Пастернака. Именно от нее я впервые услышал их стихи.

Вместе с другими рабочими и служащими завода я ездил в Ярославскую область (знакомые места: недалеко от Рыбинска) бороться с кулаками. Это было страшно. Одного из наших ребят убили. Я тогда увидел много горя. Видел, как человек был запряжен в плуг. (Точно такую же картину мне довелось наблюдать еще один раз — сразу после войны.) Помню, как пришло нам указание описать церковное имущество и как вокруг церкви всю ночь гудел народ; кто-то из городских разъяснял деревенским, что религия — опиум для народа. Деревенские не возражали, но не расходились, а некоторые, посмелее, говорили, что оно, конечно, религия — опиум, а имущество все же лучше бы не описывать. Участвовал я и в торжественном митинге по поводу появления в деревне нового трактора. И городские, и деревенские в радостном возбуждении кричали «ура!». Я тоже радовался и кричал.

Киноотделение

Теперь этот институт называется ЛГИТМиК — Ленинградский государственный институт театра, музыки и кинематографии. Впрочем, он так широко известен, что вряд ли требуется расшифровывать эту аббревиатуру. Несколько лет назад ему было присвоено имя Николая Константиновича Черкасова. А когда я туда поступал, он назывался Институт сценических искусств.

Но мы, студенты, говорили просто: учусь в театральном. Или еще проще: на Моховой.

Название и структура нашего института несколько раз менялись, пока наконец не объединились два учреждения — Техникум сценических искусств, где только обучали искусствам, и Институт истории искусств, где их только исследовали.

Институт истории искусств на Исаакиевской площади был основан еще в 1912 году по инициативе и на средства графа В. П. Зубова, искусствоведа-любителя, который преследовал благородную, хотя и скромную по масштабам цель — собрать под одной крышей ученых, специализирующихся в области истории изо. После Октябрьской революции институт значительно расширился: появились отделы истории и теории музыки, литературы, театра. Целая плеяда видных специалистов-гуманитариев стала сочетать научную деятельность с преподавательской.

Разрыва между практикой и теорией, который губительно сказывается на воспитании студентов, в мою бытность в институте не было. Одни и те же люди занимались искусством далеких времен и активно участвовали в становлении нового, советского искусства.

На актерском факультете, куда я собрался сдавать вступительные экзамены, было в ту пору два отделения: театральное и кинематографическое. Киноотделение только что открылось, считалось экспериментальным. Набор студентов должны были проводить Григорий Козинцев и Леонид Трауберг. Они были ненамного старше нас, абитуриентов, но уже многое сделали в кино. Пройдя рифы эксцентризма, успели остепениться и стремительно переходили из «подающих надежды» в мэтры.

Тогда, впрочем, этот переходный период не затягивался так надолго, как в нынешнее время. Тридцатилетние мэтры были скорее правилом, чем исключением.

Так получилось, что я поступил именно к Козинцеву и Траубергу, хотя в отличие от многих жаждущих стать актерами в кино не стремился. Дело в том, что набор на театральное отделение был ограничен, а я опоздал вовремя сдать документы в приемную комиссию и потому был автоматически отнесен к разряду поступающих на киноотделение.

Это меня огорчало, поскольку я успел вбить себе в голову, что должен учиться непременно у Владимира Николаевича Соловьева, который как раз набирал параллельный курс. Еще не будучи знаком с ним лично, я тем не менее уже был наслышан о его педагогическом и режиссерском мастерстве. Да и немудрено. Из всех институтских педагогов-режиссеров студенческая молва выделяла две наиболее популярные, наиболее колоритные фигуры — Соловьева и Сергея Эрнестовича Радлова. К тому же меня привлекало то обстоятельство, что Соловьев был сподвижником Мейерхольда, а спектаклями Мейерхольда я восхищался еще в 1925 году, когда четырнадцатилетним впервые увидел «Лес» на гастролях ГОСТИМа в Ленинграде.

Ну да что поделаешь: пришлось утешиться мыслью, что стать студентом киноотделения актерского факультета — само по себе великая честь и радость.

Наступил первый день занятий. Прихожу на Моховую. Физиономия торжественная до глупости. В душе — праздник, ничто, казалось бы, не может его омрачить.

И вдруг объявляют, что занятия сегодня отменяются по причине отсутствия Козинцева и Трауберга. Прихожу на следующий день — то же самое. Когда же наши мастера прибудут? Неизвестно. А где же они? Тоже неизвестно. Известно только, что у них вообще плохо со временем: то ли завершают работу над новым фильмом, то ли, наоборот, уже приступили к следующему. А скорее всего — и то и другое. Потому что такие талантливые люди, как Козинцев и Трауберг, в простое практически не бывают.

Прошла неделя. Еще одна. И еще. Прошел месяц, а занятий все нет и нет. Правда, какие-то дисциплины нам преподавать уже начали. Но только не мастерство актера. Хоть познакомиться бы с Козинцевым. Или с Траубергом. Хоть посмотреть бы на них!.. Ждите, говорят, ждите.

Легко сказать: ждите. А если терпения больше нет?! Если рядом, у Соловьева, жизнь творческая прямо-таки фонтанирует и ты извелся от зависти к его студентам?! Его-то студенты уже этюды начали делать, они уже творят! Обидно...

Много лет спустя я рассказал Григорию Михайловичу Козинцеву, какие чувства меня тогда переполняли. Мы от души повеселились, вспомнив эту ситуацию. Точнее, вспоминал один я. У него все это вообще не отложилось в памяти. Так и осталось неизвестным, что же помешало ему и Траубергу вовремя начать занятия.

Григорий Михайлович и Леонид Захарович, как и многие другие в ту пору, жили под девизом «Время, вперед!». Жажда деятельности была необычайная, брали на себя много, а двадцати четырех часов в сутки катастрофически не хватало. Вот чем-то и приходилось жертвовать. К тому же, вероятно, они были еще слишком молоды для того, чтобы всерьез увлечься педагогикой — делом, которое требует известного аскетизма.

Как бы то ни было, когда я подружился с Григорием Михайловичем, я не раз имел возможность удостовериться в том, что этого человека меньше всего можно заподозрить в легкомыслии или безответственности.

Козинцев был человек фундаментальный во всех своих проявлениях. (Кстати, впоследствии он показал себя и как прекрасный, вдумчивый педагог. Это было вскоре после войны, когда он во ВГИКе вел режиссерский курс. Целая плеяда известных кинорежиссеров многим ему обязана.) Но сказать «фундаментальный» о художнике — значит, ничего не сказать. А некоторые, полагаю, могут счесть подобный эпитет даже весьма двусмысленным комплиментом. Особенно в применении к Козинцеву.

Мне доводилось слышать от людей, недолюбливавших его как режиссера, что его картинам недостает внутренней раскованности, непосредственности образного ви́дения, вдохновенности, наконец. Доводилось слышать, что его искусство — это, так сказать, профессорское искусство.

Не могу разделить эту точку зрения. Хотя и допускаю, что его «Дон-Кихот», «Гамлет» и, пожалуй, в наибольшей степени «Король Лир» могут показаться несколько устаревшими, в чем-то утратившими силу эмоционального воздействия.

Да, как всякое произведение искусства, они могут кому-то нравиться, а кому-то не нравиться. Но не может не вызывать уважения всегда ощутимая в них серьезность, глубокая продуманность, выстраданность режиссерской идеи. Несомненным достоинством фильмов Козинцева прежде всего является культура мысли. Козинцев принадлежит к той категории художников, для которых вдохновение отнюдь не равнозначно слепому наитию. Гармонию он поверял алгеброй.

Может быть, и впрямь его книги о Шекспире окажутся долговечнее, чем его картины. Не знаю. Не люблю и не хочу пророчествовать. Но кино ведь вообще стареет быстро. В кино очень заметно — в большей степени, чем в других зрелищных искусствах, — как искусство подвластно времени, как время меняет характер и критерии зрительского восприятия.

Когда мы, люди театра, начинаем завидовать кинематографистам, вздыхать о том, что жизнь спектакля во времени ограничена, что спектакль живет только сегодня и его живое дыхание невозможно передать потомкам, нам не мешало бы помнить, что эта беда театра вместе с тем является его преимуществом.

Конечно, после шумных, заметных спектаклей остаются всего лишь легенды, но зато легенды эти практически невозможно опровергнуть; время их не корректирует, не пересматривает. Так, мы охотно доверяемся свидетельствам современников, восхищенных игрой Мочалова, хотя более чем вероятно, что игра его, если бы нам довелось увидеть ее своими глазами, показалась бы анахронизмом. Во всяком случае, не захватила бы нас так, как захватывает хороший спектакль, сделанный в наши дни.

А вот легенда о фильме всегда может быть опровергнута. Всегда можно взять из архива старую ленту и убедиться воочию, как время безжалостно к ней. Фильмов, совершенно неподвластных этому закону, мне кажется, просто не существует. Хотя, разумеется, на один фильм он распространяется в большей степени, а на другой — в меньшей. Из этого, однако, не следует, будто с течением времени кинематографическая классика утрачивает свое значение. Чаплин остается Чаплином, а Эйзенштейн — Эйзенштейном.

Но, отдавая должное великим, мы даже их картины уже не можем воспринимать с той степенью непосредственности эмоционального соучастия, с какой их воспринимали зрители несколько десятилетий назад.

Козинцев — и это общепризнанный факт — был одним из самых образованных, одним из самых мыслящих людей в нашем кино.

Другое дело, что двадцать лет, отделяющие трилогию о Максиме от «Дон-Кихота», — это, в сущности, вынужденная пауза, хотя он кое-что и снимал в эти годы. Слишком много жизненного времени и сил отнял у него печально известный период «малокартинья», после которого пришлось начинать с нуля. Утверждать, годами доказывать то, что, казалось бы, доказательств не требует. Например, что Шекспир нужен советскому зрителю. Кстати, к «Гамлету» Козинцев был внутренне готов задолго до того, как ему удалось осуществить свой замысел на экране.

Мне доводилось видеть его в работе. Однажды я случайно стал свидетелем того, как он «разбудил» актеров, применив метод, уместный на первый взгляд скорее в университетской аудитории, нежели на съемочной площадке.

Это было на съемках «Дон-Кихота». Я пришел по просьбе Николая Константиновича Черкасова, он попросил меня — что называется, не в службу, а в дружбу — посмотреть со стороны, как у него, Черкасова, идет работа. Я пришел как раз в тот момент, когда очередной эпизод не клеился. Но поначалу это невозможно было понять. Атмосфера, правда, несколько взвинченная, напряженная. Ну да разве в кино это может кого-нибудь удивить! Снимали очень важный эпизод: смерть Дон-Кихота. Черкасов — Дон-Кихот, Толубеев — Санчо Панса были загримированы. Оператор Москвин тоже был наготове. Словом, оставалось только подать команду: «Мотор!»

Единственным человеком, который казался совершенно неготовым к съемке, был Козинцев. Он явно не торопился начинать.

До меня, как говорится, не сразу дошло: он потому не спешил, что в отличие от остальных был убежден, что всеобщая готовность к съемке эпизода — готовность формальная, мнимая. Он чувствовал, знал, что какие-то, может быть, важнейшие для этого эпизода нюансы актеры передать еще не в состоянии, что им нужен какой-то дополнительный стимул.

И тогда, нимало не смущаясь тем, что время уходит и все вокруг нервничают, Григорий Михайлович стал с ними беседовать.

Он заговорил об Эль Греко. Это была целая лекция — о творчестве художника, о том, что такое подлинно испанский колорит и что такое штамп «испанщины». Он говорил долго, неторопливо, разветвленно, и могло сложиться впечатление, что все это неуместно в такой обстановке. Ведь режиссер должен быть предельно конкретен, когда формулирует актерам их задачу.

Но что значит «должен»?! В искусстве исключения из правил иной раз ценнее, чем правила.

Козинцев говорил с таким блеском, с таким знанием предмета, так аргументированно и вместе с тем свободно, импровизационно, что все, кто был в этот момент на съемочной площадке, заслушались его рассказом. Он как бы загипнотизировал всех, заставил невольно перенестись в Испанию.

А потом, когда все уже как бы и забыли, зачем здесь находятся, и готовы были слушать еще и еще, последовали две-три короткие реплики режиссера, уже впрямую касающиеся существа актерской задачи. И лишь тогда прозвучало: «Мотор!»

Скажут: так работать нельзя. Это, дескать, слишком большая роскошь. В конце концов киностудия — тот же завод, производство. Что, если каждый станет репетировать с такими вот экскурсами в историю искусства?!

Ну во-первых, каждый — не станет. Не сможет. А во-вторых, кино — это не только «завод», но еще и творчество: иногда можно и нужно поступать так, как поступил в тот раз Григорий Михайлович. Главное, что он действительно добился от артистов искомого результата, вывел их своей «лекцией» к верному самочувствию.

Мы с Козинцевым часто беседовали, ходили друг к другу в гости. В разговорах бытового характера тон задавал я. Когда же речь заходила, что называется, о высоком, лидировал Григорий Михайлович. Я многое почерпнул для себя в этих беседах.

К вопросам искусства, литературы, не говоря уже о философии, я подхожу по-актерски. То есть реагирую прежде всего эмоционально и, признаться, не всегда умею сформулировать свое впечатление таким образом, чтобы оно выглядело убедительным для собеседника. Может быть, именно поэтому мне доставляла особое удовольствие плавность его рассудительной, возвышенной, очень литературной речи.

Меня всегда живо интересовала проблема взаимодействия актерских школ. У Козинцева было много замечательных суждений на сей счет. Мы с ним нередко сетовали, что грани между актерскими школами стираются, что это приводит к утрате профессионализма, снижает и размывает профессиональные критерии. Мне нравилось, как он рассуждал о том, что конец эксцентрической школы да и вообще неприятие всякого рода «преувеличенностей» на театре влечет за собой нарушение нормального кровообращения в театральном процессе. Дело даже не в том, что недопустимо разбазариваются артистические дарования, что у таких, условно говоря, «небытовых» артистов, как М. Бабанова, Ф. Раневская, С. Бирман, Э. Гарин, С. Мартинсон, нет ни репертуара, ни режиссуры, которые были бы их достойны. Главное, что, борясь с эксцентризмом, гротеском и т. д., на театре перестают понимать и то, что же такое настоящий психологизм, принимают за сценическую правду унылое или, как он выражался, «ползучее» правдоподобие.

Бывало, мы с ним и расходились во взглядах. Хотя спорить я почти никогда не отваживался.

Однажды Григорий Михайлович прислал мне письмо. Там были такие строки: «Мне совсем не кажется, что Вы — «сатирик», есть в этом роде искусства что-то куцее, желчное. Вы открываете куда более широкий мир; в Вашем искусстве не только бюрократы, плуты и дурни, но и какая-то часть огромного материка, именуемого «человек»...»

Казалось бы, что должен в этом случае испытывать адресат, кроме признательности?!

Но меня несколько смутило проскользнувшее в том письме пренебрежительное отношение к сатире. Конечно, нравственное очищение, эстетическое наслаждение — в этом смысл и цель любого искусства. Но для меня всегда было важно еще и то, что в какой-то степени я способствую искоренению пороков — в человеке и в обществе. Козинцеву было интереснее апеллировать, так сказать, к вечности. Я же никогда не считал для себя зазорным интересоваться днем сегодняшним. В этом смысле мы с ним были люди разных художественных темпераментов.

Кстати, меня удивляло то, как он реагирует на смешное. Бывало, я читаю какой-нибудь совершенно «убойный» текст, все присутствующие умирают со смеху, а Григорий Михайлович только чуть-чуть скривит рот в усмешке. При этом я не считаю, что у него не было чувства юмора. Во-первых, многие люди, слушающие текст профессионально, имеют особенность реагировать исключительно внутренне, про себя отмечая удачные места. Во-вторых, если у Козинцева и не было вкуса к юмору репризного характера, то он великолепно чувствовал юмор, заключенный в подтексте. Например, в соединении несоединимых литературных стилей.

Он был человек тонкой игры.

На киноотделении мне не суждено было учиться, и вообще с кинематографом мне всю жизнь не везло. Снимался я мало. В молодости — в фильмах «Огненные годы», «Доктор Калюжный». Позднее, в середине пятидесятых, был снят единственный фильм, в котором я сыграл главную роль, — «Мы с вами где-то встречались» (режиссер Андрей Тутышкин). Сценарий, написанный Владимиром Поляковым, учитывал мое тяготение к трансформации и предоставлял мне возможность сыграть в пределах одной роли множество разнохарактерных эпизодов. И хотя фильм нельзя считать большой удачей, он пользовался успехом у зрителей, а моя сатирическая миниатюра «Лестница славы» звучит и сегодня вполне современно.

Как-то мне позвонили с киностудии «Ленфильм» и попросили дать три лучшие миниатюры для киносборника. Сказали, что первую из них будет снимать Козинцев, вторую — Иосиф Хейфиц, а третью — Фридрих Эрмлер.

Миниатюры я отобрал, но ни с одним из режиссеров общего языка найти не смог.

С Козинцевым мы очень мило беседовали о... Гамлете. Он поделился со мной своими размышлениями на эту тему. Что же касается сюжета, который ему предстояло снимать, то скрывать не стал, что даже и думать об этом ему скучно.

Хейфиц должен был снимать миниатюру «Человек, который оказался без головы» (у нас в спектакле она называлась «Непостижимо»), но заявил, что без головы в кино — патологично. Я удивился: ведь в том-то и сатира, что никто не замечает, что этот человек без головы. Тогда Хейфиц предложил, чтобы вместо головы был чайник. Это меня не устроило. Я сказал, что с чайником смысл смещается. «Чайниками» зовут сумасшедших, которые так и говорят о себе — «я чайник». А у нас в миниатюре — другое. У нас — зарвавшийся начальник, которому как бы и не нужна голова... Так мы и не договорились.

Эрмлер должен был ставить миниатюру «Зависть». О мечтах мелкого человека. Это пьяница-завхоз, который занимается тем, что топит мух в чернильнице, а сам воображает себя «самым главным». Для него руководить — значит ничего не делать, при этом иметь деньги и власть над людьми. Эрмлер сказал, что для кино это мелко. Надо, сказал он, чтобы трамваи останавливались, когда герой идет на работу. Я возразил: в том-то и задача, чтобы герой был мелок. А если трамваи останавливаются — это уже пародия на власть, то есть другая тема.

Должен заметить, что авторы и режиссеры, не знающие специфики нашего «миниатюрного» жанра, часто впадают в соблазн расширить тему. Это хуже всего. В миниатюре должен быть смысловой лаконизм, короткий удар, как говорят в боксе. Вот и Эрмлер искал объемности, не понимая, что в данном случае она возникает не за счет широты тематического охвата. Такая широта ей только во вред. Лучше сделать две-три миниатюры на близкие темы, чем пытаться раскрыть эти темы в одной миниатюре.

Переговоры с Эрмлером заглохли, а через некоторое время он позвонил мне и, путаясь в объяснениях, сказал, что на мою роль приглашен другой актер.

В принципе это было бы нормально, если бы речь не шла о миниатюре, мной придуманной и исполняемой мной на сцене.

Когда сюжет был снят, он почему-то не вошел в киносборник, а не так давно промелькнул вдруг в какой-то телепередаче. В моей роли я увидел Игоря Владимировича Ильинского. Конечно, он очень хороший артист, и моральных претензий у меня к нему нет, и вообще горечь от той «отставки» давно прошла. Но я и теперь убежден, что в споре с Эрмлером был прав.

Но вернемся в театральный институт, где я, студент первого курса киноотделения, ежедневно хожу на занятия, а Козинцев и Трауберг даже не думают появляться в институте. В это время стало известно, что на курсе Соловьева несколько человек отсеяли. Тогда, набравшись храбрости, я пришел на прием к ректору Елене Владимировне Легран с просьбой перевести меня на театральное отделение.

Легран была дама строгая, даже мрачная, но в то же время весьма привлекательная. Не могу сказать, чего в ней было больше — светскости, женственности или все же чиновности. Но все это вместе прекрасно в ней уживалось. Весь институт знал, что она меломанка и меценатка и в молодости дружила с Яшей Хейфецем, знаменитым скрипачом.

Думаю, такой женщине достаточно было одного беглого взгляда на меня, чтобы понять: этот первокурсник пришел без задних мыслей, ему действительно неймется попасть к Соловьеву. Но, выслушав просьбу, она довольно долго смотрела на меня с таким выражением лица, которое не сулило ничего хорошего. Она смотрела так, словно хотела сказать: ладно, ладно, все равно я понимаю, что вы, студенты, приходите ко мне только с каким-нибудь подвохом. Наконец она вымолвила:

— Можете.

Я чуть не подпрыгнул от радости. Тогда она сказала:

— Стойте. Сначала напишите заявление. О том, что вы, такой-то, такой-то, хотите уйти с киноотделения.

Заявление? Пожалуйста. Я тут же написал.

— А теперь, — продолжала Легран, внимательно прочитав заявление и положив его в папочку, — напишите еще одно заявление. О том, что вы просите разрешения учиться на театральном отделении.

Еще одно заявление? Пожалуйста.

— А теперь... теперь можете сдавать вступительные экзамены.

Как экзамены? Опять экзамены? Но ведь я уже сдавал экзамены, я ведь был уже один раз принят... Ну и порядки!

Все это, естественно, я не рискнул произнести вслух. Но, выходя на Моховую, в сердцах пнул ногой массивную входную дверь.

Но, как бы то ни было, надо сдавать экзамены. На всякий случай (понимая, что могу провалиться, и вместе с тем, хотя бы из гордости, не желая возвращаться на киноотделение) я решил сдавать экзамены не только к Соловьеву, но одновременно и в театральную школу при ТРАМе (Театр рабочей молодежи). Принят был и туда и сюда, но, конечно, остался в институте.

На экзамене я читал один из зощенковских рассказов, «обкатанных» мною еще в самодеятельности. При этом вовсю размахивал руками — болезнь всех начинающих. Владимир Николаевич, сидевший с рассеянным видом, вдруг прервал меня.

Я решил, что все кончено.

— Вот что, — сказал Соловьев кому-то из своих ассистентов, — свяжите-ка этому голубчику руки.

Мне показалось, что я ослышался. Но тут и в самом деле подошел ко мне ассистент и связал мне руки бумажной лентой. Я не сопротивлялся. Только смотрел на Соловьева во все глаза, пытаясь понять, зачем он надо мной издевается.

— Готово? — спокойно спросил Соловьев. — Хорошо. А теперь, молодой человек, будьте любезны, начните сначала. Но имейте в виду: вы имеете право порвать эту ленту только один раз. Только один!

Так он дал мне понять, что такое сценический жест. Собственно, с этого момента и начались для меня уроки этого замечательного мастера.

Соловьев

— У культурного артиста, — неустанно повторял нам Владимир Николаевич, — случайных жестов не бывает. Когда, например, вы поднимаете руку, это не просто движение руки. Это уже мизансцена!

В пример он часто приводил Мэй Ланьфана, виртуозного китайского артиста, который в тридцатые годы приезжал в нашу страну. О Мэй Ланьфане восторженно отзывался Мейерхольд, подчеркивая, что его приезд весьма значителен не только как общекультурный факт, но и с точки зрения нашей театральной практики. Он наглядно продемонстрировал своим искусством, сколь приблизительны бывают наши понятия о ритмическом рисунке сценического образа, о чувстве сценического времени у актеров, а также о том, что такое жест, каким он может быть наполненным, выразительным, образным.

Соловьев вполне разделял восторг Всеволода Эмильевича, к тому же призывал и нас. И когда Мэй Ланьфан ненадолго оказался в Ленинграде, Соловьев не мог успокоиться до тех пор, пока ему не удалось затащить китайского артиста на занятия нашего курса.

Мы тогда репетировали отрывок из пьесы «Часовщик и курица» украинского писателя Ивана Кочерги. (Это, между прочим, очень хорошая пьеса, непонятно, почему сегодня она забыта. В начале шестидесятых годов ее поставил в Центральном театре Советской Армии Леонид Хейфиц, а после этого, кажется, больше никто не ставил.) Показали мы отрывок почетному гостю. Он вежливо поблагодарил нас, сказал, что понравилось, что ему было приятно убедиться в том, что в пластическом отношении мы хорошо подготовлены.

Соловьев, который до этого страшно нервничал, просиял, что, надо сказать, случалось с ним довольно редко. Он был скромный человек.

Еще Соловьев говорил нам (тоже по поводу выразительности жеста):

— Игру хорошего актера можно понять и насладиться ею, даже если закроешь уши.

Владимир Николаевич был влюблен в итальянскую народную комедию. Он внушал нам, что маски комедии дель арте не умерли, не исчезли бесследно, а растворились в крови театра. Что их отголоски заметны в типичных для театра новейшего времени амплуа. А также, что ни один хороший актер не обходится без импровизации. Тот актер, который не способен импровизировать, — плохой, мертвый актер. Если ты не импровизируешь в роли, которую играешь десятый раз, значит, ты не растешь.

Он рассказывал нам, какие существовали в истории театра концепции сценической условности, настаивая на том, что только от спесивого невежества можно полагать, будто на театре есть какая-то наиболее «правильная», эталонная условность.

Мы узнавали от него, что такое традиционные формы японского театра — Но и Кабуки, и что такое яванские маски, и чем отличается актер елизаветинской эпохи от актера, к примеру, эпохи Просвещения.

Самое замечательное, самое неповторимое состояло в том, что все это мы узнавали как бы исподволь, в ходе практических занятий. И это пробуждало в нас особый интерес к занятиям теоретическим, к лекциям, которые нам читали уже другие педагоги.

Я больше никогда не видел человека, в котором бы так естественно уживались историк театра и режиссер. Соловьев остается для меня образцом театрального педагога.

Бесспорно, он обладал особым даром, талантом. Но самый подход его к театру, его метод обучения будущих артистов объясняется не только этим.

Юношей, в начале века, он впитал идею так называемой ретеатрализации, которую выдвинули режиссеры-реформаторы, и прежде всего Мейерхольд, его учитель и старший товарищ.

Эта идея заключалась в том, что современный театр, погрязший к тому времени в бестильности и фальши, должен очиститься от всего наносного, вернуться к своим истокам, вспомнить и изучить различные этапы своего прошлого. И, реконструируя на сцене стиль той или иной эпохи, того или иного автора, ощутить все разнообразие исчезнувших театральных систем как фундамент новой театральной системы. Утверждение нового требует от театра ясного осознания, чему же он наследует. В этом смысле Мейерхольд, имевший репутацию ниспровергателя, был, как это ни парадоксально, традиционалистом.

После Октябрьской революции Мейерхольд резко изменился. Между его «Маскарадом», спектаклем изысканно-стильным, поставленным в Александринском театре в 1917 году, и его же «Мистерией-буфф», поставленной менее года спустя, казалось бы, лежит пропасть. Я говорю «казалось бы», потому что считаю, что все перемены, подчас разительные, происходившие с Мейерхольдом, на самом деле свидетельствуют не о его непоследовательности, но прежде всего — о феноменальном чувстве игры, которым он обладал и которое объясняет и, я бы сказал, объединяет многие его крайности.

Но это вопрос особый. Я же хочу лишь отметить, что Соловьев в отличие от Мейерхольда после революции еще более углубился в вопросы театральной старины, и в частности истории сценических стилей западноевропейского театра. Наряду с А. А. Гвоздевым, Д. К. Петровым, И. И. Соллертинским, К. Н. Державиным, С. С. Мокульским, А. С. Булгаковым и другими учеными он принял деятельное участие в организации отдела истории театра в Институте истории искусств. Мне кажется, Соловьев как бы пожизненно оставался тем самым Вольмаром Люсциниусом, под псевдонимом которого он вместе с доктором Дапертутто — Мейерхольдом — в предреволюционные годы выпускал журнал «Любовь к трем апельсинам».

Наконец, я хотел бы сказать еще об одной ипостаси Соловьева, представляющей, на мой взгляд, особую ценность для тех, кого интересует отечественный театр начала нашего столетия. Соловьев — свидетель театрального процесса, участник ярких театральных начинаний, печатных и устных дискуссий. Думаю, было бы весьма полезно собрать рассеянные в периодической печати, в стенограммах различных обсуждений и заседаний выступления Соловьева, всегда отличавшиеся страстностью, глубиной, принципиальностью.

Владимир Николаевич выглядел старше своих лет. Когда я впервые его увидел, ему было лет сорок пять, а дать ему можно было все шестьдесят. Он был сутуловат.

На одежду никогда не обращал ни малейшего внимания: весь какой-то помятый, нескладный.

У него было много странноватых привычек и особенностей, известных всему институту. Так, руки он любил держать над головой, а в руке неизменно была папироса, о чем он, увлекшись, часто забывал, — и посыпал голову пеплом.

Или вот еще. Бывало, он идет вам навстречу, протягивая руку, чтобы пожать вашу. Вы, разумеется, протягиваете ему свою. А он неожиданно сворачивает в сторону, оставляя вас стоять с протянутой рукой в полном недоумении. Мало знакомые с ним люди иной раз и обижались. Но мы-то знали, что он делает это неумышленно. Просто в этот момент что-то могло привлечь его внимание в другом конце помещения, и он устремлялся туда, позабыв о вас.

Манера говорить тоже была у него своеобразная. Он как-то по-особенному растягивал слова и, произнося фразу, разбивая ее вводными словами в самых неожиданных местах, как бы сам себя перебивал. Например:

— Мейер — простите меня — хольд весьма — понимаете ли — и весьма недурной ре-е-е — понимаете ли — жиссер.

Входя в аудиторию (наш день по учебному расписанию всегда начинался с занятий по актерскому мастерству и всегда — в девять утра), он имел обыкновение — без всякого «здравствуйте» — долго сидеть с закрытыми глазами, не произнося ни одного слова. В аудитории воцарялась тишина. Тогда он открывал глаза и, откинувшись на спинку стула, говорил:

— Погода ужасная.

Так было изо дня в день. Независимо от того, какая на самом деле была погода.

Впрочем, теперь, когда я сам стал обостренно реагировать на малейшие колебания атмосферного давления, я не склонен думать, что это было просто чудачеством Владимира Николаевича. Теперь я понимаю, что от погоды действительно зависит очень многое: и самочувствие, и настроение, и даже то, в какой я нахожусь форме, когда выхожу на сцену. Бывает, начинаешь спектакль и думаешь: зритель сегодня плохой, не раскачивается что-то. А на самом деле это не зритель, а погода плохая. Может быть, здесь и есть доля преувеличения, но вот то, что в пожилом возрасте в большей степени, чем в молодости, ощущаешь себя частью природы — уж точно. Можете мне поверить.

Владимир Николаевич был ужасно непрактичен. Однажды в каком-то театре он поставил спектакль, а договор заключить забыл, и его обманули, не выплатили гонорар. Когда коллеги, узнав об этом, рекомендовали ему обратиться в суд, он только отмахнулся:

— Что вы, что вы! Еще возьмут и засудят меня.

— Да вас-то за что, Владимир Николаевич?!

— Да мало ли за что. А хоть бы и ни за что. Не-е-ет, понимаете ли, я еще не вы — простите меня — жил из ума, чтобы по судам шастать.

В другой раз, наученный горьким опытом, а главным образом — знакомыми, которые все пеняли ему на его непрактичность, Соловьев решил ни за что не дать себя обмануть. И вот он сидит в кабинете директора Ленинградского театра музыкальной комедии, куда его пригласили поставить «Фиалку Монмартра», и ведет переговоры об оплате. Директор говорит:

— Вы получите десять тысяч рублей.

Тут интеллигентнейший Владимир Николаевич как ударит по столу кулаком да как закричит не своим голосом:

— Семь тысяч! И ни копейки меньше!

Он так был сосредоточен на своей «роли» делового человека, что, если бы директор предложил ему миллион, он все равно бы не услышал и все равно произнес бы свою заготовленную заранее фразу о семи тысячах.

Нетрудно догадаться, что Владимир Николаевич часто становился объектом студенческих пародий. Они были беззлобны — в институте его любили все. Но кажется, он всерьез сердился, когда узнавал об этом или же случайно становился свидетелем того, как студенты над ним подшучивают.

Я тоже не избежал соблазна спародировать его. Причем публично, на сцене. Но к моему удивлению, он не рассердился, а смеялся вместе со всеми и хвалил меня за точность.

А было так. Мы репетировали «Смешных жеманниц» Мольера, где я изображал Маскариля. Плутоватый слуга Маскариль по ходу действия несколько раз меняет обличье, выдавая себя то за одно, то за другое ученое и знатное лицо. Я решил показать не абстрактных, выдуманных людей, а тех, кого хорошо знала институтская аудитория. Я изобразил преподавателя истории зарубежного театра Стефана Стефановича Мокульского, профессора-музыковеда Энтелиса и, разумеется, Соловьева. Вышел на сцену с воображаемой папиросой, руки держал, конечно же, над головой и, произнося длиннейшую тираду об искусстве, прерывал ее в самых неподходящих местах сакраментальным: «Погода ужасная».

Не хочу, однако, чтобы сложилось впечатление, будто Владимир Николаевич был этакий замшелый чудак, погруженный в свою театральную старину и вообще плохо понимающий, что вокруг происходит. Нет, он прекрасно все понимал, прекрасно ориентировался в существенных вопросах текущей жизни. А бытовая рассеянность его была, по моему убеждению, лишь особой формой внутренней сосредоточенности.

Недаром однажды он так возмущался, выговаривая кому-то из наших после неудавшегося этюда:

— Почему у вас академик, интеллигент — непременно «рассеянный с улицы Бассейной»?! Это непроницательно. Вы берете лишь первый, самый поверхностный слой. А что, по-вашему, раз он академик, так уж и выругаться, к примеру, не может? А снять пиджак — и пиджаком по столу?! Академики, голубчик, — народ зачастую, понимаете ли, мужественный.

Владимир Николаевич Соловьев был для меня больше чем учитель. Он был близким, дорогим мне человеком. Я очень любил его.

В течение трех с половиной лет учения я регулярно бывал у него дома. Он разрешал мне пользоваться библиотекой. Какое это было священнодействие, когда он своими длинными, тонкими, необычайно выразительными пальцами прикасался к какой-нибудь редкой книге, как бы между делом посвящая меня в историю ее создания!

Вообще об истории, о самом отдаленном прошлом он говорил так, как если бы прошлое было настоящим, живым. Мне иногда казалось, что он сам был знаком с Гольдони и Гоцци или с немецкими романтиками.

Жил он, как я уже говорил, очень скромно, даже бедно. Почти никого не принимал: дома у него, кроме его личного врача, гостей я не видел ни разу. Правда, знаю, что он дружил с Дмитрием Дмитриевичем Шостаковичем, мог часами беседовать с ним по телефону.

Говорить по телефону он очень любил. И, добавлю, умел.

Есть люди, которые любят и умеют писать письма. Мне кажется, их становится все меньше и меньше. Культура эпистолярного общения в наше время уступает место культуре общения по телефону. Соловьев же еще в тридцатые годы говорил по телефону, как с кафедры. Он был одним из первых виртуозов этого дела. Телефон висел на стене, был снабжен длинным-предлинным шнуром, и Владимир Николаевич ходил из комнаты в комнату, прижав к уху трубку. Думаю, так он прошагал не одну сотню километров, и, если бы можно было воспроизвести на бумаге всю его телефонную «эссеистику», мог бы получиться увесистый том, полный великолепных мыслей, спонтанных, но отточенных афоризмов и таких набросков, едва ли не каждый из которых можно было бы развить в диссертацию.

Дозвониться до него было практически невозможно: всегда — короткие гудки.

Была у него жена Марина Георгиевна (он называл ее Мариша), искусствовед. Скромная, очень молчаливая женщина. Когда я приходил, в разговорах она почти не принимала участия. Выдержать его в семейном быту наверняка было трудно. Это, если угодно, целая миссия, и не каждая женщина на такое способна.

Был еще один персонаж в его доме — большой кот, любимец, наделенный, как уверял Соловьев, особыми душевными качествами и имевший поэтому право активно внедряться в творческий процесс. Когда я что-нибудь неудачно показывал или рассказывал, Владимир Николаевич мягко останавливал меня и говорил:

— Ну вы же видите: коту неинтересно.

И в самом деле, когда в показе я начинал по-настоящему действовать, кот напрягался и внимательно наблюдал.

— Это, Аркадий, не простой кот, — торжественным шепотом сообщал Владимир Николаевич. — В нем что-то гофманианское.

Благодаря Владимиру Николаевичу я к тому времени уже читал гофманского «Кота Мурра» и был способен оценить такую ассоциацию.

Соловьева уважали за эрудицию, за творческую честность и принципиальность. В тридцатых годах в Ленинграде он мог бы стать одним из первых режиссеров. Мог бы, но не стал. Я думаю, ему просто-напросто было скучно ставить «производственные» пьесы, бездейственные, лишенные увлекательного сюжета, которые навязывались руководством.

Некоторое время он работал в Акдраме (так в быту называли бывший Александринский театр, которому только в 1937 году было присвоено имя А. С. Пушкина), куда его очередным режиссером пригласил Николай Васильевич Петров. Не прерывая работы в институте, он стал помогать Петрову бороться за обновление Александринки, переживающей период застоя.

После Мейерхольда, проработавшего до революции в Александринском театре десять сезонов, этот театр вновь оказался в тяжелом положении. Безликие, скучные, громоздкие опусы режиссера Евтихия Карпова, в начале двадцатых пришедшего к руководству театром и первым делом распорядившегося «законсервировать» мейерхольдовский «Маскарад», были поставлены так, как если бы ни Станиславский, ни Мейерхольд еще не родились на свет.

Впрочем, такие замечательные актеры-александринцы, как Ю. Юрьев, после Е. Карпова в течение нескольких лет руководивший театром, Н. Ходотов, И. Певцов, Б. Горин-Горяинов, Е. Тиме и некоторые другие, в известной степени отдавали себе отчет в том, что музейное охранение традиций есть, в сущности, их разрушение. Все они понимали, что театру необходимы перемены, что надо идти навстречу жизни. Но каковы должны быть перемены, в этом между ними единства не было.

Петрову и Соловьеву надо было искать разумный компромисс между старым и новым: так утверждать современный репертуар, чтобы не разрушить то ценное, что складывалось десятилетиями и составляло неповторимый художественный облик Александринского театра.

Оба они не были в Александринке чужаками. Петров ассистировал Мейерхольду, когда тот ставил «Маскарад». Соловьев помогал Мейерхольду в работе над «Дон-Жуаном». И казалось бы, это должно было прийтись по вкусу тому же Юрьеву: ведь для него «Маскарад» и «Дон-Жуан» оставались вершинами, на которые, как он был убежден, следовало равняться. Но вскоре между Юрьевым и Петровым выявились принципиальные разногласия, и Юрьев покинул Александринку. В своих мемуарах «50 и 500» Николай Васильевич Петров описывал этот конфликт достаточно осторожно, в основном переводя его в бытовую плоскость. Ну, о том, кто из них как себя вел, нам судить трудно. Вероятно, все-таки Петрову как руководителю театра недоставало необходимой гибкости. Важно, что Юрьев вовсе не был приверженцем «псевдоромантической» линии, как утверждает Петров. Никакого «псевдо» в Юрьеве не было. Его можно было не любить как артиста, считать недостаточно «сердечным», «душевным», «трепетным». Да, он был холодноват в своем отточенном мастерстве. Но это был артист огромной культуры, что, безусловно, сказалось и в его взглядах на репертуарную политику театра. Ничего себе «псевдо»! Выходит, что и «Маскарад», который сам Петров боготворил, — это тоже «псевдоромантическая» линия?!

Так или иначе, а Петров делал ставку на новые советские пьесы. Соловьев поставил «Командарм 2» И. Сельвинского, вещь современную, непривычную, что было для него несколько неожиданно. Автор, правда, дал этой пьесе жанровое определение «романтическая трагедия в стихах». И Соловьев, очевидно, увидел в ней как раз то сочинение, постановка которого может способствовать сближению старого и нового в театре.

Сам спектакль помню смутно. Зато хорошо помню, что вокруг него разгорелся скандал. Критики, даже те, которые обычно сочувственно относились к работам Владимира Николаевича, дружно его обругали. После нескольких представлений «Командарм 2» с репертуара был снят. Но как бы то ни было, я убежден, что это не был бездарный, скучный спектакль. Неудача Соловьева стоила удач иных режиссеров.

История с «Командармом 2» весьма характерна: Соловьеву и в других случаях было свойственно недовоплощать свои — подчас блистательные — театральные замыслы. Так, «Тартюф», поставленный Соловьевым вместе с Петровым и Акимовым, не очень получился, несмотря на то что Тартюфа играл Певцов, а Оргона — Горин-Горяинов. Во всяком случае, мне так казалось в ту пору. Сегодня, вспоминая этот своеобразный спектакль, я думаю иначе.

Но как бы ни складывались отношения внутри театра, любопытно, что, когда уволили Петрова, Владимир Николаевич тоже подал заявление об уходе. Сказались его человеческая порядочность, коллегиальность.

Вспоминая режиссерские работы Соловьева, нельзя не сказать о «Фиалке Монмартра» в Театре музыкальной комедии, спектакле просто очаровательном. Соловьев облагородил оперетту. Он исходил здесь не только из Кальмана, но также из того, с чем кальмановская «Фиалка» связана незримыми, но прочными нитями. Я имею в виду образ Монмартра, каким он сложился благодаря Золя, Тулуз-Лотреку. Здесь как театральный стилист режиссер был на высоте.

Особые отношения сложились у Соловьева с Сергеем Эрнестовичем Радловым. На диспутах, которые тогда проводились в Ленинграде чуть ли не после каждой премьеры, они то и дело полемизировали — азартно, а порою и беспощадно. Но при этом, как бы ни увлекались полемикой, в некорректности их трудно было упрекнуть.

Сейчас такие, я бы сказал, рыцарские турниры в театральной среде не приняты. И очень жаль. Наши дискуссии до того бывают беззубы, до того один «полемист» боится задеть самолюбие другого, что складывается впечатление, будто режиссер Икс и режиссер Игрек играют в поддавки или, лучше сказать, ведут парный конферанс, где Икс делает вид, что хочет поделиться спорной мыслью, а Игрек делает вид, что слегка несогласен.

Полемика на театре — дело абсолютно естественное, здоровое, отнюдь не нуждающееся в реверансах на паркете. Если, конечно, не переходить на личности, а просто-напросто отстаивать свои творческие принципы. Правда, для этого хорошо бы их иметь.

И у Соловьева, и у Радлова творческие принципы были. Потому они могли открыто соглашаться и так же открыто не соглашаться друг с другом. В тех случаях, когда они считали это возможным, они охотно искали общий язык и находили его. Впрочем, справедливости ради отмечу, что, когда в конце тридцатых годов Радлова назначили главным режиссером Александринского театра, Владимир Николаевич отнесся к этому с некоторой долей ревности, как видно, припомнив и как бы вновь пережив свой уход из этого театра.

Ученики Соловьева составляли молодую группу театра. Среди них выделялись Варвара Сошальская, впоследствии артистка Театра имени Моссовета, и Борис Смирнов, ныне покойный. После войны он переехал в Москву, работал сначала в Театре им. А. С. Пушкина, потом во МХАТе, где ему, как известно, неоднократно доводилось выходить на сцену в образе В. И. Ленина. А тогда, еще очень молодым, он успел сыграть и Ромео, и Отелло.

Смирнов, кстати, был на нашем курсе одним из ассистентов Соловьева. Кроме него, Владимиру Николаевичу помогали Екатерина Михайловна Шереметьева и Владимир Иванович Честноков, впоследствии известный артист академического Театра драмы имени А. С. Пушкина.

К спектаклям Радлова я относился сдержанно. Он был очень изобретательный режиссер, мастер, но мне казался слишком «головным», холодным, лишенным изящества, на которое между тем претендовал. Впрочем, его шекспировские спектакли были значительным явлением в нашем театре. Прежде всего в том отношении, что в них очень тонко совмещалось трагедийное и комедийное начало. «Отелло» с Остужевым в главной роли. «Ромео и Джульетта» — балет, поставленный Лавровским при активном участии Радлова. Наконец — незабываемое впечатление! — радловская постановка «Короля Лира» в еврейском театре, где главную роль гениально играл Соломон Михоэлс и где очень хорош был Вениамин Зускин в роли Шута. Хотя «Король Лир» был все-таки спектаклем двух актеров, если не считать великолепного оформления Александра Тышлера.

Известно, что Шекспира Радлов ставил в переводах жены, Анны Радловой, которая намеренно огрубляла, вульгаризировала текст, полагая, что подобным образом приближается к духу оригинала. И вот среди наших студентов оказалась в ходу эпиграмма, в которой вульгаризмы, часто встречающиеся в переводах Радловой, высмеивались и зло, и довольно метко. Там говорилось, что если в оригинале (в переводе П. Вейнберга) написано «Оленя ранили стрелой», то Радлова это переведет: «Козе стрела попала прямо в ж...». Нам такие выпады очень нравились.

Стоило, однако, кому-нибудь из студентов позволить себе в присутствии Владимира Николаевича неуважительное замечание в адрес Радлова, съязвить на его счет, как учитель хмурился, а иногда и гневался:

— На критику должно быть внутреннее право. Осмеять можно любой спектакль — это дело нехитрое. А вот пойди пойми, разберись, в чем корень твоего неприятия. Дай себе труд задуматься о том, что над спектаклем люди серьезно работали, затратили массу энергии, надеялись, что их поймут. И тогда, даже отвергая, ты не позволишь себе рубить сплеча, станешь искать аргументы, как искал их театр, когда пытался убедить тебя в том, в чем был убежден сам.

С той поры для меня незыблемым является одно правило: если только перед тобой не заведомая халтура, будь любезен, уважай труд художника.

Владимир Николаевич и сам был большим тружеником в искусстве, и нам прививал умение трудиться, не щадя себя. Он часто говорил нам о том, что многих артистов, даже одаренных, губит неумение и нежелание закреплять и постоянно отшлифовывать найденное. Сколько раз, бывало, «прогоняя» какой-нибудь учебный этюд, накануне вызвавший его одобрение, он заставлял нас переделывать работу.

— Но ведь вчера вы меня за это хвалили! — не выдерживал взмыленный студент.

— Вчера было шампанское, — говорил Владимир Николаевич, — а сегодня ситро.

И тогда без лишних пояснений становилось понятно, что он добивается того магического «чуть-чуть», без которого нет искусства.

При этом он настаивал, что, как бы мы ни были заняты своим непосредственным делом, наша работа заключается еще и в том, чтобы постоянно, много ходить в театры. И не только на те спектакли, которые пользуются успехом. Он считал, что мы обязаны смотреть все, развивать в себе профессиональную требовательность. Что это есть неотъемлемая часть нашей учебной программы.

Александринцы и другие

В чем, в чем, а в необходимости много ходить в театр убеждать меня не требовалось. Лет с двенадцати для меня это вошло в обыкновение, и я мог буквально по двадцать раз смотреть одну и ту же пьесу. Я знал в лицо и пофамильно едва ли не всех ленинградских да и многих московских артистов. Даже тех, которые были, что называется, «на выходах».

Иногда мне задают вопрос, какой театр оказал на меня наибольшее влияние. Трудно сказать. Пожалуй, чаще и охотнее всего я ходил в Александринку. А вот какая существует связь между этим фактом моей биографии и тем, чем я всю жизнь занимаюсь на сцене, судить не берусь. Это дело теоретиков.

В Александринке моим кумиром был Илларион Николаевич Певцов. Могучая была индивидуальность! По старой театральной терминологии Певцова можно было бы назвать одним из последних «неврастеников» русской сцены. Никогда не забуду, как он передавал предсмертный страх Павла I в одноименной пьесе Д. Мережковского. Ему особенно удавались персонажи Леонида Андреева с их душевной надломленностью. Но и в ролях другого плана он был невероятно, фантастически органичен. Он мог оправдать на сцене все, что угодно. Даже если предлагаемые обстоятельства пьесы были неправдивы, характеры — неглубоки, неверны, а текст — чудовищный, непроизносимый, как случалось довольно часто у рапповских драматургов, в чьих сочинениях ему приходилось играть.

Певцов тоже преподавал у нас в институте, на режиссерском отделении. Но, судя по всему, педагогом он был неважным. Его ученик, Борис Вульфович Зон, один из крупнейших советских театральных педагогов, вспоминал, как, репетируя со студентами чеховского «Иванова», Певцов то и дело прибегал к методу режиссерского показа.

— Я бы на вашем месте, — говорил Певцов студентке, играющей Сарру, — сел бы в кресло и молчал до тех пор, пока слезы у вас не покатятся.

После чего он садился, долго молчал и точно: слезы градом катились по его лицу. Артистка, ошеломленная техникой учителя, «зажималась» вконец, а все ее партнеры бросались учиться плакать. В конце концов, ловко используя свою нервозность, они научились «выжимать» слезы. Но Певцовыми так и не стали.

Что же, действительно, далеко не каждому актеру дана способность передавать хотя бы частицу своего мастерства ученикам. Между прочим, памятуя об этом, я никогда не отваживался заниматься театральной педагогикой.

Но конечно, наблюдать за Певцовым на сцене было не только удовольствием, но и пользой.

В другом александринце, Борисе Анатольевиче Горин-Горяинове, меня впечатляло прежде всего виртуозное владение сценической интонацией. Пластический рисунок роли он всегда давал как бы в наброске. В этом отношении он был предельно экономен, суховат. Зато как умел расцвечивать слово! Какое богатство оттенков! Его голосом, как, впрочем, голосом многих александринцев, можно было наслаждаться независимо от зрительного впечатления.

Это искусство — особая культура, особый стиль, особая музыка сценической речи. Скажем, на сцене театра «Современник» представить себе Горин-Горяинова, или Юрьева, или Николая Симонова просто немыслимо. Но из этого, разумеется, не следует, что они были неестественны.

По моему глубокому убеждению, старые актерские школы — Александринского ли, Малого ли театра — являют собой замечательный и, увы, во многом утраченный образец бережного отношения к слову на сцене. Можно, конечно, иметь иное театральное воспитание; можно говорить бытово или музыкально, но в любом случае актера всегда должно быть слышно. Простая, казалось бы, истина. Между тем многие наши артисты молодого и среднего поколения об этом не заботятся, да попросту не научены говорить внятно. А раньше это было правило, основа основ: смотришь на партнера, а говоришь — в зал. Да так, разумеется, чтобы это не было заметно. Так, чтобы зритель не подумал, будто у тебя от природы рот искривлен.

Не так давно видел я в одном из наших столичных театров спектакль. Он шел ни шатко ни валко; причем не потому, что зрителю было неинтересно, а потому, что известный артист, игравший одну из главных ролей, что-то бормотал себе под нос. Даже в третьем ряду, где я сидел, почти ничего невозможно было разобрать. И тогда кто-то из зала крикнул артисту:

— Громче! Не слышно!

Разозлившись, известный актер следующую реплику свою уже буквально проорал. После чего подошел к рампе:

— А теперь? Теперь слышно?!

Разумеется, меньше всего я хотел бы оправдывать того невоспитанного зрителя. Но то, что позволил себе артист, — безобразие, вопиющее нарушение элементарнейшего закона сцены: какие бы накладки по ходу действия ни происходили, ты не имеешь права (если это не предусмотрено самим ходом действия, решением спектакля) разрушать сценическую реальность. Такого артиста гнать надо. И знаете за что? Просто-напросто за профнепригодность.

Конечно, определенное влияние на актеров оказывает акустика. С этим нельзя не считаться. Иной зал предполагает камерность общения, психологические полутона. В Александринке так не поиграешь. Между прочим, я думаю, что особенности акустики сыграли не последнюю роль в том, что Вера Федоровна Комиссаржевская на александринской сцене, что называется, не пошла. А вот в ее театре акустика была изумительная, редчайшая. Мне как-то довелось выступать в том помещении, и я был просто поражен: там можно говорить как угодно тихо — все равно тебя услышат и в последнем ряду. Особенности зала, конечно, заставляют артиста корректировать манеру исполнения, иной раз влияют даже на трактовку роли; неожиданно возникают такие нюансы, которые в каком-нибудь «ангаре», вмещающем полторы-две тысячи человек, до зрителя просто не дойдут и гарантируют тебе провал... Но, как бы то ни было, когда не хватает мастерства, на акустику пенять нечего.

Справедливости ради должен отметить, что с Александринским театром связаны и первые мои театральные разочарования. Я имею в виду не спектакли, хотя, разумеется, не все спектакли Александринки мне нравились. Речь идет о более существенном.

У меня, как, наверное, у каждого, кто бредит театром с юных лет, сложился образ Театра (именно с большой буквы!) как некоего храма, где все служители, а в особенности артисты, без остатка отдают себя творчеству. Там, в этом волшебном мире, все было для меня свято. Но когда, учась в институте, я вместе с другими студентами впервые стал участником александринской массовки, когда я увидел, как во время спектакля статисты (и артисты!) болтают о чем-то постороннем, щиплют друг друга от скуки, отпускают шуточки в адрес актеров, которые тут же, в двух шагах, пытаются играть всерьез, мне стало не по себе. Изнанка театра поразила меня: мне точно в душу плюнули. Хотелось крикнуть всем этим равнодушным людям что-то очень обидное. Как, мол, вы смеете?! Где находитесь?!

Но я, конечно, ничего им не сказал. А на другой день с трагической миной поведал обо всем Владимиру Николаевичу. Он внимательно выслушал меня, покачал головой, но сказал, что для него ничего удивительного в этом нет. Да, театр — храм. Таким он должен быть. И именно так относятся к нему все те артисты, которых мы любим и уважаем. И Певцов, и Горин-Горяинов, и Юрьев, и очень молодой Николай Симонов, и очень пожилая Корчагина-Александровская, или, как ласково называли ее артисты и завсегдатаи театра, «тетя Катя». Но вместе с тем в театре, как и в жизни, все перемешано. Так что, во-первых, не стоит путать святость со стерильностью. А во-вторых, надо помнить, что Александринка — театр старый, там до сих пор бытуют некоторые правила, сохранившиеся с допотопных времен. Во МХАТе или у Мейерхольда за подобное поведение на сцене режиссер учинил бы артистам (или статистам — в этом смысле все равны) страшный разнос.

С тех пор я давно уже перестал удивляться, сталкиваясь с кощунственным отношением артистов к своей профессии, к зрителю, к театру. Я научился даже из зрительного зала распознавать артистов, которые лишь делают вид, что присутствуют на сцене, а на самом деле что-то нашептывают партнеру, пока другой партнер говорит монолог, или просто «отключаются», думая о чем-то своем. Но и по сей день меня это оскорбляет. Так вести себя на сцене, по-моему, очень стыдно.

При всех трудностях, которые в ту пору испытывал Александринский театр, уровень актерского мастерства, актерской культуры все-таки там оставался на высоте. Не случайно я отчетливо помню, ясно вижу перед собой сценические образы мастеров александринской сцены! И мне становится особенно грустно, когда задаюсь вопросом, отчего же сегодня то мастерство, та культура, та школа не имеют достойного продолжения. Когда еще играли Николай Константинович Черкасов, Николай Константинович Симонов, Юрий Владимирович Толубеев, Василий Васильевич Меркурьев, я, хотя и реже, чем в молодости, ходил на спектакли некогда любимого мною театра. А в последние годы что-то совсем меня туда не тянет...

Большой драматический театр имени М. Горького тоже был довольно силен по своему актерскому составу. Там играли такие первоклассные мастера, как А. Лариков, В. Софронов, А. Лаврентьев, В. Полицеймако, О. Казико.

Кажется, в 1926 году, когда я был еще школьником, мне посчастливилось впервые увидеть на сцене БДТ Николая Федоровича Монахова в роли Труффальдино в «Слуге двух господ» Гольдони. Это была его знаменитая роль, он играл ее много лет с неизменным успехом.

Спектакль поставил Александр Бенуа еще в 1921 году. Это была стилизация под итальянский театр XVIII века, с интермедиями, которые исполнялись под музыку Рамо и Скарлатти.

И мизансцены, и декорации, и костюмы были очень красивы, но все это вступало в некоторое противоречие с игрой Монахова. Его Труффальдино происходил скорее из русского балагана, нежели из комедии дель арте, тем более в изысканном, «галантном» варианте Бенуа. Помимо зажигательности, в Монахове ощущалось простодушие и вместе с тем смекалка этакого Иванушки-дурачка.

Стефан Стефанович Мокульский, читавший нам в институте курс лекций по истории западноевропейского театра, находил, что Монахов — Труффальдино словно по какому-то капризу напялил на себя итальянский костюм, в чем и заключался неожиданный эффект его трактовки, оказавшейся близкой и понятной самым широким слоям петроградских зрителей.

С Монаховым, в прошлом опереточным премьером, в БДТ произошло удивительное превращение. Казалось, он способен сыграть все независимо от жанра и амплуа.

Между прочим, много лет спустя мы разговорились об этом с Григорием Марковичем Яроном. Разговор происходил за кулисами во время какого-то сборного концерта, в котором мы оба участвовали. Не будучи знаком с Яроном близко, я, помнится, был поражен, с какой глубиной и проницательностью он рассуждал о Монахове.

Признавая, что переход Монахова в драму был внутренне естествен для этого артиста (поскольку тот задыхался в мире опереточной пошлости и рутины), Григорий Маркович тем не менее сожалел, что это произошло. Монахов, считал Ярон, был эталоном чувства меры в оперетте. Он так умел слушать партнера, что даже мхатовцам не придраться. Все было оправдано, все — пропущено через себя, все — без нажима...

Поговорили мы с Яроном, а потом настал его черед идти на сцену. Я устроился в кулисе, чтобы посмотреть номер. И тут произошло нечто, показавшееся мне просто диким. Я глазам своим не поверил! Этот эрудированный, рассудительный человек, умница, личность, наконец... как бы исчез, испарился.

На сцене был совершенно другой Ярон: ничто не было оправдано, ничто не пропущено через себя, все — с нажимом.

Да, он великолепно танцевал. Да, у него была фантастическая энергия. Да, он брал зрителей мертвой хваткой... Но все это совершенно не сочеталось с тем, что он говорил минуту назад о Монахове и что называл эталоном.

Это обескуражило меня настолько, что я не постеснялся спросить у Григория Марковича, когда он закончил свой номер, почему он работает в такой манере. Он посмотрел на меня с недоумением и сказал:

— Таковы законы нашего жанра.

— Да, но как же тогда Монахов?

— Суха теория, мой друг, а древо оперетты вечно зеленеет, — весело перефразировал он Гете.

Удивительный человек был Ярон. Впоследствии, когда мы с ним встречались (как правило, это происходило в Доме актера в Москве — он был большой гурман, завсегдатай тамошнего ресторана, и директор этого ресторана, знаменитый на всю Москву человек, которого все за глаза называли Бородой, привечал его особо), мы много говорили об искусстве, о книгах. И я не помню случая, чтобы Ярон высказал какую-нибудь вздорную или вульгарную мысль. И когда, в частности, говорил об истории оперетты, увлекал не только страстностью, но и точностью своих высказываний. Однако, памятуя о том концерте, я предпочитал больше не искушать судьбу и никогда больше не видел Ярона на сцене.

Возвращаясь к Монахову, должен сказать, что Соловьев не раз приводил нам его в пример как артиста виртуозной техники. Он говорил нам, что мы не должны относиться пренебрежительно к такому «низкому» жанру, как оперетта, ибо именно в этом жанре, как, впрочем, и в цирке, по-прежнему живы элементы буффонады, народного фарса. Владимир Николаевич обращал наше внимание и на то, что Монахова в роли Труффальдино не захлестывала самодовлеющая импровизация, что он всегда импровизировал в соответствии с характером персонажа, ни на минуту не теряя контроля над собой, не упуская из виду действенную линию роли.

Если не ошибаюсь, со спектаклем в целом Соловьев был не вполне согласен. Кажется, у него были какие-то претензии к концепции Бенуа. Но в таком случае тем более примечательно, что он, как и обычно, не стал отметать то, что, с его точки зрения, являлось ценным.

Как я не стал артистом ГОСТИМа

Был еще один театр, спектакли которого я старался не пропускать. Это ГОСТИМ — Государственный театр имени Вс. Мейерхольда, несколько раз на моей памяти — начиная, как я уже говорил, с 1925 года — гастролировавший у нас в Ленинграде.

«33 обморока», «Мандат», «Заговор чувств», «Лес», «Горе уму», «Свадьба Кречинского», а больше всего «Ревизор» и «Дама с камелиями» — все мне нравилось чрезвычайно.

Описывать подробно свои впечатления я не считаю необходимым, так как в последние годы появилась большая театроведческая и мемуарная литература, где репертуар ГОСТИМа, его жизнь, постоянные споры вокруг него восстанавливаются достаточно зримо и обстоятельно. Я позволю себе лишь несколько отрывочных замечаний; если они и не добавят что-либо существенное к тому, что уже известно, то по крайней мере помогут читателю более полно представить себе, чем я тогда жил, чем дышал.

«Лес», подобно большинству постановок Мейерхольда, вызвал ожесточенные дискуссии. Но даже среди тех, кто категорически отвергал этот спектакль, не нашлось, кажется, ни одного человека, который не принял бы Игоря Владимировича Ильинского в роли Счастливцева. Между тем, когда Ильинский на время ушел из театра, а спектакль еще оставался в репертуаре, на эту роль был введен Лев Наумович Свердлин. Ввод, насколько я помню, прошел почти не замеченным критикой. Хотя Свердлин (а я видел обоих исполнителей) тоже играл замечательно.

Надо сказать, что Счастливцев и Несчастливцев, которого играл М. Г. Мухин, были решены режиссером как буфонная пара, в которой ощущалась какая-то чертовщина, что-то не от мира сего. Мухин, вообще, на мой взгляд, уступавший лучшим актерам этого театра, был, что называется, корректен, не более. Ильинский же просто чудеса творил. Уже лет десять спустя после премьеры «Леса» Соловьев (кстати, в отличие от Радлова, считавшего спектакль эклектичным, он принимал «Лес» безоговорочно) подробнейшим образом анализировал у нас на курсе эту работу Ильинского, видя в ней, как и в монаховском Труффальдино, яркий пример народного, ярмарочного гротеска.

Счастливцев Ильинского — это шут-простак, хотя и с некоторой бесовской хитрецой. Та же хитреца была и у Свердлина, но его Счастливцев был шут-умник. Свердлин играл более земно, бытово и, очевидно, более традиционно. Возможно, его игра не отличалась тем ослепительным блеском, который всех восхищал в Ильинском, но своя правда, своя убедительность, несомненно, присутствовали.

Они играли совершенно по-разному, но общий режиссерский рисунок роли, все мизансцены оставались, разумеется, неизменными. Каким же должен быть постановочный замысел, чтобы вмещать в себя такие разные актерские трактовки!

Думаю, это может послужить еще одним аргументом в споре с той, к сожалению, до сих пор бытующей точкой зрения, согласно которой Мейерхольд подавлял актерские индивидуальности.

Конечно, далеко не всякий артист мог у него работать. Одни не соответствовали его высоким художественным требованиям. Другие не выдерживали его переменчивый и достаточно тяжелый нрав. К третьим он сам бывал несправедлив и слишком быстро остывал к им же самим открытым дарованиям (достаточно вспомнить Марию Бабанову и Владимира Яхонтова). Но скольких он воспитал, скольких сделал мастерами! Разве влияние актеров так называемой эксцентрической школы, его школы, не было ощутимо и в других театрах, причем совершенно иной художественной направленности!

Не будь этих актеров — таких, как Ильинский, Гарин, Мартинсон, Зайчиков, Бабанова (его прямые ученики), не будь Бирман, Раневской, Глизер да и многих других, впрямую с ним не работавших, но чаще всего интуитивно опиравшихся на его опыт, то и я как артист, наверное, не смог бы состояться.

А разве случайно, что многие уже сложившиеся мастера тянулись к нему, хотя, казалось бы, это не соответствовало их театральной вере и все в них должно было этому воспротивиться! Как тут не вспомнить Юрия Михайловича Юрьева, горячо сочувствовавшего поискам Мейерхольда еще в дореволюционной Александринке и с тех пор поддерживавшего с ним крепкую творческую дружбу! Дружбу, по моему убеждению, глубоко символичную. Она символизирует преемственность театральных времен, их внутреннюю неразрывность.

Когда на рубеже двадцатых — тридцатых годов Юрьев отошел от руководства Акдрамой, он покинул Ленинград, вступил в труппу Малого театра, где ему была предоставлена возможность играть то, что он хотел. Но и в Малом он почувствовал себя неуютно и, отказавшись от ряда выгодных предложений, стал артистом ГОСТИМа, артистом на одну роль — Кречинского в «Свадьбе Кречинского» А. В. Сухово-Кобылина.

В этом его выборе, достаточно непростом для него и встреченном театральной общественностью как сенсация, принципиальное значение имели, разумеется, не житейские, а творческие обстоятельства. Актер-премьер, привыкший солировать и умеющий это делать, он уже не хотел, не мог работать по старинке.

Многие и сегодня придерживаются мнения, что мейерхольдовской «Свадьбе Кречинского» 1933 года недоставало внутренней стройности. Наверное, это так. Хотя, как всегда у Мейерхольда, там были блистательные сцены. Главное же, что после его воинственных «вздыбленных» постановок двадцатых годов этот спектакль оказался неожиданно «спокойным» по отношению к традиции исполнения пьесы Сухово-Кобылина. Те, кто помнил и любил прежнего Мейерхольда, Мейерхольда александринского периода и студии на Бородинской, приветствовали в спектакле элементы традиционализма. Среди этих зрителей, конечно, был и Соловьев. Другим же это казалось странной причудой и даже уступкой «мелкобуржуазным вкусам».

Действительно, в «Свадьбе Кречинского» встретились не просто два мейерхольдовских артиста разных театральных эпох — Юрьев и Ильинский. Казалось, сами театральные эпохи шли навстречу друг другу. Это было одно из первых проявлений, увы, так и не понятой большинством современников потребности Мейерхольда в обретении внутренней гармонии.

У Ильинского — Расплюева было много общего с тем, как еще до революции играл эту роль Владимир Николаевич Давыдов. Некоторые недоумевали, отчего артист не стремится вызвать жалость к своему Расплюеву. И относили это на счет опять-таки мейерхольдовской жесткости. Мейерхольд и вправду не любил сентиментальности на сцене. Даже говоря о Чаплине, который ему очень нравился, он вольно или невольно не замечал, что маска Чарли прежде всего трогательна и что без этого виртуозный эксцентризм Чаплина был бы весьма обеднен.

Но вот не так давно, читая мемуары конферансье Алексея Григорьевича Алексеева, я наткнулся на следующее свидетельство, многое проясняющее в том, почему Расплюев у Мейерхольда и Ильинского трогательной фигурой не стал, не должен был стать.

Алексеев, видевший Давыдова в роли Расплюева, приводит свой разговор с ним, в котором задал ему тот же самый вопрос: отчего бы Расплюева не пожалеть? На что Давыдов, актер сердечнейший, ответил ему так, как могли бы ответить и Мейерхольд, и Ильинский: Расплюев, с его точки зрения, не заслуживает сострадания. Он смешон и ничтожен. И заставлять зрителя прослезиться, например, после знаменитого расплюевского монолога о детях («Ведь у меня гнездо есть, я туда ведь пищу таскаю»), Давыдов в отличие от большинства провинциальных артистов, напирающих на мелодраматический эффект, считал неточным по отношению к характеру персонажа, к замыслу Сухово-Кобылина...

Когда удавалось, я проникал на репетиции Мейерхольда. Он любил, чтобы на репетициях присутствовала вся труппа, но посторонних, за редким исключением, не терпел. Правда, однажды он пригласил на репетицию студентов нашего института (я по какой-то причине прийти не смог), но это было событие экстраординарное. Обычно же приходилось прибегать к всевозможным хитростям, прятаться, рискуя быть изгнанным с позором. Разумеется, я рисковал не задумываясь.

Пускать или не пускать посторонних на репетиции — вопрос, решаемый каждым режиссером индивидуально. Одних режиссеров и артистов сторонние наблюдатели не раздражают, они даже не замечают их. Другие — и я как руководитель театра принадлежу к их числу — на публике просто не в состоянии нормально репетировать. Знаю, что, когда в театр приходят званые или незваные гости, артисты, пусть невольно, подсознательно, начинают работать на них. А это мне кажется недопустимым, когда роль еще не готова. С другой стороны, можно понять и тех, кто, не жалея своего времени, готов часами просиживать где-нибудь в уголке полутемного зала и наблюдать. Эти зрители, большей частью театральная молодежь, — будущие актеры, режиссеры, сценографы, театроведы. Ими, очевидно, руководит далеко не праздный интерес...

Мейерхольд в репетиционном процессе — зрелище ошеломительное в своей выразительности. Никогда больше ничего подобного я не видел!

Он постоянно находился в движении: много жестикулировал и кричал, бегал по залу, присаживался за режиссерский столик и тут же вновь отбегал от него. Но во всем этом не было и намека на хаотичность или непомерную нервозность. Напротив, явственно ощущалась внутренняя логика, цепкость мысли. Другое дело, что поспеть за его мыслью было непросто.

Ощущалось, что он превосходный актер. Быть может, лучший из всех занятых в репетиции. Когда возникала необходимость, он стремительно, легко взбегал на сцену и преображался в любого из персонажей с какой-то фантастической, хочется сказать, дьявольской убедительностью. Его показы были гениальны. Он мог показывать, как надо играть женщину, — и вы верили, что перед вами женщина.

Однажды, когда он репетировал «Даму с камелиями», я стал свидетелем того, как он сыграл небольшой эпизод — приход Жермона к Маргерит.

Вот Жермон входит. Легким движением плеч сбрасывает на руки лакея накидку на шелковой, скользящей подкладке. Отдает трость. Снимает цилиндр и, слегка прижимая к себе, придерживает его локтем левой руки. Затем снимает перчатки, сначала с левой руки, потом с правой, бросает их в цилиндр. Передает его лакею. Садится в кресло. Лакей подает ему цилиндр. Жермон ставит его возле себя на пол. Берет трость. Сидит в кресле, облокотившись на трость обеими руками. Застывает в ожидании.

Я все это вижу, будто было вчера. Будто прокручиваю фильм. Цепь простых физических действий в исполнении Мейерхольда казалась каким-то таинством и непостижимым образом обретала поэтичность.

«Дама с камелиями» — шедевр Мейерхольда. Предметы далекого парижского быта середины прошлого века в этом спектакле казались одушевленными. К тому же были очень красивы. Но главное, чем завораживала его утонченная версия мелодрамы Дюма-сына, — подлинность страстей человеческих, благородство общего тона спектакля. Уж здесь-то Мейерхольд трогательности не чурался! Недаром Владимир Иванович Немирович-Данченко, обычно мейерхольдовские спектакли не жаловавший, а на сей раз оказавшийся среди многочисленных его сторонников, подчеркивал, что в «Даме с камелиями» Мейерхольда есть признаки сентиментализма (то есть определенного стиля), но сентиментальности (то есть дешевого, слезливого приема) там нет.

Побывал я и на репетициях «Пиковой дамы», поставленной Всеволодом Эмильевичем в ленинградском Малом оперном театре. Видел, как он показывал актерам Германа, Лизу, зловещую старуху... Репетиции этого спектакля шли в обстановке особой секретности и весьма напряженной околотеатральной борьбы. Сразу же после вступительного слова, обращенного режиссером к участникам спектакля перед началом работы, поползли слухи, что Мейерхольд готовится учинить насилие над музыкой Петра Ильича Чайковского.

Он действительно задумал переделать старое либретто, стремясь приблизить «Пиковую даму» Чайковского к «Пиковой даме» Пушкина. О спектакле и по сей день дискутируют с такой страстью, словно со дня его премьеры не прошло более пятидесяти лет. Это не случайно. При всех издержках мейерхольдовского прочтения оперы оно открыло новые горизонты перед нашим музыкальным театром. До сих пор ведь в опере далеко не все отдают себе отчет в том, что режиссер такой же автор спектакля, как и дирижер. Многие певцы, и даже очень хорошие, выходят на сцену прежде всего для того, чтобы поразить зрителя своей вокальной техникой. Сценическое действие и, в сущности, содержание, смысл волнуют их мало. Они не хотят понять, что музыкальный театр — тоже театр. И рождение полнокровного образа здесь зависит от верного соотношения музыкальных и сценических средств. Между тем это прекрасно понимали Прокофьев и Шостакович, а задолго до них Мусоргский.

Но пора наконец рассказать о том, как мне представилась возможность стать артистом ГОСТИМа и почему я все-таки им не стал.

Дело было в зале консерватории. Пригнувшись и скрючившись в самых последних рядах партера, я наблюдал, как Мейерхольд репетирует «Горе уму». Спектакль (вторая сценическая редакция) уже был готов, но, очевидно, перед началом гастролей в Ленинграде требовалось что-то в нем доработать.

Мейерхольд, по своему обыкновению, расхаживал или бежал по проходу, то удаляясь от меня, то ко мне приближаясь. Чем, к досаде моей, отвлекал меня от того, что происходило на сцене. Тем более что в его челночном движении постепенно обнаруживалась крайне опасная тенденция: после того как он очередной раз удалялся от меня, возвращался он не на то же самое место, а все ближе и ближе ко мне. Я старался не дышать. Я молил судьбу, чтобы кто-нибудь отвлек его, чтобы он сменил свой маршрут.

Но он меня заметил.

Здесь я, по всем правилам драматургической интриги, сделаю небольшое отступление.

Несколько раз в жизни я видел Мейерхольда вблизи. Эти разрозненные «кадры» прочно отпечатались в моей памяти. Они очень важны для меня. Не просто потому, что это — Мейерхольд. Но и потому, что ни одна известная мне фотография Всеволода Эмильевича не передает те оттенки выражения его лица, которые запечатлелись в моих «кадрах».

Вот он в широкополой шляпе стоит за кулисами после только что окончившегося спектакля и наблюдает, как люди выходят из зрительного зала. Он словно пытается разгадать, какие чувства испытывает публика, а точнее, именно этот, и тот, и еще вон тот зритель. Что-то явно его не устраивает в их реакции. Он выглядит очень утомленным, старым и каким-то беззащитным...

Вот Мейерхольд в зале филармонии слушает Четвертую симфонию Густава Малера, которой дирижирует Герман Абендрот...

Вот летом 1936 года он выступает с докладом «Пушкин — режиссер»...

Вот тем же летом он — на Моховой, у нас в институте. Рассматривает макеты оформления дипломных спектаклей. Беседует с Гвоздевым и Соловьевым. Оживленно, запросто. Как со старыми товарищами. Здесь я единственный раз видел его улыбающимся...

До чего подвижным было его лицо! Точно каждый раз был другой человек. Но всегда, в любом качестве, в любом состоянии духа — удивительно артистичен.

Итак, он меня заметил. В это мгновение он был похож на орла, высмотревшего с горных высот свою добычу. Так, во всяком случае, мне казалось. Потому что сам я, конечно, похож был на зайца, у которого сердце ушло в пятки.

Он смотрел на меня в упор и молчал.

Я тоже молчал.

Сколько так продолжалось? Может быть, несколько секунд, а может быть, вечность.

Вдруг он резко повернулся и... стал продолжать репетицию как ни в чем не бывало.

В перерыве ко мне подошел Алексей Николаевич Бендерский, один из сотрудников Мейерхольда. Его должность в ГОСТИМе звучала несколько странно: режиссер-администратор. В его обязанности входило все на свете. Бендерского мы, студенты, хорошо знали, ибо именно он смотрел сквозь пальцы на то, как мы проникали в театр.

— Аркадий, — сказал Бендерский, — Всеволод Эмильевич хочет поговорить с вами.

Первая моя мысль была: удрать. Но я переспросил:

— Поговорить? Со мной?

— С вами, с вами.

— О чем?!

— Там узнаете, — загадочно ответил Бендерский. — Да не бойтесь вы, не съест.

Мейерхольд был в фойе. Я подошел к нему, испытывая какой-то мистический ужас. Он опять-таки долго не говорил ни слова, а только внимательно меня разглядывал.

— Чей вы ученик? — в конце концов спросил он.

Этот простой вопрос окончательно сбил меня с толку. Откуда он может знать, что я вообще чей-то ученик? Откуда вообще ему известно, кто я такой? (То, что он мог спросить об этом у Бендерского, мне почему-то в голову не пришло.)

— Я? — сказал я. — Соловьева.

— А голос почему хриплый? Вы что, простужены?

— Нет. Просто у меня голос такой.

— Ну ладно. Идите к Бендерскому, он вам все скажет. И отвернулся.

Поплелся я на ватных ногах к Бендерскому, который, явно наслаждаясь ситуацией, долго тянул, прежде чем объявить мне:

— Ну, в общем, Аркадий, вы приняты в труппу.

Ни больше ни меньше!

Далее он сообщил, что я буду вводиться на роль в «Даме с камелиями» (на какую именно, не сказал, а я не спросил, ну да явно не на роль Армана); что я, разумеется, должен буду переехать в Москву (поскольку я уже на последнем курсе, с Соловьевым договорятся, чтобы мне дали возможность защитить диплом прямо в театре). С проблемой жилья тоже все в порядке: Всеволод Эмильевич уже отдал распоряжение, и я буду жить в общежитии ГОСТИМа.

— Но он же не видел меня на сцене! — воскликнул я наконец в полный голос.

— Мейерхольд сам знает, кого ему нужно видеть на сцене, а кого — не нужно. Может быть, вы хотите что-нибудь возразить?

Когда я вышел из консерватории, ноги сами привели меня к Соловьеву.

По логике вещей я должен был быть вне себя от счастья. Но, сам не зная почему, я испытывал только смятение. К тому времени я успел совершить лишь один по-настоящему решительный шаг в жизни, один поступок: перебрался из родительского дома в институтское общежитие, не желая больше выслушивать нотации отца по поводу моей «непутевой» страсти к театру. Но это был детский лепет по сравнению с тем, на что предстояло решиться теперь. Я стал лихорадочно взвешивать «за» и «против».

«Против»:

— наш курс должен стать самостоятельным театром, который, может быть, возглавит Владимир Николаевич; бегство — это предательство;

— у меня в Ленинграде — любимая девушка, на которой собираюсь жениться, но пока не могу, так как ее родители не дают согласия на наш брак; уехать в Москву — значит, потерять ее;

— Москва — совершенно чужой город; в Ленинграде меня уже кое-кто знает, ко мне здесь уже начали присматриваться, а в Москве — неизвестность;

— наконец, неясно, на какое положение меня зовут; там ведь, в ГОСТИМе, такие «киты», что, может быть, рядом с ними мне и делать будет нечего.

«За» было только одно:

— Мейерхольд! Мейерхольд! Мейерхольд!

Делясь этими соображениями с Владимиром Николаевичем, я тайно надеялся (да нет, я был просто уверен!), что он посмеется над всеми моими «против» да еще отругает меня за то, что я не способен понять, какое счастье мне привалило.

Но Соловьев повел себя неопределенно. Он надолго задумался и потом произнес примерно следующий монолог:

— Я не стал бы вас отговаривать, если бы вопрос упирался в театр-студию, тем более что я далеко не уверен, разрешат ли нам такой театр организовать. Что касается проблем вашей личной жизни, вашей женитьбы, то, полагаю, переезд в Москву вряд ли сможет явиться серьезной преградой. Напротив, только проверкой вашего чувства.

Да и помилуйте, Аркадий, Москва ведь не так далеко, как, например, Магадан. Если вы считаете, что в

Москве вам будет одиноко, неуютно или как-то там еще, то это и вовсе чушь; во-первых, вы достаточно общительный человек, чтобы тут же обрасти новыми знакомствами, а во-вторых, это не аргумент для человека, вышедшего на артистическую стезю! И только последнее ваше соображение имеет под собой почву: действительно, никто не знает и никто не узнает — до тех пор, пока вы не начнете работать в ГОСТИМе, — как там пойдут ваши дела.

Конечно, в любом театре начинающего артиста ждет конкуренция, но все-таки начинать в маститых театрах, на мой взгляд, более рискованно. Там можно годами, десятилетиями ждать роль, о которой мечтаешь, а когда наконец тебя назначают, скажем, на роль Ромео, то выясняется, что по возрасту ты уже не имеешь на это права. И все же приведенные вами доводы я не считаю достаточно основательными. Потому что, как вы сами отдаете себе отчет, Мейерхольд есть Мейерхольд...

Однако, Аркадий, дело сложнее, чем вы, наверное, представляете себе. Я не уверен, что именно сейчас следует идти к Мейерхольду. Я даже уверен, что не следует. Поймите, если бы этот разговор состоялся лет десять назад, я бы первым бросил в вас камень, когда бы вы посмели отказаться от его предложения. Это было бы грандиозной вашей ошибкой независимо от того, как бы потом сложились ваши творческие отношения с Мастером. Но сейчас... как бы вам это объяснить... ГОСТИМ не в том состоянии... точнее, не в том дело... время, понимаете ли, наступает другое... и я думаю, что у ГОСТИМа уже нет будущего... и думаю, Всеволод Эмильевич сам это понимает... или скоро поймет...

Знаете, Аркадий, если бы он этого не понимал или, точнее, не чувствовал, вряд ли бы он смог так поставить «Даму с камелиями». Я думаю, что спектакль гораздо больше связан с нашей современностью, чем это может показаться тем, кто видит в нем лишь любование красотой.

Меньше всего я хотел бы в чем-нибудь упрекать Всеволода Эмильевича. Вы же понимаете, меня трудно в этом заподозрить. Просто так складывается все, так все складывается... И чем дальше, тем больше это будет очевидно... Поверьте, Аркадий, у вас своя дорога. Не ходите к нему.

Я внял совету Владимира Николаевича Соловьева. Но, конечно, ни он, ни тем более я тогда не догадывались, что не пройдет и трех лет, как Комитет по делам искусств примет постановление о ликвидации ГОСТИМа.

Приключения дебютанта

Когда я учился на втором курсе, Владимир Николаевич занял меня в спектакле «Служанка-госпожа». В этой итальянской опере-буфф, написанной в восемнадцатом веке композитором Джованни Перголези, три роли. Две — для вокалистов, а третья — роль глухонемого слуги Веспоне. По замыслу Соловьева, слуга должен был вносить в спектакль дух импровизации, дух буффонады.

Я играл Веспоне в очередь с Константином Эдуардовичем Гибшманом, очень известным в ту пору эстрадным артистом, о котором я еще непременно расскажу. По совету Соловьева я ни разу не смотрел Гибшмана в этой роли. Чтобы не подражать.

Участие в таком предприятии, разумеется, было для меня, второкурсника, чрезвычайно лестно. Тем более что каждое представление «Служанки-госпожи» вызывало интерес не только у институтской аудитории. Это было событие городского масштаба. Вся театральная и музыкальная общественность Ленинграда побывала на этом спектакле. Играли мы не где-нибудь, а в Эрмитажном театре, в здании, построенном Кваренги.

Роль Веспоне, мой дебют на профессиональной сцене, была для меня полезнее иных ролей, сыгранных в драматическом театре. Она решалась чисто пластическими средствами и требовала от меня внутренней музыкальности, ритмической организации сценического движения, внебытового ощущения сценического пространства. То есть всех тех качеств, которые впоследствии, на эстраде, необходимы были постоянно.

Несколько позже, в одном из выпускных спектаклей нашего курса, как бы развивая роль Веспоне, я сыграл другого традиционного слугу-плута. Это Маскариль, герой «Смешных жеманниц» Мольера. Как известно, в пьесе двое слуг, Маскариль и Жодле, переодевшись в маркиза и виконта, являются к жеманным красавицам Като и Мадлон, которых домогаются их хозяева, подлинные маркиз и виконт. Буффонные трюки предопределены здесь самими сюжетными положениями.

Я нашел для своего Маскариля несколько, как мне тогда казалось, убийственно смешных гримас и, действительно, на репетициях потешал наш курс. Тем более что мой Маскариль, как я уже говорил, весьма похоже пародировал институтских педагогов.

Соловьев смеялся вместе со всеми, но, не отвергая ни пародии мои, ни даже гримасы, сказал, что если я думаю, будто, найдя смешную характерность, я добился искомого результата, то это глубочайшее заблуждение.

— Фарс, — добавил он укоризненно, — это не пустячок и не «капустник». Вашу роль, между прочим, когда-то играл сам Мольер. Стыдно фиглярничать.

И мне пришлось еще немало потрудиться, дабы понять, что собой представляет древнее искусство фарсеров, что внес в него Мольер и как достигнуть того, чтобы современная театральная стилизация живо увлекла зрителей.

— На первом представлении пьесы, — говорил Владимир Николаевич, — лицо Маскариля было скрыто традиционной маской, а его спутник, Жодле, выходил с лицом, обсыпанным мукой. Мы этого делать не станем, поскольку и для самого Мольера такой внешний вид персонажей был данью театральной архаике. Маска, как ее понимали Мольер и Гоцци, — сгущенное, концентрированное, преувеличенное выражение живого характера. И лицо вовсе не обязательно закрывать. Нам важно другое: когда Маскариль изображает маркиза, он сам искренне верит, что он маркиз. То есть важна его увлеченность игрой. Для него игра — реальность, а реальность — игра. И прежде всего в этом смысле он для нас интересен. Как вечный или, если угодно, блуждающий персонаж европейского театра. Воспринимайте его как набросок Сганареля, в характере которого все эти народные в своей основе черты получили у Мольера более глубокое обоснование. Итак, он верит во все, что изображает. Показывайте, как он увлекается, как он купается в стихии плутовства и фантазии. Но вы ни на минуту не должны забывать, что в финале обман раскроется, маскарад улетучится. И что финальная тирада вашего персонажа должна быть для вас ключом ко всей роли.

Тираду эту я теперь уже не помню наизусть. Я ее выписал: «Так обходятся с маркизом! Вот он — свет! Малейшая неудача — и нас презирают те, кто нами же восхищался! Пойдем, приятель! Пойдем искать счастье в других местах. Здесь, я вижу, ценят лишь суетную видимость и презирают нагую добродетель».

Меня хвалили за эту роль, и я до сих пор вспоминаю ее с нежностью. Но все же, думаю, тогда мне не хватило опыта (прежде всего жизненного, а не актерского!), чтобы сыграть сцену разоблачения и ухода Маскариля с той пронзительностью и глубиной, какие может открыть в ней лишь человек, много переживший.

Кроме «Смешных жеманниц», Соловьев поставил на нашем курсе еще два спектакля: «Вечер водевилей» (три одноактные пьесы Д. Ленского) и «Рыбаки» («Кьоджинские перепалки») Гольдони. Это наши дипломные работы. Мы дорожили ими, и нам не хотелось верить, что очень скоро им предстоит умереть.

Спектакли, как люди, растут, достигают зрелости, стареют, дряхлеют и в конце концов умирают. Но дипломные спектакли в отличие от репертуарных умирают преждевременно. Это всегда обидно. Казалось бы, только-только вошли во вкус, играть бы еще и играть, но вчерашние студенты становятся артистами разных театров, и уже не собраться им вместе. Разве что на вечер воспоминаний.

Хотя у нас и теплилась надежда, Соловьев не зря был настроен пессимистически. Он понимал, что время студийности кончилось. В ту пору окончательно сформировалась та система организации театрального дела, которая поставила художника в абсолютную зависимость от административного аппарата. Кажется, только теперь мы начинаем возвращаться к простой истине, что театры не существуют по приказу. Сколько в нашей истории театров, умерших неестественной смертью! Сколько театров, так и не родившихся, уничтоженных в зародыше! Но больше всего таких, которые продолжают существовать, хотя как творческий организм они давно уже умерли!..

Думаю, наш курс мог бы стать настоящим студийным коллективом. Не потому, что каждый из нас был как-то уж очень силен. Вовсе нет! И вообще не бывает такого курса, который состоял бы сплошь из ярких индивидуальностей. Но мы были воспитаны в единой театральной вере. С нами оставался Соловьев.

Когда же мы оказались оторванными друг от друга, когда разбрелись по театрам, где каждого перековывали на свой лад, стало уже не до комедии дель арте, не до мольеровских фарсеров. Все это вдруг сделалось ненужным. Пригодилось только ремесло. Скажут: это тоже немало. Да, наверное. Но что стоит ремесло, не одухотворенное идеей?!

Мне повезло больше других. Отчасти потому, что я довольно быстро понял: надо что-то предпринимать, чтобы не умертвить, если так можно выразиться, себя в себе. Я ушел в такой жанр, который позволял сохранять относительную независимость. Но не всем же следовать моему примеру; не все чувствовали вкус к эстрадной маске, конферансу, искусству трансформации. Так или иначе, почти никто из моих сокурсников, как говорят на театре, имя себе не сделал. Пожалуй, только Петру Ветрову удалось пробиться. Он получил звание народного артиста республики, руководил Ворошиловградским театром... Ну да я ведь в конце концов не об именах и регалиях говорю. Я имею в виду театральную веру, в которой воспитывал нас Соловьев и которая, как все мы тогда думали, должна была стать нашей путеводной звездой.

Вопрос о нашем распределении был решен компромиссно: свой театр не разрешили, но бо́льшую часть курса оставили вместе и направили в Лентрам (Театр рабочей молодежи), куда мы пришли даже со своим репертуаром — в афишу театра были включены «Смешные жеманницы» и «Рыбаки». Казалось бы, и на том спасибо. Нет, в искусстве подобная половинчатость удовлетворения не приносит. И нам не принесла.

Лентрам — предшественник Ленинградского театра имени Ленинского комсомола, который сейчас помещается на Петроградской стороне. Тогда же он был на Литейном проспекте.

Воспоминания об этом времени рождают еще одну ассоциацию. Лет двадцать назад на всю страну прогремели спектакли выпускного курса ЛГИТМиКа «Зримая песня» и «Вестсайдская история». Что творилось вокруг этого курса! Как с ним носились! Какой успех! А потом — перенесли оба спектакля на сцену Театра имени Ленинского комсомола. Артисты в основном были те же, что и в студенческом варианте, мизансцены те же. Но что-то очень важное безвозвратно ушло. Даже не знаю, как это определить поточнее, — атмосфера ли, непосредственность ли, энергия ли какая-то неуловимая... но так или иначе — все вроде то, да не то.

Точно такое же превращение произошло за тридцать лет до этого с нашими «Рыбаками» и «Жеманницами». Надо сказать, я с опаской отношусь к переносу спектакля с одной сцены на другую. Есть, по-моему, неизбежная механистичность, вступающая в противоречие с самой природой творчества. Спектакль рождается только однажды, и если уж пересаживать его на другую почву, то ни в коем случае нельзя копировать. Нужно делать новую редакцию либо вообще ставить заново.

Мы же тогда допускали типичную для театральной молодежи ошибку: пытаясь сохранить дорогую для нас атмосферу учебного спектакля, старательно делали вид, что она никуда не делась. Мы изображали ее, играли ее по памяти, хотя на самом деле ее уже не было да и быть не могло.

Главным режиссером был у нас Владимир Платонович Кожич. Репертуар в основном комсомольский: актуальный, боевой, но не слишком глубокий.

Меня ввели в спектакль «Дружная горка» на роль некоего Воробушкина. Этот Воробушкин увлекался фотографией. Он всех заставлял фотографироваться, но всякий раз забывал снять крышку с фотообъектива. Вообще он страдал забывчивостью, все делал нескладно, невпопад, но в целом был добродушный и простой парень. После Маскариля роль не представляла для меня особой сложности. Но хотя она укрепила мое положение в театре и хотя я играл ее не без удовольствия, не могу сказать, что это было именно то, о чем я мечтал.

Впрочем, не буду лукавить. Артисту ведь что надо? Играть, играть и играть. И я, конечно, не был исключением.

Расскажу забавный эпизод, связанный с постановкой пьесы «Начало жизни» Леонида Первомайского.

Был у меня в институте сокурсник, близкий мой приятель — Леонид Головко. Он тоже теперь работал в Траме. В спектакле «Начало жизни» Кожич предложил ему почти бессловесную роль молодого бойца по фамилии Виноградский. Леонид очень огорчился. Не то что у него появились замашки премьера, нет, мы не были так развращены. Просто он счел, что в этой роли сделать ничего нельзя. И был недалек от истины. Я принялся его утешать. Мы договорились, как прежде в институте перед показом этюда, прийти пораньше, найти какой-нибудь укромный уголок и вместе начать фантазировать. Одна голова — хорошо, а две — лучше.

Наутро Леонид выглядел вялым, мрачным. Было видно, что фантазировать он не готов и не намерен. Я стал показывать ему то, что придумал, сочинял на ходу и постепенно завелся.

Екатерина Романовна Бродская —
мать Р.М. Иоффе (Р. Рома,
Р.М. Райкина)

Марк Львович Иоффе, врач. Первая
мировая война

Исаак Давыдович Райкин

Елизавета Борисовна Райкина

Рига. Эспланада

Одно из первых впечатлений

Рыбинск. 1920 год

В двухъярусном Зимнем театре постоянно выступали гастролеры

Школьная самодеятельность.
Участники "Живой газеты".
Во 2–м ряду третий слева А. Райкин

Я.Б. Зельдович,
одноклассник,
будущий академик

Петроград. ▲
В этой школе
учился
Аркадий Райкин

В Эрмитаже.
"Старайся понять,
как сделана вещь"

А. Райкин.
30-е годы

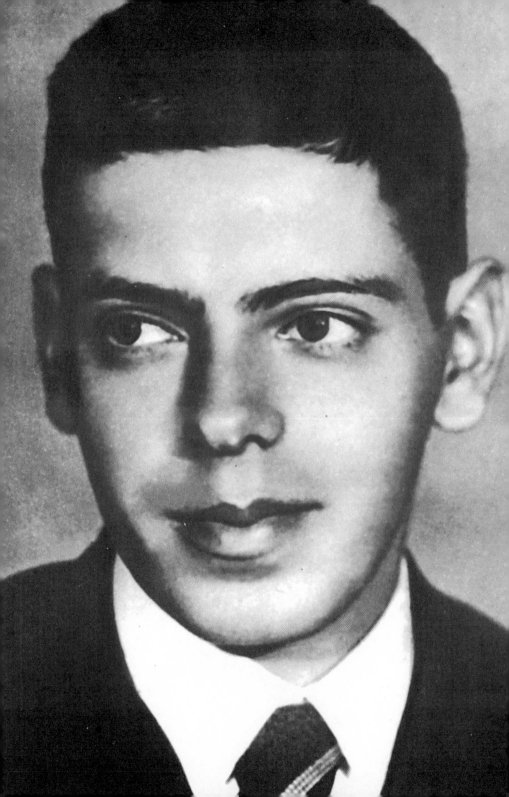

◀ А. Райкин – студент курса В.Н. Соловьева

Курс В.Н. Соловьева. В центре – А. Райкин

Программмка спектакля "Служанка–госпожа",
шедшего в Эрмитажном театре

II РАЗДЕЛ
СЦЕНИЧЕСКАЯ ПОСТАНОВКА

СЛУЖАНКА-ГОСПОЖА
опера-буфф в двух интермеццо

Музыка Перголези. Текст Федериго.

Перев-д М. А. Кузмина.

Режиссер В. Н. Соловьев. — Ассистент З. В. За-
кусова. — Музыкальный руководитель А. Б. Ме-
рович. — Художник В. А. Альмединген.

Действующие лица:

Уберто	{	С. М. Казбчанов В. А. Раевский
Серпина	{	Н. Б. Лещинская Е. И. Видас
Веспоне	{	К. Э. Гибшман А. И. Райкин

Перед началом оперы исполняется Moderato из со-
наты Перголези; перед вторым интермеццо—Andan-
tino из французской редакции оперы.

Между первым и вторым интермеццо—антракт.

Музыкально-историческую часть спектакля в постановке разработал профессора С. А. Гинзбург, И. И. Иоффе, А. Д. Ка-
менский, А. В. Оссовский и А. А. Райкин. Историко-театральную
часть разработал профессор В. Н. Соловьев.

"Служанка–госпожа" в Эрмитажном театре. Сцена из спектакля

Е.П. Корчагина–Александровская
("тетя Катя")

Е.П. Карякина. Из оперетты "Клоун"

Г.М. Ярон. Оперетта "Холопка"

В.В. Меркурьев

И.Н. Певцов в роли Павла I
в спектакле "Павел I"

Н.К. Черкасов

Г.М. Козинцев

В.Н. Давыдов

Рома – 18 лет

В.Э. Мейерхольд
на репетиции
(архив Рудницкого)

А. Райкин. 30–е годы

Один из водевилей на курсе
В.Н. Соловьева. Репетиция.
На коленях – А. Райкин

В роли Виноградского
в спектакле "Начало жизни"

Сцена из дипломного спектакля "Рыбаки" .
Постановка В.Н. Соловьева

Кадр из фильма "Доктор Калюжный" .
С Яниной Жеймо

Кинопроба на роль князя
Горчакова в фильме
"Юность поэта"

Эстрадный номер
"Чарли Чаплин" ▶

В роли Маскариля, спектакль
"Смешные жеманницы"

А. Райкин.
После выступления. 1940 год

Диплом лауреата
Первого Всесоюзного конкурса
артистов эстрады

Здесь, впрочем, требуется пояснение. Пьеса Первомайского — о гражданской войне, о первых комсомольцах, и там есть такой сюжетный ход: командиру нужно выбрать пятерку самых отважных бойцов, готовых пойти в разведку на опасное задание. Командир собирает всех и спрашивает, кто хотел бы пойти на это добровольно. Выясняется, что все хотят. Тогда бросают жребий: кладут в шапку листки бумаги, пять из них помечают карандашом, а остальные оставляют незаполненными или, как в пьесе говорят, пустыми. Виноградский — один из тех, кому не везет. Он вытаскивает из шапки листок и говорит:

— Пустой. Виноградский.

Это все, что он говорит вообще. Потом он только мелькает в массовке.

Так вот, я придумал Виноградскому биографию.

— Пусть он будет у тебя, — предложил я Леониду, — застенчивым интеллигентом из южной провинции; родные у него убиты белобандитами, и он пошел к красным, чтобы за них отомстить. Кроме того, он начитался революционных брошюр, не вполне их усвоил, и потому он немного путаник, но, в общем, очень искренний человек. Он верит, что близка мировая революция.

— Все это очень интересно, — иронически сказал Леонид, — но для этого надо писать другую пьесу. О Виноградском.

Но меня не сбили с толку его возражения. Я продолжал:

— Пусть он будет в гимназической форме, которая ему мала (это все, что у него осталось от прежней жизни), и пусть он носит очки, и пусть, ожидая свой жребий, от волнения теребит пуговицу. Он ужасно волнуется. Он ужасно хочет попасть в пятерку. Ему не терпится, ему кажется, что, если он в нее попадет, мировая революция наступит еще скорее. Представляешь, какое у него должно быть разочарование, когда он говорит: «Пустой»?! И когда пятеро счастливчиков будут уходить в разведку, пусть он долго смотрит им вслед и, может быть, даже слезу утирает.

— Красиво, — не сдавался Леонид. — Но когда начнутся репетиции, от всего этого следа не останется. Мне тут же скажут, что я слишком обращаю на себя внимание. Вынул листок, произнес свои два слова — и давай обратно в массовку, нечего отвлекать зрителя от главного. И будут правы.

— Что будет, то будет, — ответил я, разозлившись. — У тебя нет выбора.

Мы продолжали спорить. Я показывал ему, каким должен быть этот злополучный Виноградский, а он показывал мне, как все будет на самом деле. Тогда я снова и снова показывал своего Виноградского, сам не замечая, как персонаж постепенно становился живым. Мы так увлеклись, что не увидели Кожича, который, оказывается, наблюдал за нами. В конце концов он прервал нашу бесконечную полемику.

— Вот вы и будете играть эту роль, — сказал он мне и быстро ушел.

Слава Богу, что это не была роль Отелло или, скажем, Егора Булычева: нашей дружбе пришлось бы тогда выдержать серьезное испытание. Но в данном случае Леонид был просто счастлив. А я — озадачен. Теперь уже он утешал меня, как только что я его. Да еще посмеивался. Но не зря говорят: смеется тот, кто смеется последним. Мой Виноградский неожиданно стал заметной фигурой в спектакле. Кожич, несмотря на опасения Леонида, позволил-таки мне сплести пантомимическое кружево вокруг одной-единственной реплики моего персонажа.

И даже рецензент журнала «Рабочий и театр» (фамилия его была Алексеев) меня заметил и посвятил мне целое рассуждение в своей статье о Лентраме. Я гордился этой рецензией, как если бы не в рецензию, а в энциклопедию попал.

Мои дела в Лентраме складывались вполне прилично, когда я оттуда ушел в Новый театр. Он помещался на «моей» Троицкой улице, рядом с толстовским домом, в бывшем зале Анны Павловой. Им руководил И. М. Кролль. Человек он был, на мой взгляд, одаренный. Работалось с ним легко. Репертуар да и состав труппы там были более основательными, нежели в Лентраме. Это меня и привлекало.

Между прочим, там мне довелось играть вместе с замечательными артистами старшего поколения Е. А. Мосоловой и В. В. Максимовым. У Мосоловой до революции был свой театр, а Максимов был звездой немого кино, партнером Веры Холодной.

Впоследствии Новый театр перебрался на Владимирский проспект, стал называться Театром имени Ленсовета. Но это уже без меня. Тем не менее хочется вспомнить забытых ныне мастеров-ленсоветовцев той поры: Веру Будрейко, Ксению Куракину, Евгению Фиш (жену моего друга Виталия Полицеймако, одного из мощнейших артистов БДТ), а также Романа Рубинштейна (впоследствии он вступил в труппу нашего Театра миниатюр). Куракина и Фиш, актрисы острохарактерные, много выступали на эстраде, мы часто встречались в концертах.

До чего же все-таки мимолетен актерский успех! Сколько прекрасных имен забыто! Но эта мимолетность — неотъемлемое свойство театра. Пожалуй, ни в каком другом искусстве успех не бывает столь очевиден, осязаем. Равно как и забвение.

В Новом театре я проработал всего лишь год. Ушел я оттуда из солидарности с Кроллем: его освободили от должности, как я был убежден, несправедливо. Правда, некоторое время я еще доигрывал в одном спектакле — в «Варварах» М. Горького (почему-то никак не могли ввести нового артиста на роль исправника).

Сменивший Кролля Борис Михайлович Сушкевич предлагал мне остаться и даже сказал, что, если я потом пожелаю, он в любой момент примет меня снова в театр. Но я твердо решил этого не делать.

Вернулся я в Лентрам, который после слияния с Красным театром стал теперь Театром имени Ленинского комсомола, снова играл Виноградского. Получил роль Скапена в «Проделках Скапена» (спектакль должен был ставить К. П. Чужой), но это меня не обрадовало.

Мне говорили, что я веду себя глупо, хочу неизвестно чего. О Скапене ведь можно только мечтать, тем более для артиста с моими данными. Но во-первых, я боялся повторить в Скапене Маскариля. (И думаю, не без оснований подозревал, что назначили меня на роль Скапена именно потому, что я уже был «проверен» в роли другого слуги-плута.) Во-вторых, меня смущал характер намечавшейся постановки: ее решение сильно отличалось от того, как представлял себе театр Мольера Соловьев (а я, разумеется, смотрел его глазами).

И наконец, было еще одно обстоятельство, побудившее меня распроститься с Трамом, на сей раз — окончательно.

Трам дал мне понять, сколь опасно может быть истолкована формула «Я в предлагаемых обстоятельствах». Об этом стоит рассказать чуть подробнее, поскольку и сегодня эта проблема актуальна.

К примеру, артист Икс играет Гамлета. И естественно, хочет, чтобы его Гамлет оказался близок современному зрителю. Он решает выйти к зрителю, что называется, без грима. То есть не только лицо не гримируя, но и душу. Вот, мол, смотрите, перед вами вовсе не Гамлет, далекий от вас и загадочный; это я, такой, как все вы, артист Икс в предлагаемых обстоятельствах своей роли.

Подобная логика существования в образе уместна для какого-нибудь Воробушкина из «Дружной горки». Но она граничит с невежественной уверенностью, будто все на свете можно осилить за счет одной лишь естественности и органичности.

Но что, если мир Шекспира, Мольера, Чехова значительнее и шире, чем твой собственный мир? Ты можешь переживать в роли сколь угодно искренне, но не сыграешь ее точно и глубоко, потому что ты — это всего лишь ты, а от тебя требуется еще и перевоплощение, способность передать некий масштаб чувств и мыслей, лично тебе не свойственный. Играя Гамлета или Скапена, «идти от себя» недостаточно. Здесь нужно осваивать еще и особый тип мышления, особый литературный и сценический стиль, вне которых эти образы лишаются своего вечного содержания и упрощаются непозволительно.

Меньше всего меня привлекала в те годы возможность оставаться на сцене самим собой. С другой стороны, меня раздражала «четвертая стена», то есть необходимость играть так, как будто зрители меня не видят.

Здесь нет противоречия. Мне и сейчас представляется самым увлекательным и трудным существовать на сцене так, чтобы и в образе находиться, и непосредственный контакт со зрителем поддерживать.

Только вот ведь какая сложность. Во-первых, когда обращаешься к зрителю от себя, то тоже ведь не совсем от себя обращаешься, не в домашних тапочках к нему выходишь, а в образе. В образе себя самого. В образе-маске. И во-вторых, когда ты перевоплощаешься в образ другого человека, ты должен уметь это делать «по правде». Иначе тебе не поверят.

Не думаю, впрочем, что столь тонкую материю я и теперь, обладая солидным актерским опытом, объяснил достаточно внятно. Мне легче показать, чем рассказать. Ну а уж тогда я и вовсе об этом не думал. Просто чувствовал, что свою дорогу, которую обещал мне Соловьев, еще не нашел.

Здорово я метался тогда. Чуть было в БДТ не попал. Лев Рудник, который в то время был главным режиссером, пригласил меня на роль Шута в «Короле Лире». Я был в восторге от Шута, которого в Москве играл В. Зускин.

Мне захотелось попробовать. Пришел на первую репетицию. И почувствовал: здесь меня «съедят». Как они все смотрели на пришлого! А больше всех сверлил меня глазами мой же товарищ Виталий Полицеймако. Оказывается, мы с ним были назначены на одну роль. Прекрасный был артист Полицеймако! Надо было видеть, как он Эзопа играл в «Лисе и винограде» Фигерейдо (постановка Г. А. Товстоногова). И человек был широкий. А вот не смог он тогда справиться со страстями актерскими. Тогда-то я, конечно, обиделся. А сейчас скажу так: могу его понять, могу. Потому что артист, который жаждет сыграть роль... О, это словами не опишешь!

Итак, с БДТ тоже не заладилось. (Тем не менее иногда шучу: был артистом БДТ. Люди удивляются: как! что-то мы этого не знаем. А я подтверждаю: был. Один день.) Горечь от этой осечки прошла, впрочем, довольно быстро. Потому что я уже был увлечен новым делом — Театром миниатюр, открывшимся осенью 1939 года.

В этом театре я «задержался», к счастью, почти на целых пятьдесят лет.

Девочка в красном берете

К тому времени я сделал еще один счастливый выбор, также повлиявший на всю дальнейшую мою жизнь.

Как-то раз нашу школьную самодеятельность пригласили на «гастроли» в соседнюю 41-ю школу. Мы часто выступали в той школе с концертами, но именно этот концерт я запомнил навсегда.

Объявляют мой номер. Выхожу на сцену. Выступаю. И вдруг обращаю внимание на девочку-старшеклассницу, сидящую довольно далеко, в ряду пятнадцатом.

На девочке был красного цвета берет, примечательный не только яркостью своей окраски, но еще и тем, что вместо короткого хвостика, приличествующего беретам, в нем было проделано отверстие, а сквозь это отверстие пропущена прядь иссиня-черных волос.

Я еще не знал, что девочку зовут Рома.

Года полтора спустя я увидел ее на Невском. Узнал ее мгновенно. Она шла мимо меня. Шла так, как будто бы все должны были уступать ей дорогу. Мне захотелось заговорить с ней. Но я не решился.

Между прочим, я был не из робкого десятка. Но заговорить на улице с незнакомой девушкой?! С девушкой, которой ты не был представлен? Как можно!

Наверное, у нынешней молодежи, у тех, кому сейчас, как нам в ту пору, семнадцать-восемнадцать, это может вызвать лишь снисходительную улыбку. Сейчас молодежь куда более раскованна...

Прошло еще три года. Я уже учился на последнем курсе института. Однажды прихожу в нашу студенческую столовую, становлюсь в очередь. Кто-то становится за мной. Вначале я и не замечаю, кто это. Но вдруг словно почувствовал что-то. Оборачиваюсь — за мной стоит она.

Она заговорила первой, и этот разговор я помню слово в слово.

О н а. Как хорошо, что вы тоже учитесь здесь.

Я (после паузы). Что вы делаете сегодня вечером?

О н а. Ничего.

Я. Пойдемте в кино.

О н а. Пойдемте.

В тот же вечер мы встретились у кинотеатра «Гранд-Палас». Что мы смотрели? Бог его знает. Я все время смотрел на нее. Как только начался сеанс, я наклонился к ней и прошептал:

— Выходите за меня замуж.

Она не удивилась. Она не сказала мне, что я сумасшедший. (А ведь могла бы, честное слово, имела полное право.)

Она сказала очень просто:

— Я подумаю.

Через несколько дней Рома ответила на мое предложение согласием.

Между тем выяснилось, что ее отец и мачеха категорически против нашего брака. Они меня в глаза не видели, но им это и не требовалось, чтобы прийти к выводу: студенческий брак — явление крайне легкомысленное и недопустимое. Как можно не задумываться о том, на какой материальной базе будет строиться ваше семейное счастье! Так они восклицали, наставляя Рому, а она, конечно, все это пересказывала мне.

Но мне было море по колено, и я, не придавая серьезного значения мнению родственников, решил объясниться с ними. Убедить их в том, что любовь (как, может быть, сами они еще помнят) — святое чувство и никакие материальные базы тут не требуются. И вот я еду к ним на дачу, под Лугу. Это было довольно серьезное путешествие: больше двух часов поездом до Луги да оттуда еще около часа лошадьми. Еду, еду. А по дороге все проговариваю (как роль репетирую) обращенный к ним монолог. И надо сказать, ужасно убедительно у меня получается. Прямо не знаю, кого бы могла не растрогать такая пламенная речь.

Приехал наконец. Очень доволен собой. Приехал, а меня даже в дом не пускают. Не о чем, мол, нам с тобой разговаривать. Мальчишка! Сопляк! И если ты не перестанешь морочить голову нашей дочери, мы найдем на тебя управу.

Я опешил, конечно. Беседа философическая, какую я нарисовал себе загодя, явно не получалась.

Я решил: ничего, поломаются — и перестанут, никуда им не деться от меня. И от судьбы. Подожду у двери. Вот сколько надо будет ждать, столько и буду ждать. Измором возьму. Все равно откроют. Эх, только бы впустили, а там уж я скажу. Я им все скажу, и они обязательно поймут. И даже растрогаются.

Но крепость так и не сдалась.

Единственное, в чем они уступили, так это позволили Роме выйти на минутку попрощаться со мной. Навсегда попрощаться.

Уезжал я оттуда разбитый горем. Рома, бедная, — вся в слезах. Трагедия, да и только.

Это сейчас с улыбкой вспоминаешь, а тогда не до смеха было.

Когда все семейство вернулось с дачи в город, я снова стал встречаться с Ромой. Теперь уже конспиративно.

На что мы надеялись? Трудно сказать. Просто мы верили, что нет и не может быть таких препятствий, которые были бы неодолимы для нас.

Ее отец, Марк Львович, двоюродный брат выдающегося советского физика Абрама Федоровича Иоффе, был очень симпатичный человек и замечательный врач. В молодости, рискуя собой, боролся с сыпняком в тифозных бараках. Прошел три войны. В последние годы жизни работал в Ленгорисполкоме, ведал сангигиеной и водоснабжением Ленинграда. Я с ним дружил и всегда вспоминаю о нем с теплотой. Да и все члены его большой семьи относились к нему так, что он мог считать себя счастливым человеком. Во всяком случае, старость у него была счастливая. Шутка сказать, его окружали шестеро любящих детей — трое от первой жены и трое от второй — и множество внуков...

Впрочем, в ту пору, когда я безуспешно пытался жениться на его дочери, он вызывал во мне совсем другие чувства. Кто бы мог подумать! Такой солидный, такой серьезный, такой умный человек, двоюродный брат самого академика Иоффе — и не в состоянии понять совершенно очевидных, элементарных вещей!

Ну как же можно не понимать, что я, именно я, и никто другой, способен составить счастье его дочери?

Справедливости ради надо отметить, что Марк Львович не выказывал особой непримиримости к идее нашей женитьбы. Он просто самоустранился. И насколько это было не характерно для него в жизни общественной, настолько было типично в жизни семейной.

Он был из тех людей, которые в своей семейной жизни превыше всего ценят покой. Что бы ни происходило в доме, он с самым невозмутимым видом сидел за столом и, напевая, читал газету, словно бы вообще не присутствовал. Впоследствии я не раз наблюдал его в такой мизансцене и думал, что за то время, пока он вот так сидит, отгородившись от всех газетой, можно было бы прочитать сто газет. Из чего нетрудно было заключить, что он не столько читает, сколько именно отгораживается от очередной домашней проблемы.

Так или иначе, вся полнота ответственности за какие бы то ни было решения, принимаемые на семейном фронте, ложилась на плечи его жены, Роминой мачехи.

Это была женщина с характером. В двадцатые годы она занималась организацией детских домов, привыкла командовать беспризорниками и, видимо, эту привычку усвоила и в отношениях со своими детьми и с детьми мужа. Как если бы ее собственная семья была одним из организованных ею детских домов.

Все домашние хорошо знали, уж если она что-то скажет, значит, так оно и будет: никто ее не переспорит, никто ее не переупрямит.

Но очевидно, я все-таки произвел впечатление не совсем безнадежное, и в конце концов — совершенно неожиданный подарок судьбы — мне было разрешено захаживать в дом.

Конечно, лучше, нежели находиться на нелегальном положении. Но, Боже мой, до чего томительны были все эти семейные обеды, во время которых со мной обращались точно с маленьким мальчиком. То я как-то не так себя держу, то я что-то не то сказал, то как-то не так посмотрел. Замечания были одинаковые — что младшим детям, что Роме, что мне.

Однажды, помню, я вполне безобидно пошутил как раз в тот момент, когда дети что-то с трудом дожевывали. Они расхохотались. Ну, допустим, это было не слишком уместно во время еды. Но с другой стороны, что же в этом такого уж страшного? Тем не менее будущая моя теща насупилась так, словно я чем-то обидел лично ее, и произнесла с металлом в голосе:

— Аркаша, еще одна такая выходка — и вы будете обедать на кухне!

Даже сейчас содрогаюсь.

А ведь я, между прочим, в то время уже в «Смешных жеманницах» репетировал. Уже без пяти минут артист. Я любил независимость. Может быть, если вспомнить известную реплику из пьесы Островского, место артиста и в буфете, но не на кухне же, не на кухне!..

Не подумайте только, что эта женщина была воплощением жестокосердия и сварливости. Отнюдь нет. По-своему она любила детей и мужа. И вывела в люди не одну сотню беспризорников. Тут дело не только в ее характере, но и в том, каким сформировало его время. Резкость, категоричность, отношение ко всякого рода чувствительности как к недопустимой слабости были в воздухе двадцатых годов, несомненно, наиболее деятельном и счастливом периоде ее жизни. Вместе с тем весь этот «кавалерийский» пафос вполне уживался в ней с понятиями довольно-таки обывательскими: жить надо с умом, не нараспашку, замуж выходить за положительного, обеспеченного человека и т. д. Подобное сочетание лишь на первый взгляд может показаться странным. Лично я встречал его в людях не раз.

Если бы я не любил Рому, точнее, если бы я любил ее чуть меньше, я бы, наверное, не выдержал и перестал бы к ним ходить. Но я ее очень любил.

Так продолжалось до премьеры «Смешных жеманниц». На премьере присутствовали моя мама, Рома, ее отец и мачеха. Находясь на сцене, я, естественно, не мог наблюдать за ними. Но живо представил себе, с какой пристрастностью и вместе с тем как по-разному все они разглядывали меня.

Надо полагать, моя работа в мольеровском спектакле убедила и Марка Львовича, и, главное, его жену, что я не совсем пустое место. Как бы то ни было, именно после этой премьеры мы получили родительское благословение. Я покинул общежитие на Моховой, где в комнате нас было четверо, а спал я по-спартански, положив под голову чемоданчик вместо подушки. В квартире Ромы на Мойке, 25, нам отвели маленькую комнату, и стали мы жить-поживать, искренне убежденные в том, что самое лучшее время за всю историю человечества — то время, в которое мы с Ромой нашли друг друга.

Когда у нас родилась дочь Катенька, я почему-то решил, что отныне теща перестанет меня воспитывать и одергивать. Но ничего подобного не случилось. И вот наконец мое терпение лопнуло. Схватил я маленькую Катю и сбежал. Сбежал я к родителям, на Троицкую. Теперь уже Роме пришлось проявлять решительность. Собрала она вещи — и за мной. В чем я, признаться, ни на секунду не сомневался.

Возвращался я домой с понятным трепетом: а вдруг получится, что я — из огня да в полымя? Но к возвращению блудного сына отец отнесся неожиданно хорошо (о маме и говорить нечего). Он в то время уже пришел к мысли, что сын все-таки нашел себе занятие (конечно, странное, нелепое, с его точки зрения, но все-таки в какой-то степени дающее возможность прокормиться), да и просто соскучился по мне.

Вообще он как-то смягчился. Стал расспрашивать меня о моих делах.

Главное же, что окончательным образом заставило его позабыть прошлые обиды, — это появление в доме маленькой Кати. Внучка стала любимицей дедушки и бабушки, и, наблюдая за тем, как они возятся с ней, я невольно ловил себя на ревностном чувстве: вокруг меня в детстве они так не плясали!

Теперь уже по себе знаю: к внукам испытываешь какую-то совсем особую любовь, особую нежность...

Вместе с моими родителями нам пришлось жить недолго: вскоре мы с Ромой получили комнату в коммунальной квартире на Греческом проспекте. Вот счастье-то было! Кто сам не знает, что такое было в те годы получить свою жилплощадь, тот вряд ли сможет меня понять.

В 1940 году Рома окончила институт, курс Владимира Васильевича Сладкопевцева, известного артиста, замечательного чтеца, автора весьма полезной и по сей день книги о технике сценической речи. К тому времени я уже работал в Театре миниатюр, и она тоже вступила в нашу труппу. Где и проработала почти сорок лет, взяв себе сценический псевдоним Р. Рома.

Происхождение необычного для женщины имени Рома таково. Перед тем как моя жена появилась на свет, ее родители мечтали, чтобы родился мальчик, которого они заранее решили назвать Рома, Роман. А когда родилась девочка, ей дали имя Руфь. В обиходе же стали все-таки звать ее Рома. Так повелось и в школе, и в институте, так и сейчас ее называют близкие.

Что же касается псевдонима Рома, дублирующего имя Рома, то в этом «повинна» Рина Васильевна Зеленая, во время войны работавшая в нашем театре.

Дело в том, что в самом начале сценической деятельности Ромы, когда никакого псевдонима у нее еще не было, ее часто спрашивали, не родственница ли она знаменитого физика Иоффе. Когда выяснялось, что она действительно родственница, начинались вопросы, касающиеся, как правило, личной жизни академика и, во всяком случае, совершенно далекие от театра. Согласитесь, для любого человека (а для актрисы тем более) не очень приятно быть просто родственником какой-нибудь знаменитости, родственником — и только. Лучше иметь пусть не столь громкое, но собственное имя, которое у людей вызывало бы ассоциации исключительно с твоими достоинствами и недостатками.

Но с другой стороны, с какой стати отказываться от того имени, которое от рождения принадлежит не только знаменитости, но и тебе?!

И вот, обуреваемые этими сомнениями, мы решили, что, конечно, Роме псевдоним необходим. Но нужен такой псевдоним, в котором бы каким-то образом читалось, угадывалось ее подлинное имя. То есть как бы и не псевдоним вовсе. Ломали мы над этим голову долго. И вдруг Рина Васильевна взяла и предложила:

— Пусть Рома и будет Ромой.

Мы сочли, что это просто, как все гениальное.

Мне трудно, немыслимо представить себе свою жизнь без той девочки в красном берете, которую мне посчастливилось встретить более пятидесяти (!) лет назад. Полвека мы идем по жизни вместе.

Я не люблю, когда начинают выводить формулу счастья. Хотя есть весьма симпатичные афоризмы на сей счет. Например, «счастье — когда тебя понимают». Но все равно я считаю, что счастье — нечто совершенно не поддающееся формулировкам.

И все же если иногда мне кажется, что я могу назвать себя счастливым человеком, то прежде всего потому, что рядом со мной всегда была Рома.

Чуткий и внимательный партнер, на сцене она никогда не позволяла себе тех эффектных излишеств, которые бывают столь заманчивы для артистов, но так часто уводят от сути дела. Особенно в нашем «миниатюрном» жанре, где неэкономное отношение к сценическому времени, малейшее смещение акцента могут свести на нет все усилия автора, постановщика, партнера.

В трудные дни, когда, бывало, наш театр, и прежде всего — меня, подвергали несправедливой, разносной критике, когда приходилось слушать, что мы занимаемся очернительством, смакуем, дескать, пороки, возводим напраслину, Рома всегда приходила на помощь. И ее советы диктовались не просто желанием утешить меня, не просто сочувствием, столь естественным для любящей жены, но также — что для меня всегда было особенно ценно — пониманием. Пониманием и мужеством соратника.

Роме и в повседневной жизни присуще мужество. Она перенесла тяжелейшую болезнь, после которой подавляющее большинство людей уже не встает с постели. Конечно, у нас были хорошие врачи, огромное им спасибо.

Но очень многое зависело от нее самой, от силы ее духа. И она проявила железную волю, ежедневно изнуряя себя разнообразными физическими упражнениями, и вообще не сдавалась, не теряла надежды. В результате она вернулась к жизни, к общению, к людям.

Иногда я думаю о том, что у нее, быть может, и не хватило бы такого фантастического упорства, если бы она не чувствовала, не знала, как нужна она всем нам. И прежде всего — мне. Мы с ней нужны друг другу сейчас, наверное, еще больше, чем в юности...

Итак, Рома — актриса, жена, мать, бабушка. Казалось бы, вполне достаточно для одной женщины. Но это не все. Рома еще и литератор. Ее очерки и рассказы, путевые заметки, эссе, юморески печатались и в нашей стране, и за рубежом. В издательстве «Советский писатель» вышла книга ее прозы.

Мне доставляет особую радость, когда и по сей день перед праздниками к нам домой приходят по почте поздравления из разных редакций, адресованные не мне, а ей.

Знать бы, какая дорога твоя

У Владимира Хенкина был пародийный номер, в котором слова известного романса: «Вам девятнадцать лет, у вас своя дорога» он переделывал на свой лад: «Вам девятнадцать лет, у вас своя корова». Иные скажут, что это просто глупость. Но я бы сказал так: это не глупость, а снижение пафоса.

Время от времени необходимо снижать пафос — прежде всего свой собственный. Если сам этого не сделаешь, за тебя это сделают другие. Лучше — сам. Чтобы потом не чувствовать себя обескураженным.

Мудрость жизни, помимо всего прочего, заключается в том, что она, жизнь, непременно одергивает нас, когда мы относимся к себе с излишней серьезностью, то есть когда мы слишком сосредоточиваемся на своих достижениях и таким образом теряем чувство реальности.

Излишняя серьезность — особенно в отношении к самому себе — та же беспечность. Это, если угодно, две стороны одной медали.

Как бы то ни было, полезно прочувствовать — и чем раньше, тем лучше, — что действительность мало зависит от факта твоего существования. Достигнешь ли ты того, к чему стремишься, или не достигнешь, будешь ли ты счастлив или не будешь, мир, в сущности говоря, к твоей судьбе вполне равнодушен, он готов обойтись без тебя. Кто на это обижается, тому ничем нельзя помочь.

Мне было уже под тридцать, а на свою дорогу, которую сулил мне Соловьев, я все еще не вышел. Впрочем, это всего лишь фигура речи — «не вышел на свою дорогу!». Знать бы, где она пролегает. Знать бы, какая дорога — твоя.

Но хотя неопределенность моего положения и вызывала во мне смутное беспокойство, я ни в чем не винил ни обстоятельства, ни себя самого. Я не только не ощущал себя в тупике, не только не испытывал разочарования в жизни или в профессии, но и не сомневался, что все образуется. Все будет как нельзя лучше. Другие варианты — исключены.

Такому восприятию жизни Соловьев меня, разумеется, не учил. Но ведь учил меня не только Соловьев. В пору моей юности все вокруг пели, что молодым везде у нас дорога, и я пел вместе со всеми, не задумываясь о том, что жизнь — это борьба.

Сколько всего было перемешано в моей голове! Одно, казалось бы, должно было исключать другое. Но я этого не замечал.

Время-то было страшное. Но то, как я воспринимаю его сейчас (то есть как время историческое), не имеет ничего общего с тем, как я воспринимал его тогда. Когда приходит ясность осознания исторической правды, то и свою собственную жизнь осознаешь как бы частичкой этой правды, частичкой истории. Но вместе с тем многое уже не можешь восстановить. Не потому, что каких-то фактов не помнишь. А потому, что твое тогдашнее жиз-неощущение теперь представляется тебе странным, даже загадочным.

Да, не очень-то я понимаю того молодого человека. Отчего это он решил, что все у него обязательно сложится хорошо?!

В воспоминаниях как-то так все выстраивается, точно каждый свой шаг ты совершал обдуманно, нацеленно, да еще руководствовался исключительно высшими соображениями. Как будто предвидел, что все это попадет в мемуары. Что ж, задним числом все мы умны, и тут ничего не поделаешь.

Но все же мне бы не хотелось, чтобы у читателей складывалось впечатление, будто я только и думал, что моя жизнь в Траме или в Новом театре — это как бы не настоящая моя жизнь, а лишь прелюдия к ней. Мне не хотелось бы делать вид, будто я только и думал о комедии дель арте.

Все было и проще, и сложнее. Как это вообще бывает в действительности.

Я жил легко, если не сказать, легкомысленно.

Многого не замечал ни вокруг, ни в самом себе. А если в редкие минуты мною все-таки овладевала неуверенность в собственном будущем, то это была неуверенность, так сказать, на уровне настроения, а не на уровне мироощущения.

Но вместе с тем я жил... нелегко. И вовсе не легкомысленно. Много работал. Столкнулся с жизненной необходимостью зарабатывать деньги. Я раньше и не представлял себе, как много уходит сил на то, чтобы обеспечить семье прожиточный минимум. Когда мне было 26 лет, я перенес тяжелую болезнь, рецидив той, что мне довелось пережить в детстве. Состояние было настолько тяжелым, что врачи не надеялись на мое выздоровление и даже не считали нужным скрывать это от моих близких...

Но вот вернувшись в буквальном смысле слова к жизни, я почувствовал к ней совершенно особый вкус. Я радовался самым простым ее проявлениям, все в ней воспринимал с надеждой, весьма успешно избегая ее дурных и тревожных сторон. И менее всего был склонен философствовать.

Много позже я вычитал, что болезнь как раз обостряет в человеке способность к философскому восприятию бытия, побуждает его отбросить все суетное, обыденное, житейское — словом, помогает как бы воспарить над миром. У меня нет оснований не доверять подобным утверждениям. Но не могу сказать, что сам я испытал нечто подобное. Наверное, уж такая у меня натура — вне обыденного, житейского нет для меня и духовного.

А главное, такая была жизнь, что оторваться от быта, даже и при желании, не было никакой возможности. То и дело приходилось решать (разумеется, как и всем вокруг) множество бытовых вопросов, мелких, но нескончаемых. Они как бы незаметно влияли на духовную атмосферу твоего существования, пронизывали ее.

Давно уже не озабоченный этими вопросами (по крайней мере в такой степени, как в молодости), сегодня воскрешаю их в памяти с некоторым усилием: как если бы они не составляли мою жизнь, но являлись неким «этнографическим» моментом, характеризующим ушедшую эпоху примусов и керогазов. Пусть это не покажется слишком парадоксальным, но с таким же ощущением собственной причастности, а точнее, с отсутствием оной, я мог бы «вспомнить» быт девятнадцатого века.

Как бы то ни было, жизнь моя в ту пору была заполнена бытом не в меньшей, а в большей степени, нежели поисками эстетического идеала. Повседневные заботы весьма прозаически корректировали эти поиски. А поиски, в свою очередь, не давали мне капитулировать перед бытом. В конечном счете все это и научило меня снижать пафос и вообще сдерживать эмоции.

Детский лепет

Служа на драматической сцене, я одновременно занимался концертной деятельностью. Нет, слово «деятельность» из другого лексического ряда. Просто концерты, как и для большинства актеров, были единственным для меня видом приработка, столь необходимого главе пусть небольшого, но далекого от вершин материального благополучия семейства.

Где только мог, я читал рассказы Зощенко, исполнял «Узника» и другие номера, подготовленные еще в школьные и студенческие годы. Расширял же я свой репертуар с учетом того обстоятельства, что волею судеб мне приходилось выступать главным образом перед детской аудиторией.

Рина Зеленая в конце тридцатых годов не случайно изменила направление своей работы. Очевидно, она поняла, что необходимо как-то переломить себя, чтобы выжить. И тогда, отказавшись от сатирических номеров, она заговорила с эстрады и по радио детским голоском, благодаря чему многие годы спасала себя от репертуарного голода и прочих проблем, с которыми приходилось сталкиваться ее коллегам.

В отличие от Рины Зеленой я не чувствовал, что работа для детей — мое призвание или, точнее говоря, спасение. Просто выпал счастливый случай: Екатерина Михайловна Шереметьева, один из моих педагогов, была художественным руководителем детского сектора Ленэстрады и однажды предложила мне что-нибудь почитать для детей. К этому надо добавить, что завоевывать себе место в той или иной концертной программе, выступая со «взрослыми» номерами, было гораздо труднее.

Разве я мог составить тогда конкуренцию таким корифеям речевых жанров, дебютировавшим еще до революции, как К. Гибшман, В. Гущинский, М. Добрынин, А. Матов, Н. Орешков, Н. Смирнов-Сокольский, Вл. Хенкин и многие другие?! Да они бы растерзали того администратора, который осмелился бы пустить на «их» площадку какого-нибудь артиста, делающего первые шаги!

Одно дело — приветствовать творческую молодежь в принципе (в принципе никто никогда не против «достойной смены»), другое дело — самому потесниться. Правда, корифеям становилось все труднее держать круговую оборону. И не потому, что молодые дарования росли в ту пору как грибы. Вовсе нет.

Дело в том, что критерии, которые были выработаны эстрадой в десятые и двадцатые годы и которыми продолжали руководствоваться многие мастера старшего и среднего поколений, стали подвергаться резкой, зачастую необоснованной, разносной критике. Поэтому артисты, не умевшие, а порой и не хотевшие приспосабливаться к так называемой академизации эстрады, вынужденно, а то и добровольно уходили в тень.

Как бы то ни было, администраторы (а тогда среди театральных и концертных администраторов можно было встретить людей не только дошлых, но и артистических, по-настоящему преданных искусству) начали приглядываться ко мне, к моим выступлениям перед детьми.

Вот с чем я выходил к детям.

Бросал в зал надувных поросят, обыгрывая в куплетах популярный в те годы мультфильм «Три поросенка». После чего объявлял следующий номер программы.

Вёл на сцене диалог с патефоном: я ему — слово, он мне — два.

«Ехал» на открывающемся занавесе (одной рукой и ногой зацепившись за него, а другой рукой и ногой, скрытыми от публики, помогал себе, балансируя на самокате).

Показывал фокусы, попутно пародируя расхожую манеру сценического поведения фокусников. С непроницаемо загадочным видом манипулировал целлулоидным шариком, потом неожиданно «проглатывал» его, потом изо рта начинали появляться шарики один за другим. При этом я пытался произносить текст, но шарики, уже как бы против моей воли, не давали мне этого делать: стоило произнести единственное слово, как появлялся очередной шарик.

Кроме того, я конферировал в паре с куклой, надетой на руку, так называемой бибабошкой. Между прочим, рождению этого номера с куклой предшествовала забавная житейская история.

Однажды во время съемок фильма «Огненные годы», оказавшись в каком-то районном городке, наши артисты удрали из гостиницы, где не было житья от клопов, и стали снимать квартиры. Я опрометчиво снял комнату в квартире, где было несколько детей мал мала меньше. Одного из них, самого маленького и самого неугомонного, звали Минька. После спектакля я обычно приходил поздно, когда Минька уже спал. Но зато с утра, часов этак с семи, то есть как раз в то время, когда артисты всего мира видят самые сладкие сны, он, что называется, давал прикурить.

Я просыпался от звуков его голоса (до сих пор явственно слышу эту заунывно-требовательную интонацию):

— Хотю цяй. Цяй хотю. Хотю цяй.

Ему давали чай. Но минуту спустя — опять:

— Плюску хотю. Хотю плюску. Плюску хотю.

Получив плюшку, он просился на руки. И замолкал. У меня уже, конечно, сна ни в одном глазу не было. Я лежал в постели, напряженно ожидая, когда он снова подаст голос. Проходили минуты — молчание. Но стоило мне подумать, что теперь, может, удастся поспать часок, как раздавалось на всю квартиру:

— Отспили!

То есть «отшпили». Он имел в виду нижнюю часть своего туалета. И после паузы:

— Заспили!

Потом начиналось все сначала:

— Хотю цяй. Хотю хлеб с песком.

Так продолжалось неделю. Однажды я не выдержал (его родителей в этот момент как раз не было дома) и, взяв его на руки, грешным делом потряс хорошенько в воздухе, приговаривая:

— Молчи, Минька! Молчи! Ты дашь мне жить или нет?!

После чего поставил его на пол.

Он посмотрел на меня очень серьезно. Как мне показалось, с пониманием. И невозмутимо заявил:

— Хотю цяй.

Так вот, куклу-бибабо я назвал Минькой. Начиная концерт, рассказывал зрителям всю эту историю, а потом кукольный Минька у меня как бы оживал и пытался вести концерт вместе со мной. В конце концов мне удавалось его перехитрить: я пел ему колыбельную, он засыпал, а я шепотом объявлял следующий номер и уходил на цыпочках со сцены, чтобы не разбудить его.

С легкой руки администратора Театра эстрады И. М. Гершмана меня начали приглашать во «взрослые» программы. Я выступил на площадке Сада отдыха, что на Литейном проспекте. Эта площадка считалась престижной.

Тогда-то я впервые открыл для себя, что взрослые зрители подчас больше дети, чем сами дети. Причем какими они будут, как они раскроются — это во многом от тебя зависит. Они могут быть похожи на детей (даже и не догадываясь об этом), но при одном условии: если ты работаешь точно.

Я не предполагал, что с эстрадой будет связана вся моя дальнейшая судьба. Что именно там, на эстраде, я найду свою дорогу. Просто на концертах меня хорошо принимали, и, разумеется, мне это нравилось.

Не с нуля начинали

Когда осенью 1939 года наш театр — он тогда назывался Ленинградский театр эстрады и миниатюр — открыл свой первый сезон, многие считали, что он долго не протянет.

Конечно, всегда находятся скептики, или перестраховщики, или просто любители подложить ложку дегтя в бочку меда. Но так считали даже доброжелательные люди. И у них был на то резон.

Объединить эстрадных артистов хотя бы на несколько лет куда трудней, нежели драматических. Для эстрадных привычная точка отсчета не спектакль, а номер. Свой номер, который они могут прокатывать и в сборных концертах. Что и в материальном отношении выгоднее, и вообще менее хлопотно, чем находиться в повседневной зависимости от нужд коллектива.

Это серьезная причина недолговечности эстрадных театров. Серьезная, но не главная. Ибо на эстраде всегда были и есть артисты, чувствующие потребность не просто зарабатывать деньги, но искать что-то новое, экспериментировать. Кроме того, многие артисты приходили и приходят на эстраду, уже имея опыт работы в театре, и этот опыт их дисциплинирует.

Первоначальный энтузиазм, сопутствующий открытию театра, можно сохранить только при целенаправленном стремлении к самобытности. Любому театру желательно иметь свое лицо, но эстрадному — вдвойне. Иначе ему просто не выжить: он, если угодно, сам себя съест.

Все это, впрочем, рассуждения самого общего порядка. Была еще и конкретная ситуация, объяснявшая скептическое отношение к нашему начинанию. Сколько подобных начинаний возникало в одном только Ленинграде, и ничего путного из этого не получалось! Несмотря на то что к ним были причастны первоклассные мастера! Просуществовав один-два сезона, театры малых форм исчезали бесследно.

Правда, в Москве открылся Театр эстрады и миниатюр (его возглавил В. Типот, к нему присоединился уже, кажется, истощивший недюжинный запас своего оптимизма, но по-прежнему сохранивший свое поистине неистребимое чувство юмора Давид Гутман). Там собрался крепкий актерский состав: Мария Миронова, Рина Зеленая, пришедшие чуть позже Борис Бельский, Татьяна Пельтцер, Александр Менакер... Этот театр оставил заметный след в истории советского эстрадного искусства, но в 1946 году и он был закрыт, так что наш, Ленинградский, долгое время оказался практически единственным на худосочной в ту пору ниве сатиры и юмора. Но это — позже.

От эстрады требовалась решительная перестройка, но никто толком не знал, как же именно следует перестраиваться. И уж тем более не знали те, кто больше всех к этому призывал. Не знали и мы.

Говоря откровенно, никаких серьезных задач поначалу у нас не было. Первый спектакль (впрочем, эту «солянку» никак нельзя было назвать спектаклем; недаром даже названия мы ему не придумали) был составлен из одноактной пьесы «Миллион дерзаний», водевиля «Закон дикаря», шуточной сценки «Кетчуп» и типично концертных номеров — танцы, лирические песни, баланс на проволоке. Все это объединялось не сюжетом и даже не темой, как бывает в эстрадных обозрениях, а только конферансом.

Я конферировал, а также вместе с Ромой и Р. Рубинштейном, работавшим одновременно у нас и в Театре имени Ленсовета, участвовал в номере «Кетчуп», текст которого представлял собой коллаж из торговых реклам. Ради забавы мы сталкивали в диалоге одну рекламу с другой, доводили их до абсурда. Рубинштейн играл мужа. Рома — жену, я — любовника. Жена угощала любовника:

— Пейте советское шампанское!

— Я ем повидло и джем, — отвечал любовник.

— Всем попробовать пора бы, как вкусны и нежны крабы, — продолжала беседу жена.

Неожиданно появлялся муж, снимал со стены ружье и обращался к любовнику:

— Ты застраховал свою жизнь?

Любовник что-то отвечал (не помню, что именно, но тоже — рекламным текстом), раздавался выстрел, я падал, восклицая следующее:

— Сдайте кости в утильсырье!

Замечу попутно, что этот номер я играл на гастролях в Москве, в саду «Эрмитаж», где моими партнерами были Осип Абдулов, известный артист театра Моссовета, и Клавдия Пугачева. В свое время Пугачева была прелестной травести, ведущей актрисой в ТЮЗе у А. А. Брянцева. Потом, переехав в Москву, поступила в Театр сатиры,

189

а позднее перешла к Н. П. Охлопкову в театр, носящий ныне имя В. В. Маяковского. А теперь она захаживает к нам в гости, мы пьем чай с вареньем — и вспоминаем, вспоминаем, вспоминаем...

Судя по тем вопросам, которые время от времени задают мне зрители и интервьюеры, существует стойкое заблуждение, что наш театр был организован в расчете на меня как на солиста.

Нет, солиста-лидера у нас тогда не было. В сущности, все имели равные шансы стать актерами первого положения. У меня еще не было ни имени, ни достаточного авторитета в труппе, чтобы я мог претендовать на лидерство с бо́льшим основанием, чем другие.

У истоков нашего театра стояли известные артисты Константин Гибшман, Алексей Матов, Надежда Копелянская, Зинаида Рикоми, Роман Рубинштейн, художник Петр Снопков, литератор и режиссер Нестор Сурин, артист и режиссер Александр Шубин. Чуть позже пришло пополнение — артисты Ольга Малоземова, Виктория Горшенина, Зоя Шиляева, Тамара Этингер, Николай Александрович, Борис Дмоховский, Александр Жуков, Григорий Карповский, Леонид Поликарпов, Николай Руфф, Константин Сорокин, Жозеф Стессен, Николай Галацер, Лидия Таганская, замечательный концертмейстер Михаил Корик.

Некоторые из них работали у нас много лет (дольше всех Горшенина и Малоземова). Некоторые — совсем недолго. Но, так или иначе, все они тесно связаны с самым первым периодом жизни нашего театра.

Этот период продолжался примерно до сорок четвертого — сорок пятого года. Я говорю «примерно», потому что в данном случае точная периодизация — неизбежная условность. И все же можно с уверенностью сказать, что именно в конце войны сложились у нас те художественные принципы, в силу которых мы обрели свое лицо и которым стремимся не изменять и по сей день.

Впрочем, не будем забегать вперед.

Рома и я принадлежали к той группе молодежи, которая только начинала свой путь в искусстве. (После института Рома успела один сезон поработать в Архангельском театре юного зрителя.) Но, как я уже упоминал, было среди нас много и таких артистов, которые имели впечатляющий опыт работы в «малоформатных» театрах десятых — двадцатых годов: в «Кривом зеркале» и «Кривом Джимми», «Вольной комедии» и «Балаганчике», ТДВ («Театр для всех») и Ленинградском театре сатиры...

Сегодня все эти названия — далекая история, а для нас это было совсем недавнее прошлое, прямо или косвенно влиявшее на каждого члена труппы.

Несмотря на то что все вокруг говорили о переходе эстрады на новые рельсы, мы твердо знали, чувствовали (хотя и не рассуждали об этом публично), что традиции ни в коем случае перечеркивать нельзя. Вероятно, на первых порах это и объединяло нас.

Вот почему меня сердит, когда приходится слышать, что театр Райкина возник на пустом месте. Я понимаю, что таким образом мне хотят сделать комплимент, но это медвежья услуга, честное слово. Более того, наш театр не смог бы обрести своего лица, если бы не опирался на традиции. Что-то отвергая, что-то развивая, порой идя на вынужденные компромиссы, мы никогда не были теми Иванами, которые не помнят родства.

Скажу больше. Память о традициях помогала нам сопротивляться давлению тех обстоятельств и тех конкретных лиц, которые стремились «академизировать» эстраду, ограничить многообразие ее форм.

Вообще, я абсолютно уверен в том, что подлинная новизна — и не только в искусстве — не может возникнуть лишь за счет отрицания. Испытание временем выдерживает лишь та новизна, которая не только отрицает, но и продолжает прошлое.

Иной раз столкнешься — в мемуарах ли, в ученых ли книгах — с дежурными сетованиями на то, что молодой советской эстраде (опере, оперетте, цирку и т. д.) достались в наследство лишь рутина и пошлость, и подумаешь: полноте! Да как же не стыдно такое писать!

Пожалуй, когда речь заходит о наследии русской литературы, музыки, живописи, подобных перлов уже не встретишь. Да и понятно: произведения живут и говорят сами за себя. Что же касается сценического искусства, тем более эстрады, то здесь о качестве судить трудно.

Как бы то ни было, сводить наследие эстрады к полупорнографии, к куплетам и скетчам на потребу обывателя — это значит фальсифицировать не только дореволюционную, но и послереволюционную историю этого искусства. Я намеренно не называю здесь имен многих выдающихся эстрадных артистов прошлого, потому что имею в виду общий уровень профессиональной культуры, достаточно высокий для того, чтобы мы не начинали с нуля.

Именно опытные артисты — работавшие еще в балиевской «Летучей мыши» и кугелевском «Кривом зеркале», да и более молодые, успевшие в двадцатые годы пройти школу изобретательного и остроумного Давида Гутмана в Ленинградском театре сатиры, — именно они способствовали становлению нашего театра как театра синтетического актера. Актера, который должен уметь (в идеале, конечно) и легко вести диалог, и петь, и танцевать, и фокусы показывать, и конферировать. Актера, чья профессиональная техника позволяет ему вызывать зрительское доверие и без которой (вот что главное) не может быть выразительным его общественный темперамент.

Сегодня мало кто помнит Зинаиду Рикоми. А в свое время она была очень популярна. Артистки стремились ей подражать, но без успеха: у нее был свой стиль.

Рикоми окончила Петроградскую консерваторию по классу вокала. Могла стать оперной певицей и, полагаю, весьма неплохой. Но такая карьера не прельстила ее. Очевидно, потому, что это не могло бы ей позволить развить другую сторону своего дарования — эксцентричность. В 1920 году она — в «Вольной комедии» под руководством Н. В. Петрова. Затем — три года — в «Балаганчике». Несколько сезонов в Театре сатиры. И наконец — в мюзик-холле, где она проявила себя наиболее ярко.

Она могла быть экстравагантна и лирична, изысканна и проста. В ней можно было обнаружить этакий ностальгический шарм, или, как бы мы теперь сказали, стиль ретро. Но, если требовалось, она немедленно преображалась в подтянутую, спортивную комсомолочку.

Она легко вписывалась в хореографический рисунок «производственных» композиций Касьяна Голейзовского, который пытался вдохнуть ритмы индустриализации в мюзик-холльных герлс. Но была великолепна и в роли манерной, изломанной баронессы в антирасистском «Темном пятне», с размахом поставленном Гутманом в мюзик-холле. В спектакле участвовал теа-джаз Утесова, позднее его сменил приехавший к нам на гастроли американский джаз «Вайнтрауб Синкопаторс».

Там же, в мюзик-холле, она сыграла дочку директора цирка Раечку в пьесе «Под куполом цирка» И. Ильфа, Е. Петрова и В. Катаева. (Режиссер спектакля Федор Каверин — сегодня незаслуженно забытый — фактически повторил в Ленинграде блистательную московскую постановку, где ту же роль играла молодая Мария Миронова.)

Вместе с Алексеем Феона Рикоми поставила в мюзик-холле спектакль «Небесные ласточки» по мотивам оперетты «Мадемуазель Нитуш» Эрве. От старой оперетты там мало что осталось. Зато это был настоящий мюзикл — жанр, которого мы тогда не знали. (Не следует путать те «Небесные ласточки», шедшие в музыкальной адаптации И. Дунаевского и Р. Мервольфа, с одноименным телемюзиклом, снятым гораздо позднее, в семидесятые годы.)

Еще одна подлинно синтетическая актриса нашего театра — Надежда Копелянская. Она почти всегда была вместе с Рикоми. Тоже окончила консерваторию. Тоже могла стать оперной певицей. Тоже не стала, а предпочла «малоформатные» театры, а затем и Ленинградский театр сатиры, из которого (тут ненадолго дороги актрис расходятся) она вслед за Гутманом перешла в Театр сатиры московский.

Но вот она снова в Ленинграде, в мюзик-холле, где вместе с И. Дунаевским, К. Голейзовским, Николаем Черкасовым, Петром Березовым и замечательной актрисой, еще дореволюционной «звездой» оперетты и эстрады Наталией Ивановной Тама́ра участвует в создании спектакля «Одиссея», который поставил Николай Смолич. Одиссея играл Черкасов, а Копелянская — Пенелопу.

Затем она — Дениза в тех же «Небесных ласточках», Алина в «Под куполом цирка». А после закрытия мюзик-холла и тех неудачливых театров миниатюр, которые предшествовали нашему, она — у нас.

Рикоми и Копелянская работали с нами до 1944 года. В основном как исполнительницы песен. Их номера были эффектны, театрализованны. Но когда мы решительно отказались от каких бы то ни было вставных номеров, пусть даже очень хороших, им пришлось уйти.

Дело прошлое, но, наверное, надо было что-нибудь придумать для них, сделать так, чтобы они остались. Да что теперь говорить! Впрочем, не случайно в послевоенные годы они исчезли с горизонта. Исчез даже сам тип артиста, которому они принадлежали.

Недолго мы работали вместе, но я считаю, что их разностороннее мастерство на первых порах существования нашего театра принесло ему много пользы...

О мастерстве конферанса

Однажды в ту пору пригласили меня в Дом печати на обычный сборный концерт. Почему-то администрация поскупилась на гонорар профессиональному конферансье, и объявлять артистов должен был кто-то из работников Дома. Чуть ли не бухгалтер или кто-то еще.

За кулисами рядом со мной стоял артист Михаил Шифман.

— Что вы будете делать? — спрашивает его «конферансье».

— Я буду читать «Палату номер шесть» Чехова.

— Как вас объявить?

— Объявите меня: заслуженный артист республики, лауреат конкурса чтецов Михаил Шифман.

Через какое-то время наш «конферансье» снова обращается к Шифману:

— Простите, какое у вас звание? Деятель? Как сказать?

— Скажите, что я заслуженный артист республики. Впрочем, знаете что, просто объявите: «Палата номер шесть» Чехова, читает Михаил Шифман.

Проходит несколько минут, и он опять — с вопросом:

— Простите, какая палата? Какой номер?

— Знаете что, не надо объявлять, я сам скажу. Просто назовите мою фамилию: Михаил Шифман.

И вдруг мы слышим:

— Выступает Антон Шварц.

Артисты за кулисами буквально стонали от смеха. Поверьте, я не придумал ни одного слова, так оно и было.

Я убежден, что конферанс — это искусство. Сегодня оно в упадке, его критерии во многом утеряны.

Мы так привыкли к безликому ведению концерта, что часто не видим, а только слышим ведущего. Современные ведущие, механически объявляющие номера, боятся установить какой бы то ни было контакт с публикой. Они просто докладывают фамилии выступающих артистов.

Судьба конферанса связана с социальными процессами. Если текст должен быть отредактирован и утвержден в целом ряде инстанций — какой уж там конферанс!!!

У первого русского конферансье, каким К. С. Станиславский считал Н. Ф. Балиева, положение в этом смысле было гораздо легче. И хоть очевидцы свидетельствуют, что у него всегда имелись «заготовки», публика воспринимала все, что он говорил, как импровизацию.

Понятно, что балиевская манера ведения вечера (поначалу в «Летучей мыши» ведь были именно вечера, а не спектакли) постепенно менялась, в зависимости от того, как менялись задачи «Летучей мыши». Но естественный тон, счастливо найденный в первых капустниках МХТ, тон дружеской беседы, как бы продолжающей только что прерванный разговор в кулуарах, в принципе остался неизменным.

Это очень важно подчеркнуть, ибо тут суть влияния, которое оказал Балиев на всех лучших представителей отечественного конферанса. Независимо от характера творческой индивидуальности, независимо от манеры того или иного конферансье. Ибо искусство быть, а не казаться естественным — основа основ конферанса.

Уверен, что Балиев не стал бы конферировать на стадионах или во дворцах спорта, как это практикуется теперь. Может быть, он смог бы «взять» и такую необъятную аудиторию. Но зачем?! Конферанс — искусство камерное. Когда вы не в состоянии даже как следует вглядеться в лицо человека, который обращается к вам с эстрады, о каком естественном общении может идти речь?! Конферансье в подобных условиях лишается главного своего козыря. Что бы он там ни шептал в микрофон, какими бы мощными ни были усилители, он ведь, как и его зрители, не видит, не чувствует, с кем имеет дело.

Балиев первым продемонстрировал, что конферансье — прежде всего доверенное лицо публики и вместе с тем — доверенное лицо артистов. Человек, имеющий право иметь свое суждение.

До войны в Ленинграде было много классных и несколько первоклассных конферансье. Мне довелось наблюдать, как работали Добрынин, Орешков, Тимошенко.

Толстяк и силач Марк Добрынин, в прошлом профессиональный борец, выступал, подобно Ивану Заикину или Ивану Поддубному, в так называемых чемпионатах мира по французской борьбе, которые до революции устраивались на цирковых аренах всей России — от Петербурга до Царевококшайска. На эстраде он любил об этом вспоминать. Бывалый человек, добродушный атлет — такова маска этого конферансье. Работал он, что называется, без претензий, но развязности не допускал, зрителей не эпатировал. Вообще его мягкая манера излучала какую-то, я бы сказал, положительность.

Сергей Тимошенко начинал в «Балаганчике», где конферировал в паре с Колей Петером (таков был эстрадный псевдоним Н. В. Петрова). Это, пожалуй, единственный в истории нашей эстрады пример, когда в качестве партнеров встретились театральный режиссер и, пусть в будущем, режиссер кинематографический.

Николай Орешков в молодости служил приказчиком в чайном магазине. Некоторое время работал в балиевской «Летучей мыши». В советские годы конферировал в мюзик-холле, а также в кинотеатрах Ленинграда, в большинстве которых перед вечерними сеансами давали эстрадную программу. Это считалось в порядке вещей. Причем у каждого конферансье был «свой» кинотеатр, так что зрители, выбирая обычно тот или иной фильм, учитывали еще и то, к кому они идут сегодня в гости. На Орешкова ходили охотно.

Орешков отличался, можно сказать, вызывающей смелостью в отношении к литературным заготовкам. В те годы все конферансье были импровизаторами, но Орешков, пожалуй, больше других. Он практически никогда не исполнял заранее подготовленные, написанные монологи или сценки. И умудрился сохранить такую рискованную манеру вплоть до конца тридцатых годов, когда это уже совсем вышло из моды.

Мне довелось встречаться с ним на эстраде Сада отдыха перед самой войной. Удивительно было смотреть, с каким внешним спокойствием готовился он к своему выходу. Ведь выходил он, часто сам еще не зная, что же именно он через минуту будет говорить. Такое же спокойствие Орешков сохранял и на эстраде, точно говорил по писаному.

Надо сказать, что и Добрынин, и Тимошенко, и Орешков находили общий язык с новой советской аудиторией. Это касается также Алексея Матова и Константина Гибшмана. У меня к ним особое отношение, поскольку, как я уже говорил, они причастны к начальному этапу работы нашего Театра миниатюр.

«...Чем быстрее идешь, тем чаще оглядывайся»

Алексей Михайлович Матов был артист невероятно заводной. После объявления номера он пулей вылетал к рампе (казалось, еще секунда — и он упадет в оркестровую яму), резко останавливался, скороговоркой выдавал первую репризу, всегда убивающую наповал, затем порывисто срывался с места, бежал к кулисе, опять останавливался как вкопанный и, повернув на сто восемьдесят градусов, устремлялся к противоположной кулисе, скрывался в ней и тут же выскакивал оттуда, чтобы в два прыжка вновь оказаться у рампы. Все это сопровождалось утрированной жестикуляцией и мимикой. Его лицо растягивалось и сжималось, точно резиновое. Тоненькие, словно нарисованные брови. Утиный нос, как бы умышленно повернутый набок. Усики-щеточка. Крупные неровные зубы — казалось, они плясали, когда он улыбался, растягивая рот до ушей... Все было в постоянном движении, все играло.

Не зря его называли «вечным двигателем», а также «чертиком из табакерки».

Его сравнивали с популярными эксцентрическими комиками киноэкрана — Гарольдом Ллойдом, Монти Бенксом, Бастером Китоном. На эстраде и в кино он пробовал «надеть» на себя маску Чаплина. А однажды Добрынин (это было на каком-то праздничном концерте) так и представил его как «нашего советского Чарли Чаплина». Пусть это и было сказано с перебором, что называется, от широты душевной (Добрынин вообще не скупился на похвалы коллегам), но все же в манере Матова действительно было нечто, напоминавшее эксцентриков немого кино.

Матов, вероятно, мог отлично конферировать, но я не помню, чтобы он выходил в качестве конферансье. Он был эксцентриком широкого диапазона, «работал номером».

Играл в обозрениях Ленинградского театра сатиры, в «Театре для всех», организованном им вместе с Иваном Гурко, много снимался в кино — у Козинцева и Трауберга, Юткевича, Эрмлера, был отличным пародистом. Созданный им комический хор пользовался стойким успехом.

К нам в театр Матов пришел со своим номером уже на склоне артистической карьеры. В труппе держался несколько обособленно, хотя, как мне кажется, испытывал любопытство к начинаниям молодежи. Во всяком случае, на репетициях он охотно помогал людям. Меня, например, учил играть на гитаре.

Я должен был исполнять романс «Пара гнедых» — разумеется, не всерьез, а пародийно (новый текст написал Владимир Поляков, впоследствии надолго связавший свою судьбу с нашим театром). Так вот, Алексей Михайлович посоветовал мне не прибегать к помощи аккомпаниатора.

— Но я ведь не умею играть на гитаре, — смутился я.

— А разве оркестром ты умеешь дирижировать? — резонно возразил Матов (у меня был и такой номер). — Научись. Аккомпанемент несложный. А дело стоит того, чтобы старание приложить.

Он тысячу раз был прав. И я не устаю повторять с тех пор: пародия только тогда имеет художественную ценность, когда пародист владеет искусством, которое пародирует. Конечно, я бы никогда не взялся пародировать гитариста-профессионала. Но как можно было пародировать «цыганщину» без гитары в руках?! И я взял тогда у Матова несколько уроков.

Природа щедро одарила его. Не только талантом, но и большим трудолюбием. Однако, подобно многим эстрадным артистам, ему был нужен режиссер, который мог бы не столько развивать его фантазию (в этом-то как раз он нуждался меньше всего), сколько сдерживать и направлять ее.

В отличие от Матова Константину Эдуардовичу Гибшману на режиссеров везло. Впрочем, дело здесь далеко не только в везении, но прежде всего в осознанном стремлении этого артиста к чеканной сценической форме. К такой форме, которой почти невозможно добиться без хорошего режиссера. Он это понимал, не в пример большинству эстрадных артистов. Вообще его отличали высокая профессиональная и общая культура, безупречный художественный вкус и чувство меры.

Я познакомился с Константином Эдуардовичем, когда Соловьев неожиданно назначил нас обоих на роль Веспоне в «Служанке-госпоже». Это назначение на первый взгляд может показаться необъяснимой режиссерской причудой. Ведь мы с Гибшманом и по внешним, и по внутренним данным были такими разными! Не говоря уж о том, что ему за пятьдесят, а мне — вдвое меньше. Действительно, многие театралы уже заранее пожимали плечами: дескать, Владимир Николаевич в своем репертуаре.

Но это не чудачество. По мысли Соловьева, два столь разных Веспоне как бы провоцировали импровизационное самочувствие остальных актеров, не давая застыть, окаменеть спектаклю в целом.

Все, кто видел обоих исполнителей, признавали, что при всей жесткости общего замысла, общей формы спектакль приобретал внутреннюю подвижность прежде всего за счет разности актерских трактовок роли Веспоне. Мне, впрочем, об этом судить трудно, ибо, как я уже упоминал, я умышленно не ходил смотреть, как играет Константин Эдуардович. Я боялся попасть под его влияние, боялся «стянуть» у него, хотя бы невольно, какую-либо находку, какой-либо штрих.

Гибшман начинал еще у Комиссаржевской, в театре на Офицерской, куда попал не без содействия Мейерхольда. Всеволод Эмильевич, увидев его в каком-то любительском спектакле, посоветовал ему, молодому инженеру, все бросить ради сцены. И Гибшман не замедлил воспользоваться этим советом. Он работал в разных театрах, снимался в кино, но, может быть, особую популярность ему принесла маска «растерянного» конферансье. Эта маска была поистине счастливой находкой.

С годами она не только не приелась публике, но, я бы сказал, стала одной из классических масок отечественной эстрады.

Гибшман создал на эстраде образ человека, у которого ничего не получается.

То, что он говорил, в пересказе, пожалуй, не выглядит очень уж остроумным. Он работал на фразах, вырванных из контекста. Обрывая себя на полуслове, вздрагивал от каждого произнесенного слова, боялся слов, боялся публичности. Все решали не слова, а интонация.

Например, объявляя номер, он мог сказать:

— Когда вы послушаете эту певицу, вы скажете: вот так-так.

И все. Что это означало? Комплимент или совсем наоборот? Гибшман оставлял за вами право решать. Но это не было оскорбительным ни для певицы, ни для публики: некая умышленная неловкость, нечто родственное тому, что теперь принято называть «абстрактным юмором». Что «вот так-так»? К чему «вот так-так»? Объяснить невозможно.

Когда вспоминают Гибшмана, подчеркивают обычно, как трудно на сцене изображать неумение. Это, разумеется, верно. Как верно и то, что Константин Эдуардович был удивительно тщателен в проработке буквально каждого междометия, вроде бы непроизвольно срывавшегося у него с языка. Но мне хотелось бы особо отметить, что его растерянный персонаж был не просто смешон, но и трогателен в своем косноязычии. Он мог довести вас до изнеможения, заставить вас стонать от смеха, но чем больше вы смеялись, тем больше сочувствовали ему.

Константин Эдуардович был широко начитан. Хотя в повседневном общении свою осведомленность в самых разных областях искусства и жизни подчеркивать не любил.

Много лет спустя после его смерти литератор Вл. Тихвинский (между прочим, один из авторов нашего театра) написал книгу «Минуты на размышления», рассказывающую об артистах на фронтах Отечественной войны. В этой книге собрано много неизвестных ранее фактов и, в частности, о Константине Эдуардовиче.

В числе других читателей я узнал о том, что у Гибшмана до войны была так называемая амбарная книга, в которую он много лет подряд записывал свои мысли и впечатления.

Одна из записей, сделанная в конце тридцатых годов, то есть как раз в период нашего общения, особенно привлекла мое внимание. Он пишет: «В нашем бурном стремлении вперед мы не успеваем оглядываться назад, а когда оглянулись, то увидели, что там, позади, остались большие ценности, которые мы в нашем бурном стремлении просмотрели. В искусстве всегда так: идя вперед, оглядывайся назад, и чем быстрее идешь, тем чаще оглядывайся».

Я никогда не слышал от него этих слов. Что, впрочем, неудивительно. Мы не были близки, а произносить нечто подобное в больших компаниях или тем более на собраниях было бы опрометчиво. Это ведь по тем временам далеко не бесспорная мысль. И все-таки сейчас, перечитывая «амбарную книгу», живо слышу его интонацию. Вижу глаза.

В блокаду Гибшман оставался в Ленинграде. Чуть не умер от голода и истощения. Чудом был спасен, вывезен из города вместе с женой и дочерью, тоже актрисами, по Дороге жизни, через Ладогу. И как только поправился, стал выступать перед бойцами действующей армии в составе фронтовой концертной бригады. В 1942 году во время концерта под открытым небом он был ранен шальным осколком. Рана была несерьезная, осколок извлекли, и казалось, что и на сей раз смерть его обойдет. Но сердце не выдержало...

Вас. Вас.

Он принадлежал к «рваному жанру», или, как сами артисты острили, «рватому». Они и при царе были демократичны, работали главным образом на окраинах города. Их юмор был сочен, но им, как правило, не хватало чувства меры, взыскательности.

Одним из создателей «рваного жанра», равно как и автором самого этого термина, принято считать эксцентрика-куплетиста Сергея Сокольского. Он был так популярен до революции, что молодой и никому еще не известный артист Николай Смирнов решил «контрабандно» позаимствовать это громкое сценическое имя и стал называться Смирновым-Сокольским: на афишах крупным шрифтом значилось «Сокольский», сверху, мелким — «Смирнов». Публика, не разобравшись, думала, что приехал ее кумир, и рвалась на концерт. Эх, переменчивость актерской славы! Ну кто теперь знает Сергея Сокольского? Разве что два-три специалиста.

Одного из «рватых», Василия Васильевича Гущинского, мне случалось видеть в работе. На эстраде Василий Васильевич называл себя Вас. Вас., и все, даже незнакомые, так его звали и в жизни. Вас. Вас. — маска босяка, люмпена. Он выходил на эстраду в костюме, изодранном в клочья, так что можно было подумать, что на него напала свора собак (вот почему «рваный жанр»), и говорил, обращаясь к публике:

— Чем вам мой пиджак не нравится? Много вы понимаете! Этот материал стоит двадцать рублей... километр.

Потом, вроде как обидевшись, замолкал. И всем своим видом демонстрировал независимость и презрение к тем, кому кажется, будто он не совсем комильфо. Потом вдруг распахивал полы пиджака, так, чтобы всем была видна подкладка. А там — господи! — у него, как на витрине, на веревочках висели колбасы, окорока, сосиски, из одного внутреннего кармана торчали бутылки водки, из другого — куры... словом, не пиджак, а Елисеевский магазин. Выждав, пока ошеломленная публика все это как следует разглядит, Вас. Вас., заговорщически подмигнув, говорил:

— Я молчу, потому что у меня все есть. А вы чего молчите?

Приклеенный нос и нелепый парик (внушительная лысина, вокруг которой дыбом стояли редкие волосенки) придавали ему сходство с коверным. Вообще элемент клоунады в его манере был выражен сильно. На мой вкус, даже чрезмерно. Так, ни с того ни с сего у него начинали светиться уши или пуговицы (этот трюк назывался «электрическая оснастка»), из глаз могли фонтанчиками брызнуть слезы, изо рта — повалить дым. Впрочем, придумщик он был редкостный. «Общаться» на эстраде с патефоном я стал в известной степени под влиянием Гущинского, который первым — по крайней мере в Ленинграде — додумался сделать своим партнером радиоприемник.

С партнерами-людьми он не выступал. Предпочитал разнообразные аксессуары, часто входя с ними в контакт как с живыми существами.

Не знаю, насколько осознанно он это делал. Но в таком отношении к неодушевленным предметам была своя логика. Вас. Вас. — маска старая, балаганная: ей бы — с шарманкой, а не с радиоприемником. Но время неумолимо, и вот старая маска пытается адаптироваться в условиях нового быта, ищет с этим бытом общий язык. И чем более добросовестно ищет, тем более уморительно получается.

Вот один из его номеров. Он выезжал на тракторе, собранном из предметов бытового обихода, скажем, корыта, таза, ведра, швейной машины, — и все это привязано цепями. Восседая в старинном кресле, он держал в руках круг колбасы, служивший ему штурвалом. Эффект состоял в том, что трактор и впрямь работал, тарахтел как настоящий, но в то же время воплощал, так сказать, обывательский идеал в действии. Обывательский идеал, «загримированный» под трактор.

Вас. Вас. таким образом показывал, что даже трактором, этим символом индустриализации и прогресса, этой гордостью питерского завода «Красный путиловец», только что приступившего к серийному выпуску «железных коней», норовит воспользоваться обыватель. Он из кожи вон лезет, чтобы пристроиться, присоединиться к этой жизни, продемонстрировать свою лояльность по отношению к ней и вместе с тем хоть как-нибудь использовать ее в своих интересах.

В те же годы в Ленинградском театре сатиры шло обозрение под названием «Мы пахали». Гущинский в нем не участвовал (вообще в театрах он никогда не играл, всегда был сам по себе!). Но этим названием можно выразить идею этого номера, его суть.

В номере «Калека-симулянт» Вас. Вас. представал алкоголиком, притворявшимся инвалидом, взывавшим к состраданию народа, за который он якобы проливал кровь. Это было злободневно. В Ленинграде в ту пору было много подобных типов, спекулировавших на своих мнимых заслугах или мнимых увечьях.

Между прочим, в те годы в Ленинграде был один знаменитый на весь город «слепец», который целыми днями стоял у Елисеевского магазина, играл на цитре и просил милостыню. Так продолжалось несколько лет, пока случайно не обнаружилось, что он не только не слепой, но еще и владелец огромного состояния, сколоченного таким вот нехитрым вымогательством, завсегдатай самых дорогих ресторанов и подпольных игорных домов. Не следует, однако, преувеличивать социальную заостренность таких номеров. Гущинский делал бытовые зарисовки, при всей их карикатурности верные натуре. Не более того. Он смеялся, но не высмеивал.

Было бы глупостью или ханжеством винить его в том, что он чего-то недопонял, в чем-то недоперестроился. Просто, когда вспоминаешь, например, Зощенко (а Зощенко не только жил рядом, в одном с ним городе, но и был репертуарным эстрадным автором; его рассказы, написанные от лица мещанина, охотно исполняли многие артисты), понимаешь, что не только Вас. Вас., но и сам Василий Васильевич Гущинский принадлежал все-таки другому времени. Этим обстоятельством были отмечены все его актерские достоинства и недостатки.

Внимательно присматриваясь к нему еще в студенческие годы, я чувствовал: за ним — богатое прошлое, но не будущее. Он умел веселить, что само по себе очень много. Высвистывал, танцевал, бил чечетку, играл на мандолине, трюкачил великолепно. Каламбурил, что называется, без претензий. Аллюзии, к которым он прибегал в своих импровизациях, лежали на поверхности и не могли всерьез раздражать тех, кого он избирал объектом своего смеха.

Это касалось не только импровизационных, но и заранее подготовленных, написанных текстов, литературные достоинства которых тоже, как говорится, оставляли желать.

В основном тексты писал для него Яков Ядов, человек безобидный, покладистый, несмотря на устрашающий псевдоним. Не писатель, а именно текстовик, представитель старой гвардии фельетонистов.

Между прочим, однажды Ядов написал песенку и для меня. Помню, пришел я к нему. Он коротко спросил: «Тема?» Назвал тему. Он тут же к машинке. Бойко застучал пальцами по клавишам. Через пятнадцать минут все было готово: он сунул мне в руки листок с песенкой. Счастливый человек! Наверное, даже Моцарт мог бы позавидовать его творческой гармонии...

Под нажимом критики Гущинский попробовал изменить своему Вас. Вас. Он стал читать с эстрады фельетоны, довольно примитивную и помпезную публицистику. Выглядело это бледно, стандартно. Думаю, что по собственной воле он никогда бы не расстался со своим париком и светящимися ушами. Но если прежде его клоунскую маску, при всех оговорках, приветствовали как маску антибуржуазную и антиэстетскую, то теперь на нее смотрели как на нечто совершенно несовместимое с новоиспеченным каноном — маской псевдоакадемического эстрадного артиста, который не общается, а вещает. Вместе с Гущинским исчез и сам «рваный жанр».

Музей эстрады

Говоря об артистах, которые были украшением довоенной эстрады, я должен назвать здесь по крайней мере еще несколько имен.

Очень известное имя — Елена Маврикиевна Грановская. Но обычно ее вспоминают как актрису театра. И действительно, лучше актрисы на амплуа «гранд-кокетт» я никогда не видел. На меня же она произвела сильнейшее впечатление, когда исполняла в концертах и обозрениях-ревю очаровательные песенки на французский манер.

Вообще хорошие артисты драматических или музыкальных театров не только не гнушались эстрадой, но понимали, что она требует особого характера исполнения. Это относится и к Владимиру Николаевичу Давыдову, и к Николаю Николаевичу Ходотову.

А как исполняла блистательная артистка оперетты Клавдия Новикова свой коронный номер — арию Периколы («Какой обед нам подавали!..»). Она при этом так хохотала, что заражала весь зал.

Долгое время участвовали в ленинградских концертных программах Валентин Кавецкий и вслед за ним его дочь Зоя Кавецкая. (В том же жанре работал итальянец Николо Луппо.) Они фантастически владели техникой трансформации. Я пытался разгадать, как они успевают в течение секунды изменить весь костюм: брюки, жилет, пиджак, парик, шляпу. Впоследствии мне это очень пригодилось в работе над номерами, где я играл по десять и более персонажей.

Актрисой редкостной одаренности была балерина Людмила Спокойская. Впервые я увидел ее на эстраде в эксцентрическом номере: она великолепно танцевала, точнее, играла хромого мужчину-денди. Рамоли во фраке, цилиндре, с тростью в руках — это был номер высочайшего класса.

Наконец, Яхонтов. Без преувеличения великий артист. О нем написана книга Н. Крымовой, где наконец-то (столько лет спустя после его смерти!) его искусство оценено по достоинству.

Владимира Николаевича Яхонтова я знал и полюбил со студенческих лет. Он часто выступал в Домах творческой интеллигенции с композициями о Ленине, Пушкине, Маяковском. Исполнение было настолько совершенным, что всегда вызывало восторг зрительного зала. Неоднократно приезжал он к нам на Моховую и выступал в помещении Учебного театра, а порой просто в аудитории. Помню, как он читал Достоевского. Сидя на столе. Держа железнодорожный фонарь, в который была вставлена горящая свеча. Из аксессуаров были еще клетчатый плед и цилиндр.

Наше личное знакомство состоялось на конкурсе артистов эстрады. Вместе с Дунаевским, Смирновым-Сокольским, Утесовым, Ирмой Яунзем и другими деятелями искусства Яхонтов был членом жюри. После моего выступления он заметил, что мы с ним внешне похожи:

«Только я белый, а вы — черный. Райкин, вы мой негатив!» Через несколько дней эта шутка получила неожиданное продолжение. Он предложил мне сделать с ним вместе композицию, где мы сыграли бы гоголевских «даму просто приятную» и «даму, приятную во всех отношениях». Идея так и осталась не разработанной (да и трудно представить себе, чтобы Яхонтов мог работать с партнером, если только это не был безмолвный помощник, подыгрывавший ему), но и до сих пор она мне кажется очень интересной.

Не могу забыть его изумительный сценический жест. Уточняющий и гиперболизирующий. Жест, расширяющий смысл текста, но не смещающий его ради оригинальной трактовки, а вбирающий в себя — по-мейерхольдовски — весь мир автора, всю его поэтику. Как Мейерхольд, ставя «Ревизора», ставил всего Гоголя, так и Яхонтов — во всех своих сценических созданиях — был соавтор, соучастник событий и комментатор-текстолог.

В то время было много хороших чтецов. Был Александр Закушняк, был Антон Шварц, Дмитрий Журавлев, в чьем исполнении я особенно любил «Кармен» Мериме. Все они были настоящие актеры и отнюдь не занимались профанированием жанра художественного чтения, который иным людям кажется столь доступным (чего проще — выучил текст и читай)... Но для меня выше Яхонтова никого не было.

В Ленинграде есть небольшой музей эстрадного искусства, открывшийся и существующий во многом благодаря энтузиазму его создателя и директора Григория Марковича Полячека, в прошлом художественного руководителя Ленэстрады. Это прекрасное начинание. Его необходимо поддержать, развить. Чтобы артисты — известные и малоизвестные — сохранились в нашей памяти. Ведь когда мы не помним тех, кто нам предшествовал, мы, в сущности, и себя не помним.

Конкурс

Осенью 1939 года, сразу же после открытия театра, в Москве состоялся Первый Всесоюзный конкурс артистов эстрады. Я стал лауреатом, получил вторую премию по разделу речевых жанров (первую премию жюри решило никому не присуждать). После конкурса меня как артиста признали за пределами Ленинграда. Вообще звание лауреата было в ту пору, что называется, на вес золота. Такие известные на всю страну артисты, ставшие лауреатами, как Кето Джапаридзе, Мария Миронова, Анна Редель и Михаил Хрусталев, Клавдия Шульженко, никаких званий до этого не имели.

Что касается самого факта моего участия в конкурсе, то я должен вспомнить добрым словом тогдашнего председателя Комитета по делам искусств М. Б. Храпченко, он настойчиво рекомендовал мне не пропустить это соревнование. Первый тур проходил в Ленинграде, где среди членов жюри была Елена Маврикиевна Грановская.

Второй тур в Москве. Рядом со мной — известные артисты. Казалось, на победу нечего и рассчитывать. Когда же, неожиданно для меня, был пройден и этот этап, я начал волноваться не на шутку.

С той поры минуло почти полвека. Я отдаю себе отчет в том, что тогда все могло сложиться совершенно иначе, значительно хуже для меня. И дело тут не в реальных моих достоинствах или недостатках. Дело в том, что требованиям дня, требованиям «академизации» эстрады я никоим образом не отвечал. Впрочем, я уверен, что ни один сколько-нибудь сносный артист не смог бы им отвечать. Но поскольку нужны были новые имена, постольку мне и дали «зеленый свет». И получилось так, что мною остались довольны все. С одной стороны, болевшие за меня председатель жюри Исаак Дунаевский, Леонид Утесов, Виктор Ардов. (Думаю, что комплименты, которые я услышал от них после конкурса, случайностью не были.) А с другой стороны — тоже сидевшие в жюри или в рецензентских креслах противники живого человеческого слова. (Полагаю, опять-таки не случайно, что довольно скоро последние раскусили меня, и в дальнейшем ни мне с ними, ни, слава Богу, им со мной легко уже не было.)

На конкурсе нас, молодых артистов, опекали «старики». (Я ставлю это слово в кавычки, потому что по возрасту они стариками не были.) Они опекали нас бескорыстно: иногда трогательно, иногда с плохо скрываемой ревностью, которую, впрочем, они, как правило, сами же и вышучивали.

В высшей степени доброжелательны были Утесов и Дунаевский. Смирнов-Сокольский был более сдержан, но в конце концов конкурс есть конкурс, и благотворительность там ни к чему. Поэтому мы не обижались, если кто-нибудь из «стариков» где-нибудь в кулуарах не отказывал себе в удовольствии поставить молодежь на место.

Так, однажды Смирнов-Сокольский сказал мне с невиннейшей улыбкой:

— Все, конечно, замечательно. И даже превосходно. Но все-таки вы еще только-только Аркадий Райкин, а я уже давным-давно Смирнов-Сокольский.

Мне казалось, я не давал повода для подобной «шпильки», но что на это ответишь? Я и смолчал, тем более что Смирнов-Сокольский был для меня авторитетом.

Я уважал его образованность, остроумие. Правда, на мой вкус, это остроумие отличалось излишней ядовитостью. Зато иной раз оно сообщало его публичным высказываниям вполне привлекательную резкость, даже смелость.

На заключительном туре он вел программу, представляя конкурсантов публике. Концерт затянулся до часу ночи, все присутствующие страшно устали, «перекормленные» искусством, а черед моего «Чарли» (я изображал Чаплина) все не наступал.

Часто так бывает: когда в напряжении долго ждешь чего-нибудь важного, решающий момент пропускаешь. Так и для меня оказалось полной неожиданностью, когда Смирнов-Сокольский произнес со сцены мою фамилию.

В панике схватил я свой «чаплинский» реквизит и собрался было уже выйти на подмостки, как вдруг с ужасом обнаружил, что не хватает тросточки.

А какой же Чарли без тросточки!

Сломя голову, я помчался на первый этаж, в зрительский гардероб. (И как я только догадался это сделать! Только в крайнем отчаянии начинаешь соображать так стремительно.) Стал умолять гардеробщиц выдать мне какую-нибудь палочку.

— Я артист! — кричал я не своим голосом. — Я верну. Я, честное слово, верну!

Гардеробщицы сжалились надо мной, подобрали палочку-выручалочку (а точнее, это была здоровенная палка, совсем даже не подходящая, ну да выбирать не было времени), и, перепрыгивая через ступени (а дело было, между прочим, в Колонном зале Дома Союзов, и каждый, кто там бывал, может представить себе, какие там внушительные лестничные марши), полетел я обратно и выскочил, задыхаясь, на сцену как раз в тот момент, когда зрители, почувствовав, что пауза затягивается неспроста, начинали недоуменно перешептываться.

Все закончилось благополучно. Но я, конечно, разозлился и принялся выяснять, кто это вздумал так подшутить надо мной. Выяснилось, что мою тросточку спрятал... Смирнов-Сокольский.

Я даже не поверил сначала. Но он, к еще большему моему удивлению, не стал открещиваться, а наставительно произнес:

— Артисту необходим опыт. Всяческий опыт. В старое время зеленых юнцов еще и не так разыгрывали.

Надо сказать, что при неуемной страсти ко всякого рода «шпилькам» и мистификациям, в которых Смирнов-Сокольский порой даже терял чувство меры, мне и в дальнейшем немало от него доставалось. Впрочем, насколько я знаю, за глаза он говорил обо мне только хорошее.

А на подаренной мне своей книге написал: «Славнейшему из славных — Аркадию Райкину и его другу-помощнице — талантливой актрисе-писательнице — Роме в знак искреннего поздравления с XX-летием созданного ими — Ленинградского театра миниатюр, с пожеланием дальнейших успехов. Один из артистов, выступавших в названном театре-юбиляре, автор сей книги — Н. Сокольский. 15.XII.59. Москва».

Я ничего не ответил ему, не нашелся. Потом я не раз вспоминал эти слова, и мне становилось грустно. А теперь вспоминаю — еще грустней.

В Москве

После конкурса я не сразу вернулся в Ленинград. Участвовал в различных эстрадных концертах, в частности, с такими замечательными артистами, как Николай Костомолоцкий и Сергей Мартинсон.

Когда закрыли ГОСТИМ, Костомолоцкий и Мартинсон стали работать на эстраде и делали это, надо сказать, великолепно. Впрочем, артистам их плана, настоящим фарсерам, буффонам нашего века, уже и на эстраде приходилось туго. Впоследствии Мартинсона в какой-то степени выручил кинематограф, а у Костомолоцкого вообще все сложилось скверно. Он был арестован и пробыл много лет в лагерях. И хотя в последние годы жизни все-таки сыграл несколько ярких ролей на сцене Театра имени Моссовета, осуществить себя как артисту ему не удалось. Он был очень смешной артист и весьма интересный человек, старинный приятель Евгения Шварца и его двоюродного брата, известного чтеца Антона Шварца.

Но я отвлекся. Тогда же я получил приглашение от Бориса Петкера, только что возглавившего Московский театр эстрады и миниатюр, который помещался на улице Горького, там, где теперь Театр имени М. Н. Ермоловой. Речь шла о моем участии в новой программе театра, что было заманчиво (Москва все-таки). Но переезжать в Москву я не собирался, душой оставался в нашем, ленинградском театре.

Бывшие ленинградцы, друзья, коллеги, без году неделя ставшие москвичами, усиленно советовали последовать их примеру. Почти все они, основываясь на собственном печальном опыте, не верили в перспективы эстрады на берегах Невы. Но я видел, что у Московского театра эстрады и миниатюр свои трудности. На что уж Петкер, мхатовец с такой солидной репутацией, а ведь и он, едва пришел в театр, тут же заметался, сталкиваясь с многочисленными трудностями и ограничениями в подборе репертуара. Эти ограничения сковали по рукам и ногам его предшественников, Типота и Гутмана.

Было еще одно обстоятельство, меня смущавшее. Если мы в Ленинграде пытались, пусть пока не слишком успешно, искать какие-то новые эстрадные формы, экспериментировать, то в Москве, как мне показалось, такие цели перед собой никто не выдвигал.

В программе Театра эстрады и миниатюр была сценка, которая называлась «Одну минуточку». Ее написал Леонид Ленч, а играли мы вдвоем с Риной Зеленой. Дело происходило в кабинете зубного врача. Я, пациент, полулежал в зубоврачебном кресле, а Рина Зеленая, врач, бесконечно говорила по телефону.

— Одну минуточку! — всякий раз обращалась она ко мне и тут же обо мне забывала. А я стонал от зубной боли, в конце концов не выдерживал и, улучив момент, сам вырывал себе зуб.

Надо сказать, что партнерша была у меня замечательная. За какие-то пять минут сценического времени ей удавалось передать целую гамму чувств и внутренних состояний своей героини. То она отдавала по телефону какие-то распоряжения, то вдруг задумывалась о чем-то романтическом и с отсутствующим видом начинала стучать щипцами по моей голове. Еще, помню, у нее была смешная реплика:

— Принесите мне стакан сулемы и две булочки.

А у меня вообще ни одной реплики не было. Роль пациента была, может быть, и менее выигрышная, но тоже смешная, в ней я использовал свой опыт в области пантомимы. Играли мы с удовольствием.

218

Кроме участия в этой сценке, мне пришлось конферировать. Открывала программу пародия на конферансье. Мой персонаж был самовлюбленным идиотом, бездарностью, пошляком-анекдотчиком, несколько лет спустя появился родственный ему идиот Аркадий Апломбов — неподражаемая кукла из «Необыкновенного концерта», знаменитого спектакля Сергея Образцова. Недаром впоследствии критики стали их сравнивать. Напускное веселье плоских, якобы жизнеутверждающих шуток — вот был предмет моей пародии. Конкретного прообраза здесь не было. Я высмеивал некий стереотип бездумного пошляка-оптимиста.

Появились хвалебные рецензии. Но хвалили меня, как выразился бы один из моих более поздних персонажей, «спесифисески». Номер преподносили как сатиру на «вчерашний день конферанса». Все это было, впрочем, так туманно сказано, что, кажется, никто и не обратил на это внимания. Но мне было досадно, и я по наивности думал: ведь это неправда, зачем же неправду писать?!

В моем репертуаре была и другая пародия на конферансье. Но с нею я выступал только в Ленинграде. В ней я изображал известных ленинградских конферансье, как раз тех, кого газеты стали называть «вчерашними». Я показал, как каждый из них стал бы объявлять один и тот же номер. Но то был просто дружеский, отчасти «капустный» шарж. Я их не высмеивал. Я многому у них научился и хотя бы только поэтому не посмел бы никого из них высмеивать. Да и публика, так любившая их, меня бы не поняла и не поддержала.

Работая конферансье в Московском театре эстрады и миниатюр, я придумал себе такой номер. Сначала беседовал со зрителями — о том о сем, ничего значительного и тем более предосудительного. Но — просто, естественно. Что само по себе зрители встречали благодарной тишиной. Затем доставал из-за лацкана неизвестно откуда взявшийся стакан чая. Зрители ждали фокуса. Но «фокус» состоял как раз в том, что я как бы ничего не показывал. Вообще — ничего. Отхлебнув глоток чая, я принимался подбирать одним пальцем незатейливую мелодию на игрушечном рояле. С такой же невозмутимостью запускал волчок и долго следил за ним, как если бы у меня не было дела важнее. Потом, точно очнувшись, все это резко прекращал, пожимая плечами, и, улыбнувшись публике (чуть лукаво и в то же время вроде бы прося извинения за свое публичное «ничегонеделание»), уходил за кулисы.

Евгению Габриловичу, который рецензировал в «Известиях» нашу программу, понравилось, что все это я проделывал «меланхолично». Да, он нашел точное слово. Но в чем же был смысл этой меланхоличности? Что за ней стояло? Для чего человек на сцене был так сосредоточен на занятиях, казалось бы, странных, невозможных и даже, пожалуй, неприличных для взрослого?

Сегодня я бы так сформулировал содержание номера: человек играющий — человек свободный, раскрепощенный.

Говорили, что у меня какая-то новая, невиданная доселе манера. Что существует некий секрет Райкина. Ну, профессиональные секреты есть у каждого артиста. А вот что касается манеры, не знаю, не знаю...

Это я говорю не из ложной скромности. И тем более не из кокетства.

Слишком много времени утекло, чтобы смаковать те давние похвалы. Здесь вот что важно. Если ты готов оказаться лицом к лицу со зрителями, твоими собеседниками (наличие маски не имеет значения), то независимо — молчишь ли ты, или произносишь чужой выученный текст, но от собственного имени, — твоя манера, а точнее, никакая не манера, а человеческая сущность обязательно покажется новой. Потому что ты — это ты, и никто другой. Тем и интересен. Выступая в качестве конферансье, я стремился не допускать внешней хара́ктерности, утрировки.

Надуманного, фальшивого бодрячества на эстраде было хоть отбавляй. Надо сказать, что этому противились, каждый по-своему, все сколько-нибудь умелые конферансье — Михаил Гаркави, Александр Грилль, Александр Менделевич, Лев Миров, выступавший тогда в паре с Евсеем Дарским. Все они ощущали, что риторика и морализаторство противоестественны их искусству. Но толику острословия, как правило, впрочем, весьма тщедушного, можно было себе позволить, скрывая свое подлинное человеческое лицо за маской некоего болвана, недотепы или бюрократа (именно некоего, то есть окарикатуренного до неузнаваемости). Тогда, пожалуйста — остри, клейми. От себя же говори только что-нибудь положительное, лирически-подсахаренное и непременно общеизвестное. Не буду утверждать, что я избежал этой участи. Но я никогда не хотел с ней мириться.

Если в качестве конферансье я стремился оставаться «самим собой», то работа в жанре трансформации, который увлекал меня еще в студенческие годы, потребовала использования масок. Одним из первых номеров этого плана был «Мишка». Показанный на конкурсе, он долго сохранялся в моем концертном репертуаре.

Я выходил на сцену, объявлял:

— «Мишка». Рассказ.

И довольно долго читал — ровно, намеренно монотонно — историю, хотя и необычную, но вполне бытовую. Зрители смеялись, но чувствовали, что какого-то особого «фокуса» в ней нет. Однако, убедив их в том, что «фокуса» здесь ждать и не следует, я неожиданно обрывал чтение и предлагал им послушать, что бы сказали по поводу этого рассказа и его исполнения люди разных профессий: докладчик-пустомеля, ученый-литературовед, у которого тоже нет собственных мыслей, обыватель с авоськой и даже цирковой шпрехшталмейстер. Каждый из них критиковал, что называется, со своей колокольни. Очень разные, они были одинаково глухи к тому, о чем говорили.

Позднее я не раз изображал различных докладчиков, высказывающих свое мнение по какому-либо вопросу.

Например, был у меня «доклад» об эстраде. Когда мой персонаж говорил, что эстрада, несмотря на отдельные достоинства, имеет отдельные недостатки, он опускался вниз так, что почти скрывался за кафедрой. Но зато на словах «эстраду подняли на должную высоту» поднимался все выше и выше. К концу «доклада» я оказывался уже под потолком, то бишь под колосниками...

В этом же ряду было и подражание Чарли Чаплину — номер, который я продемонстрировал москвичам впервые на заключительном туре конкурса, но родился он раньше, когда я только начинал выступать перед детской аудиторией.

Мало сказать, что я очень любил Чаплина. Я его боготворил. И если бы кто-нибудь предложил мне сделать «чаплинский» номер, то есть специально подготовить его, я бы, наверное, не отважился. Все вышло случайно, само собой.

Однажды дома, будучи в хорошем настроении и — редкий случай — не зная, чем занять себя, я нацепил усики, надел котелок, взял тросточку и стал танцевать, характерным образом выворачивая ступни. Домашние, заставшие меня в таком виде, нашли, что получается похоже. Попросили повторить — один раз, другой, третий. Я увлекся, подбадриваемый их реакцией, стал импровизировать, а потом и закреплять найденные штрихи. И в результате решился включить номер в свой концертный репертуар. Не знаю, как его определить. Но мне всегда не нравилось, когда говорили, что это пародия на Чаплина. Да, конечно, отчасти пародия. (Хотя, разумеется, на чаплинского героя, а не на самого артиста.) Но все-таки не совсем пародия.

Я бы сказал, что это была некая театрализованная форма выражения моей любви к нему (именно к артисту Чаплину, а не только к персонажу). Впрочем, может быть, так кажется только мне. Как бы то ни было, номер на долгие годы стал у меня, как говорится, коронным, гвоздевым, и в том или ином концерте я обычно оставлял его на закуску.

Пожалуй, я и не вспомню все номера-монологи, скетчи, интермедии, пантомимы... Это целая жизнь, которую не опишешь и не расскажешь!

Так или иначе, тот сезон или, точнее, полсезона в Москве — время, насыщенное событиями, работой. Сколько новых знакомств, новых друзей!..

Рома приезжала ко мне. Мы жили в гостинице «Москва», тогда лучшей московской гостинице. (Потом, в течение многих лет, мы всегда там останавливались, месяцами жили в одном и том же номере всей семьей. В столице она была нашим домом.) После спектаклей, несмотря на усталость и позднее время, мы подолгу гоняли чаи в гостиничном номере, уставленном цветами, принимали гостей или сами ходили в гости к таким же полуночникам, как мы. Завсегдатаями были у нас Михаил Светлов и Ираклий Андроников.

Светлов щедро одаривал нас своими житейскими афоризмами, еще лишенными в ту пору привкуса горечи. Андроников же «обкатывал» свои знаменитые устные рассказы: иные из них мы слушали по пять-шесть раз, и каждый раз в них появлялись какие-то новые, неожиданные краски, так что слушать их можно было бесконечно.

Тогда же произошло одно памятное для меня событие. Декабрь 1939 года. Недавно закончился конкурс. Меня вызывают в Большой театр и говорят, что я должен участвовать в концерте, который готовится к шестидеся-тилетию Сталина. Естественно, что ни вопросов, ни возражений тут быть не может.

Состоялась пробная репетиция. На следующий день — вторая. Состав участников концерта заметно менялся. Мой номер пока держался. И вот утром 21 декабря нам объявляют, что концерт не состоится. Ни в Большом театре, ни в Кремле. Сталин не захотел.

Ну что же, лишний раз не надо нервничать! У меня уже были приглашения выступить в этот вечер в Доме актера и Доме архитектора, и теперь я мог ими воспользоваться.

В первом часу ночи возвращаюсь в гостиницу. Дежурная по этажу мне говорит:

— Где же вы пропадали? Мы вас искали по всей Москве.

— А за какой надобностью?

— Концерт-то был.

— Как был концерт?

— Так, был. В Георгиевском зале, в Кремле. Вот вам телефон дежурного Комитета по делам искусств.

Звоню.

— Да, — сказал он сокрушенно, — к сожалению, мы вас не смогли найти. Сейчас уже поздно, концерт кончился, ложитесь спать.

Признаюсь, я огорчился. Ни разу не был в Кремле. Не видел Сталина. Но делать нечего! Лег и по молодости быстро уснул.

Среди ночи меня будит телефонный звонок. Включаю свет, смотрю на часы — пять. По телефону — короткий приказ:

— Быстро одевайтесь. Едем в Кремль.

На том конце провода сразу положили трубку. Я решаю, что меня кто-то разыгрывает. Не иначе как Никита Богословский, большой мастер на такие шутки. Но мало ли что. Иду снова к дежурной и прошу у нее телефонную книгу. (Бумажка с номером телефона дежурного Комитета по делам искусств куда-то подевалась.) Возвращаюсь. Снова звонок. Нетерпеливый голос:

— Ну где же вы?

— А кто это?

— Из Комитета по делам искусств. Жду вас внизу в машине.

Тут уж я хватаю свой чемоданчик и в два счета оказываюсь внизу, у гостиничного подъезда. В машине, кроме чиновника, обнаруживаю еще и Наталью Шпиллер. Не говоря ни слова, через две минуты мы въезжаем на территорию Кремля.

Все время беспокоюсь только об одном — где бы раздобыть стакан чая. Голос у меня, как известно, без металла, глуховатый. А тут со сна и вовсе сел. По пути к Георгиевскому залу обращаюсь к одному полковнику, к другому с просьбой достать мне чая. Это была своего рода психотерапия. Чтобы не думать о предстоящем выступлении.

В центре Георгиевского зала стоят четыре стола. За ними сидят, как я потом подсчитал, шестьдесят человек — по числу лет Сталина. Нас встречает М. Б. Храпченко, председатель Комитета по делам искусств. Он-то и дал распоряжение привезти меня на этот второй, уже не запланированный концерт. (Первый давно закончился, а гости не расходились. Надо было их чем-то занять.)

Храпченко берет стул, на который я, войдя в зал, положил свои «носы» и прочие аксессуары, ставит его прямо перед столом Сталина, примерно в двух метрах от него. То есть выступать я должен не на эстраде, которая где-то в конце зала, а прямо на паркете возле центрального стола.

Я смотрю на всех и продолжаю думать о чае. На столах, однако, все, что угодно, кроме чая. Но надо начинать. Читаю «Мишку». Быстрое изменение внешности, и появляется первый персонаж — докладчик, пользующийся набившими оскомину штампами.

Сталин, по-видимому, решил, что на этом мое выступление закончилось. Он наливает в фужер вина, выходит из-за стола, делает два шага в мою сторону и подает мне фужер. Пригубив, я ставлю бокал и продолжаю номер. В моем «человеке с авоськой» присутствующие усматривают сходство с Дмитрием Захаровичем Мануильским.

Это вызвало оживление.

Сталин у кого-то спрашивает, что это у моего персонажа за сетка: ему объясняют — для продуктов.

Я заканчиваю. Сталин усаживает меня перед собой. До восьми, то есть около трех часов, я сижу напротив него. По одну сторону от него — Молотов, по другую — Микоян и Каганович. Помню, Сталин вынимает из кармана, по-видимому, давно служившие ему стальные часы. Это знак, что пора уходить. На что Микоян (он со Сталиным на «ты») говорит:

— Сегодня ты не имеешь никакого права. Мы празднуем здесь твой день рождения, мы решаем.

Ворошилов провозглашает тост за великого Сталина. Сталин никак не реагирует, словно его это не касается. Следующий тост произносит сам:

— За талантливых артистов, вот вроде вас!

Потом опять — выступления. Поет И. С. Козловский, а Молотов — к моему удивлению — очень музыкально ему подпевает.

К Сталину подходит его секретарь Поскребышев и что-то шепчет ему на ухо. Потом — чмокнул в щеку. Сталин смотрит на него и произносит:

— Не вытекает.

Как я понял — поцелуй не вытекает из вышесказанного. И Поскребышев испаряется. В секунду его не стало! Это производит на меня прямо-таки мистическое впечатление.

Пора расходиться. Вдруг рядом со Сталиным возникает Хрущев. Когда они выходят из зала, он обнимает Сталина за талию.

Вспоминая ту ночь, точнее, раннее утро, я не могу сказать, что все увиденное не произвело на меня сильного впечатления. Хотя, как и многие, сегодня я вижу события пятидесятилетней давности совсем в ином свете.

Позднее я несколько раз видел Сталина в ложе на правительственных концертах, где мне доводилось участвовать. Однажды меня привезли к нему на дачу для выступления. Он ждал гостей. Был в том же костюме, что и на дне рождения, — китель, сапожки, галифе. Я читал басенки в прозе, показывал финского генерала «Около-Куоколо», заводил патефон и разговаривал с ним.

Летом 1942 года наш театр вернулся в Москву из поездки по Дальнему Востоку. Нас попросили выступить для воинских частей, охраняющих Кремль. После некоторого колебания я послал Сталину записку с приглашением посмотреть наш спектакль. Обещал, что он увидит и смешное и серьезное. На следующий день мне принесли ответ в розовом конверте. В нем лежала моя записка. Поверх ее от руки было написано: «Многоуважаемый тов. Райкин! Благодарю Вас за приглашение. К сожалению, не могу быть на спектакле: очень занят. И. Сталин».

Вспоминая прошлое, я, конечно, не беру на себя смелость оценивать одну из самых сложных и темных фигур нашей истории. Политика кнута и пряника, страха и личной преданности составляла основу его взаимоотношений с теми «винтиками», которыми мы все тогда были. Полное понимание этого пришло ко мне чуть позднее, в послевоенные годы, когда началась новая волна репрессий. В Ленинграде она была, кажется, особенно сильной и вместе с другими вполне могла унести и меня — я отдавал себе в этом ясный отчет. Н. П. Акимов (в конце сороковых годов он оформлял и ставил у нас спектакли) не раз говорил мне в свойственной ему иронической манере:

— Неужели, Аркадий, мы с тобой такое дерьмо, что нас до сих пор не посадили?

Нам с Акимовым повезло, страшная участь нас миновала. Но система, насажденная Сталиным, продолжала действовать и после его смерти. Продолжали действовать и воспитанные ею люди, им удавалось «доставать» меня разными способами. На постоянную борьбу с ними уходили здоровье и силы.

Но это уже другая тема.

«На чашку чая»

В 1940 году к руководству нашим театром пришел М. О. Янковский. Известный критик и теоретик театра, он незадолго перед этим опубликовал монографию об искусстве оперетты, единственную в своем роде на русском языке. Вообще оперетта была его стихией: он и с Дунаевским сотрудничал, написав либретто «Золотой долины», и директорствовал в Ленинградском театре музыкальной комедии, преподавал в институте на Моховой. Его перу принадлежат также монографии о Шаляпине, Римском-Корсакове, акимовском Театре комедии. Это был человек эрудированный, влюбленный в театр. Сезон (это был предвоенный сезон 1940/41 года), когда театр возглавил Янковский, стал для нас важным и во многом определяющим.

Тогда на наших афишах появились два новых названия: «Не проходите мимо» и «На чашку чая» — не просто сборные программы, но эстрадные спектакли, в которых, несмотря на вставные номера, была общая, объединяющая мысль.

Поздоровавшись со зрителями, я усаживался за стол, а на столе стоял самовар. На мне был теплый клетчатый халат с бархатными отворотами. Я не спеша наливал себе чай, и в самом деле горячий, пил его, закусывал печеньем и начинал беседовать с публикой. (Отсюда и название — «На чашку чая».) Переходы от «чаепития» к очередному номеру совершались плавно, мягко, без «рояля в кустах».

Может возникнуть вопрос: в чем же, собственно, была здесь общая мысль? А вот в том и была: вы мне доверяете, и я вам доверяю, и нам приятно провести этот вечер вместе. Я к вам обращаюсь, непосредственно к вам, а вы, если хотите, можете обратиться ко мне, можете и печенье попробовать; кстати говоря, почему вы не берете печенье?

Кто жил в то время, тот, пожалуй, очень хорошо меня поймет. Поймет, что это было немало. Хотя сегодня, конечно, идеей доверия как стержнем эстрадного спектакля вряд ли кого-нибудь удивишь.

Кстати, однажды кто-то из зала откликнулся на мое приглашение. Сел рядом со мной за стол. Я ему налил чай и, продолжая разговор со зрителями, как бы между делом обращался к нему:

— Я долго буду говорить, вы пока пейте чай!

Спектакль «Не проходите мимо» тоже состоял из различных номеров. Но и здесь была связующая нить. Лучшее в нем — вступительный монолог, который назывался «Невский проспект». Идея этого монолога, определившая направленность спектакля в целом, принадлежала Рудольфу Славскому, а текст был написан Владимиром Поляковым.

Я появлялся перед занавесом в пальто, держа в руке чемоданчик. По всему было видно, что я собрался в дорогу. И еще было ясно, что мой персонаж — ленинградец, молодой ленинградский интеллигент. Последнее обстоятельство было для меня очень важно. Перед выходом на сцену я старался вызвать в себе самочувствие, возникавшее у меня, скажем, в часы посещения квартиры Соловьева, когда мой дух был ясен, достигая того умиротворенного состояния, пребывать в котором постоянно, как говорится, жизнь не позволяет.

— Нет ничего лучше Невского проспекта! — произносил я знаменитую гоголевскую фразу и, как бы отталкиваясь от нее, окунался в толпу на Невском, общался с самыми разными персонажами (то есть превращался в них) и размышлял вслух о разных вопросах, составляющих нашу повседневную жизнь, перемежая эти размышления экскурсами в историю. Ведь Невский — живая история, тут все напоминает о ней, тут все сплетено — высокое и низкое, старое и новое, и за все нам держать ответ перед теми, кто придет после нас. Что-то я высмеивал, над чем-то посмеивался, многое, вероятно, показалось бы наивным сегодня. Но не это главное.

Главное, что здесь был нами впервые найден органический, естественный сплав лирико-публицистического и сатирического начала. Проще говоря, были неподдельный пафос (спасибо Гоголю) и искренность.

В этих спектаклях впервые заявил о себе театр в театре, наш МХЭТ. Расшифровывается эта аббревиатура так: Малый Художественный эстрадный театр. Впоследствии, правда, мы по-всякому обыгрывали это сочетание букв.

Под маркой МХЭТа, в «труппе» которого состояло всего два человека — Григорий Карповский и я, разыгрывались короткие сценки, точнее сказать, мини-миниатюры. У МХЭТа была своя эмблема — парящая птица, изображенная на занавесе (по шутливой аналогии с чайкой на занавесе МХАТ). Отчасти птица и впрямь напоминала чайку, но в то же время в ней можно было обнаружить сходство с гусем. Заполняя паузу между концертными номерами, мы с Карповским давали целую вереницу разнообразных человеческих типов. В них представала коллекция всевозможных чудачеств, недоразумений, смешных положений.

Вот некоторые мои персонажи из репертуара МХЭТа. Солидного вида лектор, вещая с кафедры, призывает беречь социалистическую собственность и в порыве краснобайства ломает сначала указку, а потом и кафедру. (Кафедра была громоздким сооружением, с виду весьма внушительным, и, когда от удара кулаком она неожиданно превращалась в груду щепок, возникал комический эффект.)

Вот милиционер задерживает гражданина, переходящего улицу в неположенном месте.

Милиционер. Нарушаете! Штраф — три рубля.

Гражданин. Извините, я опаздываю на поезд.

Милиционер. Все опаздывают на поезд. Штраф — три рубля.

Гражданин. Хорошо. Берите десять.

Милиционер. Зачем?

Гражданин. У меня нет других денег.

Милиционер. А у меня нет сдачи.

Гражданин. Но я опаздываю на поезд.

Милиционер. Все опаздывают на поезд. Штраф — три рубля.

Гражданин на глазах у милиционера еще два раза стремительно перебегает улицу в неположенном месте. «На три рубля я уже нарушил, — говорит он, — теперь к ним надо прибавить шесть рублей, плюс на рубль я обегу вокруг фонаря».

А вот человек доверчивый и педантичный. Выходя на улицу, он всегда одевается в соответствии с переданными по радио сводками погоды. Радио сообщает, что ожидается хорошая погода... человек снимает пиджак; возможны осадки — надевает пиджак и плащ; объявляют, что будет ветер, возможен снег, — он снимает всю верхнюю одежду и надевает шубу... Да на всякий случай еще прихватывает с собой вешалку, на которой целый гардероб.

Вот открывается занавес: свеча горит, я болтаюсь в петле. Партнер читает оставленную мной записку: «В моей смерти прошу никого не винить». После чего, присмотревшись, обнаруживает, что я на самом деле не в петле, а повис на подтяжках. Не повешенный, а подвешенный. Тогда он деловито осведомляется, почему я избрал такой странный способ покончить с собой, почему не попробовал накинуть петлю на шею.

Я. Пробовал.

Он. И что же?

Я. Задыхаюсь!!!

Или вот еще. Играю я дворника, Карповский — прохожего.

Я. Гражданин, пройдите.

Он. В чем дело?

Я. Пройдите, говорю.

Он. Нет, вы мне скажите, в чем, собственно, дело.

Я. Да говорят же вам, пройдите. Скорее!

Он. Хорошо, я пройду. Но вы объясните мне сначала зачем.

И тогда ему на голову вдруг падает огромная глыба снега и сбивает его с ног.

Я. Я же вам русским языком говорил: «Проходите»

Все это, казалось бы, простые, даже примитивные вещи. Конечно, они были далеки от сатирической остроты, но в то же время — отнюдь не безделицы. В их основе лежали вековые традиции эксцентрического комизма. Не претендуя на глубину и обобщение, они, однако, требовали от нас снайперской точности, интонационной и пластической выразительности. Это были почти цирковые репризы.

МХЭТ долго держался в репертуаре театра. После войны Карповского в нем сменил Герман Новиков — вскоре ставший одним из ведущих артистов нашей труппы.

При том что МХЭТ оказался счастливой находкой, до обретения театром своего лица было еще далеко. Но, очевидно, какая-то непосредственность, естественность, наконец, уровень актерской техники обращали на себя внимание, и предвоенная программа под названием «Не проходите мимо!» получила неплохую прессу.

В годы войны

В мае 1941 года наш театр выехал на гастроли в Мурманск. Это была четвертая гастрольная поездка за всю недолгую историю нашего существования. (До того мы успели побывать в Новосибирске, Днепропетровске и Одессе.) Настроение у всех было приподнятое: перед отъездом в Ленинграде нас неожиданно обласкала критика. И вообще как-то незаметно обнаружилось, что скептики все-таки были не правы: мы выжили, о чем свидетельствовали не только два последних спектакля — «На чашку чая» и «Не проходите мимо», но и атмосфера, сложившаяся внутри коллектива. Да, уже коллектива.

Гастроли в Мурманске проходили отлично, и мы пришли к выводу, как пошутил кто-то из наших, что мурманские белые ночи еще белее, чем ленинградские. А потом, ненадолго вернувшись домой (быть дома проездом — привычное состояние нашего брата), так же весело и дружно отправились в Днепропетровск, где нас ждали уже как старых друзей.

Открытие гастролей в Днепропетровске было назначено на воскресенье, 22 июня.

Нас поселили в одной гостинице с артистами Малого театра, тоже гастролировавшего в Днепропетровске. Кое с кем из москвичей мы были знакомы; не помню точно, кто именно (кажется, Николай Рыжов) пригласил нас к себе в номер, и мы засиделись там допоздна. Собралась веселая компания, мы рассказывали москвичам о новостях ленинградской театральной жизни, они нам — о московских новинках, и никто не хотел ложиться спать. Но в конце концов спохватились, что наутро у артистов Малого театра спектакль, и все разошлись по своим номерам, договорившись следующий вечер провести таким же образом, собравшись у кого-нибудь за чаем после вечернего спектакля.

А в 12 часов дня по радио передали, что фашистская Германия напала на Советский Союз.

Открыть гастроли в Днепропетровске нам не пришлось.

Из Ленинграда, с которым мы связались по телефону, требовали нашего незамедлительного возвращения; там начали формировать фронтовые театрально-концертные бригады. Да ведь и наши семьи там оставались. Но выбраться из Днепропетровска оказалось непросто, особенно с громоздким театральным скарбом. Чтобы вернуться в Ленинград, нужен был по крайней мере один товарный вагон. Но предоставить его при всем желании нам не могли. Пришлось возвращаться без реквизита и декораций.

По дороге домой, выходя на станциях, мы слушали сводки Совинформбюро. Все люди вокруг слушали их затаив дыхание, как один человек. И потом, не говоря ни слова, расходились в разные стороны.

Рома в тот раз на гастроли с нами не ездила. Не помню, по какой причине. Может быть, из-за Катеньки, ей не было тогда и трех лет, и она часто болела. Как только начались первые бомбардировки Ленинграда, руководство города решило вывезти часть детей в Старую Руссу, расположенную достаточно близко, причем в западном направлении. Место было явно не безопасное, но почему-то именно его выбрали для эвакуации детей из детских домов, одним из которых ведала мачеха Ромы. Она также повезла туда двух своих дочерей и сына-подростка (через два года он стал солдатом, был ранен, как и его отец, который в первые дни войны ушел на фронт).

В последний момент, однако, Рома отказалась расставаться с Катенькой и, несмотря на уговоры близких, не отпустила ее. Впоследствии Рома говорила, что у нее внезапно возникло какое-то недоброе предчувствие. Как бы то ни было, когда поезд с детьми приехал в Старую Руссу и на вокзале, находившемся в нескольких километрах от города, их встретил автобус, выяснилось, что фашисты уже заняли город. На этом автобусе им и удалось чудом спастись.

Все-таки Катеньку необходимо было увезти из города, и Рома смирилась с этим. От Михаила Михайловича Зощенко она узнала, что в поселок Гаврилов Ям, под Ярославлем, эвакуируют писательских детей. Зощенко же взялся раздобыть в эшелоне место для Катеньки.

Надо сказать, Михаил Михайлович был малообщительным, даже замкнутым человеком. Не уверен, были ли у него вообще близкие друзья. Во всяком случае, наши с ним отношения до войны были довольно сдержанными.

Не прохладными, не натянутыми, а именно сдержанными. Он тогда еще не был автором нашего театра, да и когда стал им, в круг так называемых друзей театра не входил: это было не в его характере. Тем более удивительной показалась мне его забота о нашей дочери. Зощенко, который и в мирное время не звонил по телефону иногда по три-четыре месяца, вдруг позвонил, стал хлопотать и, связавшись с Союзом писателей, все организовал с той четкостью, которая и в других проявлениях была ему присуща, выдавая в нем бывшего офицера (как известно, он воевал еще в первую мировую). Когда я вернулся в город и, узнав обо всем, бросился его благодарить, он только пожал плечами и сказал, как говорят о чем-то само собой разумеющемся:

— Не стоит благодарности. Просто я знал, что вас нет в городе.

Мне стало даже неловко за свою порывистость. И я подумал, что выражение «не стоит благодарности» существует в русском языке не зря. Для определенной категории людей оно не просто вежливо по форме, но и глубоко естественно по содержанию.

В Гаврилов Ям детей сопровождали только воспитатели детского сада. Родителям ехать не разрешили, да и мест не было. Исключение сделали только для нашей актрисы Надежды Копелянской, которая взялась помочь воспитателям. Мы с Ромой откровенно ей завидовали, а Катенька, совсем как взрослая, нас успокаивала.

Неделю спустя приходит телеграмма: Катя опасно больна. Двустороннее воспаление легких. Никаких антибиотиков в ту пору еще не было, к тому же девочка не ест, плачет и зовет маму. Надо немедленно ехать в Гаврилов Ям.

Но время — военное. Весь театр — на чемоданах; со дня на день ждем указания, в какой пункт следовать. К тому же у меня много неотложных организационных хлопот. Словом, ехать вдвоем нельзя. С колоссальными трудностями, достав в течение дня билет, сажаю я Рому в поезд.

Проходит несколько суток — и новая телеграмма. О том, что... даже и сейчас вымолвить трудно... в общем, что Катеньке совсем плохо. Не помню, что я говорил в театре, как достал билет, как добрался до этого чертова Гаврилова Яма. На это ушло дня три. Добрался наконец. А кризис уже миновал. Катеньке стало лучше.

К тому времени мы уже знали, что наш театр будет эвакуирован в Среднюю Азию и что члены актерских семей поедут вместе с театром. И мы решили с Катенькой больше не расставаться. Собрались в обратный путь, и вдруг я понимаю, что денег-то у меня ни копейки! Все, что у меня есть, — чемоданчик для грима, и в нем — два чистых воротничка. (Забежав перед отъездом домой, я машинально, точно в беспамятстве, схватил этот чемоданчик и даже не посмотрел, что в нем лежит.) Выяснилось, что и у Ромы деньги кончились.

Решили, что я один вернусь в Ярославль (уж как-нибудь доберусь на попутках) и в местной филармонии, где меня хоть кто-нибудь да признает, возьму взаймы денег на три железнодорожных билета до Ленинграда. Там же попрошу машину, чтобы, вернувшись за Ромой и Катей, вывезти их в Ярославль.

Незнакомые филармонические люди встретили меня приветливо, как своего. В просьбе не отказали. Да только, замечаю, как-то странно они улыбаются, глядя на меня.

— Мы, дорогой коллега, все для вас сделаем, — наконец вымолвил один из них, усталый человек в круглых очках с какой-то немыслимой диоптрией; не помню, кто это был, может быть, администратор. — Мы все для вас сделаем: концерт вам организуем, гонорар заплатим, а дней через пять и машину дадим, сейчас у нас нет машины... но одного мы не сможем сделать, дорогой коллега. Мы не сможем отправить вас в Ленинград.

— Что, с билетами трудности?

— Нет, — вздохнул человек в очках. — С билетами трудностей нет, но лучше бы они были, такие трудности. В общем, в Ленинград больше не пускают.

— Как «не пускают»?! Нас — пустят. Нас там ждут.

— Вас там еще очень долго будут ждать. Путь через Мгу перерезан.

Путь через Мгу был последней железнодорожной артерией, связывающей Ленинград со страной.

На следующий день состоялся мой сольный концерт — в помещении Театра имени Федора Волкова. Прихожу я, как обычно, за час до начала, гримироваться почти не надо, но надо сосредоточиться. Надо. А мысли — далеко. Но когда увидел в дырочку в занавесе до отказа заполненный зал — в основном это были военные, — взял себя в руки.

Наутро в филармонию пришла телеграмма. Мои товарищи по театру сообщили, что Театр эстрады и миниатюр выезжает таким-то эшелоном из Ленинграда и будет проезжать через Ярославль в такое-то время. Я читал и перечитывал эту телеграмму и не верил своим глазам. Потом я узнал, что это был последний эшелон, которому удалось вырваться из осажденного города. Часть эшелона предоставили консерватории, а одну теплушку отвели нашему коллективу.

Поначалу я готов был прыгать от счастья: сама судьба помогала соединиться с товарищами. До меня не сразу дошло, что эшелон-то будет в Ярославле через несколько часов, сегодня вечером, а добраться до Гаврилова Яма и обратно за это время невозможно. Поезд, так называемая кукушка, ходит раз в сутки, на попутный транспорт надежда очень слабая (да и кто возьмет нас втроем?).

В отчаянии выхожу на улицу. Тут подходит ко мне какой-то военный летчик и говорит:

— Что с вами, товарищ? Вам плохо?

Я бормочу в ответ что-то бессвязное, но, видимо, он сообразил, что к чему. И сказал, как будто приказ отдал:

— Пойдемте со мной.

Я даже не спросил куда. Пойдемте так пойдемте. Наконец подошли к какому-то одноэтажному домику. И спутник мой говорит:

— Подождите меня здесь.

Минут через пять вышел:

— Я доложил о вас генералу. Он вас ждет.

Какому генералу? О чем доложил? Зачем он меня ждет? А в сущности говоря, все равно. Этот летчик, как видно, пытается мне помочь. И на том спасибо.

— Наш генерал, — сказал со значением летчик, — это... о-го-го! В общем, окажет содействие. Ну, вы входите, а мне — пора.

Он лихо козырнул и зашагал по улице.

— Спасибо! — крикнул я ему вслед.

— Не стоит благодарности! — ответил он удаляясь.

Я даже не успел спросить, как его зовут.

Генерал оказался совсем не генеральского возраста. Во всяком случае, выглядел очень молодо. С первого взгляда было заметно, что он принадлежит к той счастливой породе людей, которая как бы призвана служить наглядным примером справедливости известного утверждения: в здоровом теле — здоровый дух. В жизни ведь бывает и так, что в здоровом теле — дух никудышный. И наоборот, жизнь полна примерами, когда благодаря силе духа люди оказываются способны преодолевать свое телесное нездоровье и множество других, казалось бы, непреодолимых препятствий. Мне больше по душе, когда говорят, восхищаясь кем-либо: «И в чем только дух держится!» Из чего, конечно, не следует, что я противник физкультуры.

Так вот, генерал тот был крепок, как дуб, бодр, как лозунг, и я подумал, что он не только сам обливается холодной водой по утрам, но еще и требует этого от всего человечества. Позже выяснилось, что я был недалек от истины. Он сам рассказал мне, что распорядился у входа на аэродром поставить гимнастического коня и пропускать только тех, кто мог с ходу взять это препятствие.

Правда, во всем остальном я ошибался. Но не будем опережать события.

— Вот это да! Вот это гость веселый! — говорил он, до боли стискивая мою руку; как я ни пытался высвободить ее, ничего у меня не получалось. — А мы, летчики, любим артистов. Артисты — это, знаешь, брат, это... того... артисты... А ну-ка признавайся: обедал небось на прошлой неделе? А то, как я посмотрю, больно ты тощий. Война аппетит отбила или отродясь такой?

Я терпеть не могу эту манеру «тыкать» первому встречному. И ответил ему с подчеркнутой вежливостью:

— Благодарю вас. Я не голоден. Мое дело к вам состоит в том...

— Да знаю, знаю, — перебил он меня. — Послал уже за твоими. Адъютант мой поехал. Он у меня знаешь какой? Одна нога здесь, другая там. Такого второго поискать надо. А между прочим, простой парень. Я простых люблю. А ты?

Явно наслаждаясь моим ошалелым видом, генерал густо намазал масло на хлеб, поставил передо мной тарелку дымящихся щей, в которой плавали золотистые кружочки жира, и налил себе и мне по целому стакану водки.

— Ну, за все хорошее!

— Спасибо. Я, в общем, не пью...

Его лицо приняло такое изумленно-озадаченное выражение, как если бы я на его глазах проглотил вилку.

— В общем не пьешь или вообще? — спросил генерал.

— Вообще. Никогда. Во всяком случае, водку.

— Та-ак, — протянул он, — это никуда не годится. А ну-ка, давай ее разом. Пей, говорю! Ты ж, артист, продрог как цуцик. Заболеешь — кто с тобой будет нянчиться?

— Да ничего. Я вот лучше щей...

И тут он как гаркнет:

— Положи ложку. Пей!

Делать нечего. Опрокинул я в себя стакан обжигающего зелья (ненавижу водку и никогда не понимал, как от нее можно испытывать удовольствие). Генерал тоже выпил.

— Ну что, — сказал он, смачно хлебая щи, — значит, из Питера будешь? Эх, Питер, Питер... Ну, и как там люди искусства?

Странный вопрос. Но я уже пришел в себя, успокоился и согрелся. И стал рассказывать о Николае Акимове, Григории Козинцеве, Михаиле Зощенко, Юрии Германе, Евгении Шварце, Ольге Берггольц и многих других, кто в эти дни тушил «зажигалки» на крышах, выступал по радио перед бойцами, писал газетные репортажи с фронта. Я говорил долго, и образы милых моему сердцу людей как бы сообщали мне второе дыхание, подкрепляли меня.

Потом, помнится, рассказывал ему, чьи дети находятся сейчас в Гаврилове Яме. Алеша, сын Юрия Германа. Миша, сын писателя Михаила Козакова... и попутно давал пояснения, так сказать, представлял ему тех или иных писателей. Генерал слушал внимательно, не перебивал. Но с таким видом, что мне нетрудно было сделать вывод: все эти имена для него в новинку, он понятия о них не имеет.

При этом я думал: грубый, в сущности, человек, этот генерал; наверное, неплохой, но неотесанный. Нет, конечно, я испытывал признательность к нему, но ясно отдавал себе отчет в том, что в мирное-то время не сидели бы мы с ним за одним столом, да и не стал бы я ему ничего такого рассказывать.

Как будто угадав тайный ход моих мыслей, генерал ударил ладонью по столу, так что посуда зазвенела:

— Ну, давай по второй!

— Ни за что! Увольте, прошу вас.

Но он наполнил второй стакан:

— А вот если не выпьешь, я сейчас в Гаврилов Ям другую машину пошлю и приказ отдам, чтобы твоих оттуда не привозили.

Мы выпили по второй. Мне становится плохо. Генерал укладывает меня на диван.

Как ни странно, я не опьянел (наверное, сказалось нервное напряжение). Я лежал на диване, не в состоянии пошевелить ни рукой, ни ногой. Лежал не в забытьи, а в каком-то оцепенении. Сколько это продолжалось? Мне казалось — вечность. А в самом деле, наверное, минут пятнадцать.

В комнату вошли два летчика, и я невольно услышал разговор генерала с ними.

— Что, дрейфишь? На Берлин не полетишь? — сказал он первому.

Насчет Берлина он, разумеется, шутил. Но боевое задание, о котором шла речь, было, как видно, нешуточным. Затем генерал обратился к другому летчику с вопросами, как бы не имевшими отношения к только что возникшей теме. А первый летчик все пытался вклиниться, все твердил:

— Товарищ генерал, разрешите обратиться.

Но генерал словно и не слышал его. Мне даже стало жалко этого летчика: обвинили его в том, что он боится лететь, а теперь и слова сказать не дают... И вдруг, когда парень совсем было отчаялся, генерал неожиданно бросил ему:

— Значит, полетишь? Конечно, полетишь. Я не сомневался в этом, сынок.

Летчики ушли, а я подумал, что мой генерал совсем не так прост и не так груб, как мне показалось. Дело даже не в том, что меня поразило само это слово «сынок» (хотя оно и впрямь было поразительно, поскольку генерал явно не годился летчикам в отцы). Главное, что в разговоре с ними он выказал проницательность и тактическую тонкость, которые трудно было в нем предположить. Я бы сказал, что он построил этот разговор как умный режиссер-педагог.

Но дальше произошло самое поразительное.

Когда он заварил крепкий чай и мы снова уселись за стол, он вдруг сказал:

— Вот, говорят, «фэксы» формалистами были, а какой же Григорий Михайлович, к примеру, формалист?!

Это он, стало быть, Козинцева имел в виду.

Я удивленно вытаращил глаза, а он продолжал как ни в чем не бывало:

— Художник, брат, тот же летчик. Подруби ему крылья — и что получится? Ерунда получится, вот что.

Я чуть не обжегся чаем, закашлялся, а генерал — чем дальше, тем больше:

— Лет десять назад самым веселым местом в Питере был ОГИЗ, канал Грибоедова, 9. Кому они, спрашивается, мешали, ежи и чижи, понимаешь ли...

Это он — о журналах «Еж» и «Чиж».

И добавил со вздохом:

— Что ты, милый, вылупился на меня? Думал, сапог перед тобой? Я, милый, две академии окончил.

После чего он погрузился в себя. Мы долго молчали.

— А зачем вы меня дурачили? — спросил я, прервав паузу.

— Я вас не дурачил. (Я обратил внимание на то, что он впервые сказал «вы».) Вы сами себя дурачили. Кто вам сказал, что внешний вид всегда должен соответствовать содержанию?.. Ну хорошо. Вот вам другое сравнение. Вы знаете, что такое «ложный аэродром»? То-то же... Впрочем, если что — извините. Обижать вас я не хотел.

— Я могу понять, — сказал я, — для чего вы устраиваете подобные «маскарады». Но я не могу понять, отчего это вдруг вы нарушаете правила игры, которые сами же установили.

— Не напрашивайтесь на комплимент, — буркнул он. Наша дальнейшая беседа была в высшей степени поучительна для меня...

Но вскоре я стал нервничать: до прибытия эшелона оставалось совсем немного. Генерал меня успокаивал, говорил, что в армии все — минута в минуту, что адъютант не опоздает. И вдруг предложил пойти в театр на спектакль «Петр I» по Алексею Толстому.

— Мы адъютанту записку оставим, чтобы в театр заехал. А оттуда поедете прямо на вокзал.

Когда мы вошли в ложу, я меньше всего думал о Петре Первом. Я думал о своем новом знакомом, о том, какая он прелюбопытнейшая личность. И еще я думал о том, что он, так сказать, переиграл меня по всем статьям.

Между тем он нашептывал мне на ухо:

— Я тут всех артистов знаю. Чуть свободный час выдается — сразу сюда. А то ведь скоро перебросят туда, где никаких театров нет. Так что напитаться хочу искусством. Представьте себе, помогает в наших жарких делах.

— Значит, вы всех артистов знаете, — говорю я.

— Да, со многими лично знаком.

— А вот я вижу их в первый раз. Но, если угодно, каждому могу дать характеристику. Не актерскую, а человеческую.

Он не поверил:

— Ну, это вы через край хватили.

— Нет, уверяю вас. Давайте попробуем. Я буду вам говорить, каков тот или иной артист в жизни, а вы будете сверять мои слова со своими собственными впечатлениями.

И я стал ему говорить, что вот этот артист, играющий на сцене дурака, в жизни вовсе не дурак, а другой, играющий героя, — тот как раз глуп, самовлюблен и заносчив; третий — душа-человек, скромный, но малоодаренный, а четвертая, играющая положительную героиню, на самом деле истеричка и т. д.

Он не переставал удивляться:

— Как вы отгадываете? Нет, вы действительно с ними не знакомы?

— Профессиональное чутье, — отвечал я. — Знаете, сцена, как рентгеновская установка. Все просвечивает...

В дверь ложи постучали. Это был адъютант. Рома с Катенькой ждали меня в машине. Генерал вышел вместе со мной в фойе.

Мы стали прощаться, я стал его благодарить. И услышал в ответ фразу, которую несколько часов назад сказал мне оставшийся неизвестным летчик, а несколько недель назад — Михаил Зощенко:

— Не стоит благодарности.

Случайное ли это совпадение? Конечно. Но ведь и символичное, не правда ли?!

— Скажите хотя бы, как ваша фамилия, товарищ генерал.

— Ни к чему вам моя фамилия. Я полустанок на вашем пути.

И он вернулся в ложу досматривать «Петра I».

По дороге на вокзал адъютант сказал мне, что фамилия генерала Изотов.

В самом конце войны мы снова встретились. Это было в столице, в вестибюле гостиницы «Москва». Он к тому времени стал большим начальником.

Несмотря на усилия стольких людей, помогавших нам прибыть на вокзал вовремя, мы все-таки едва не разминулись с нашими товарищами по театру.

Темень кромешная, народу на станции — видимо-невидимо, на каждом железнодорожном пути стоял состав, причем двери большинства теплушек были закрыты. Поди разберись, где тут наш эшелон. Мы метались по перрону, и никто ничего не мог нам толком подсказать. Так продолжалось не менее получаса, и мы уж совсем было отчаялись, как вдруг маленькая Катенька закричала:

— Дядя Гриша! Дядя Коля!

Она заметила в толпе наших актеров — Григория Карповского и Николая Галацера, которые вышли нас встречать, и тоже метались по перрону, и тоже отчаялись, решив, что на вокзале нас нет и что телеграмму мы не получили.

Влезли мы в теплушку — и буквально через минуту состав тронулся с места.

Товарищи встретили нас дружным «ура». Какое это было счастье — снова видеть всех наших, снова быть вместе с ними!

Не в состоянии заснуть, помнится, мы рассуждали о роли случайности в человеческой жизни. Какая, в самом деле, цепь совпадений предшествовала нашей встрече! Впрочем, Коля Галацер заметил, что в принципе уповать на счастливый случай не следует; разыскивать человека на войне — все равно что найти иголку в стоге сена. Мы не спорили. Но вот что любопытно. Через два-три дня, когда наш эшелон, тащившийся как черепаха, прибыл в Куйбышев, тяжело заболевшего Галацера сняли с поезда и отправили в госпиталь. Так вот, в этом госпитале он неожиданно встретил родную сестру, работавшую там врачом. Вот и не верь после этого в счастливый случай!

Мы приехали в Ташкент. Сначала жили в гостинице, потом — на квартире, в тесной комнатушке с глиняным полом. Вскоре театр отправили в распоряжение командования Тихоокеанского флота, и мы оставили Катеньку на попечение нашей квартирохозяйки. Вместо нас квартирохозяйка подселила к девочке... поросят.

О моих родителях, сестре Белле и брате Максиме, оставшихся в Ленинграде, мне ничего не было известно вплоть до начала 1942 года, когда я узнал от знакомого генерала по фамилии Гоглидзе, что он помог им эвакуироваться в Уфу, где уже была сестра Софья вместе с мужем, авиаконструктором М. Анцеловичем.

Там, в Уфе, скончался отец.

После этого мама, Белла и Максим перебрались в Ташкент (теперь мы могли быть спокойны за Катеньку), а Софья оставалась в Уфе с мужем, который работал там на заводе.

М. О. Янковский, директор нашего театра, не смог поехать вместе с нами на Дальний Восток, а обязанности директора и художественного руководителя были возложены на меня.

Осенью 1941 года в блокадном Ленинграде умер Владимир Николаевич Соловьев. Во время очередной воздушной тревоги он выбежал со всеми жильцами из дома, но по дороге в бомбоубежище вдруг остановился и с криком «Книги! Мои книги!» побежал обратно. На лестничной клетке схватился за сердце и упал. Это была легкая смерть.

Были артисты, сражавшиеся с оружием в руках. В том числе и артисты эстрады. Например, Владимир Плисецкий, ставший разведчиком и погибший при выполнении боевого задания. Или Александра Перегонец, чья сценическая карьера начиналась в театрах миниатюр. Героиня крымского подполья, она погибла в застенках гестапо...

Большинство же артистов становились участниками фронтовых театрально-концертных бригад. Многие из них не дожили до Победы. Кого настигла бомба, как вахтанговца Василия Кузу. Кого — шальной осколок, как нашего Константина Гибшмана. Кто умер, не вынеся тягот блокады, как Алексей Матов и Нестор Сурин...

Среди 3800 театрально-концертных и цирковых бригад, обслуживавших части Советской Армии на фронтах Великой Отечественной войны, была и наша. В годы войны мы выступали в республиках Средней Азии и в Сибири; на Дальнем Востоке — перед моряками Тихоокеанской и Дальневосточной флотилий; на Балтике и на Каспии, на Белом море, а также на Центральном, Северокавказских фронтах. Главным образом мы обслуживали флот.

Да, мы не ходили в атаку и в разведку, не стреляли из винтовок и орудий, не пускали под откос поезда, не ремонтировали танки в студеных цехах. И тем не менее работа, которую мы делали, была важна. Мы проехали десятки тысяч километров, выступали на кораблях и батареях, на заводах и полевых станах, в землянках и госпиталях.

Не раз попадали под бомбежки и артобстрелы, а однажды ночью даже залетели на самолете в тыл к противнику (это было в 1944 году в Латвии; самолет сбился с курса, и нас обстреляли из зенитных орудий). Бывало, продрогшие и промокшие в непогоду, попав наконец на место, мы сразу же начинали выступление. Ведь нас ждали бойцы, получившие для отдыха такое короткое и драгоценное время. Как они ждали нас! Как встречали!.. Под Новороссийском, где мы в 1943 году пробыли шесть месяцев, мы жили вместе с моряками; бывало, придешь после концерта поздно вечером, снимешь обувь у входа в землянку, чтобы не разбудить моряков. А они, тоже на цыпочках, уходили на рассвете, стараясь не потревожить нас. Нередко случалось так, что утром моряк уходит, а днем, выступая в госпитале, встречаешь его, раненого... Бывало, нам приходилось работать почти круглые сутки, случалось мерзнуть и голодать... Впрочем, все это было в порядке вещей.

25 июля 1941 года я выступал с «Монологом черта», придуманным, написанным и подготовленным за три дня, в рекордный для меня срок. Черт — это Гитлер. Зрители мгновенно узнавали бесноватого фюрера, смеялись.

Люди смеются по-разному. Одна и та же реприза в зависимости от обстоятельств может рождать бесчисленное множество оттенков смеха. Все артисты это прекрасно знают, знал и я. Но тот смех был совершенно особенный, раньше я никогда такого не слыхал.

Хотел сказать: то был смех военного времени. Но это неточно. Хотя бы потому, что в начале войны смеялись иначе, чем в конце. На передовой — иначе, чем в тылу. После успешного выполнения боевого задания — иначе, чем в период отступления. И все-таки было нечто общее в том, как тогда смеялись наши зрители. Смех таил в себе и тревогу, и горечь разлук и потерь, и невозможность осознать эти разлуки и потери до конца, смириться с ними. И еще он таил в себе ненависть, праведную ненависть к врагу. И еще. Что-то еще — вечное, непобедимое... нет, словами не передать. Все слова покажутся здесь стертыми.

Мы сохраняли в нашем репертуаре некоторые номера из довоенных программ. Так, несколько изменив текст монолога «Невский проспект», я читал его теперь с гневом и болью, и он звучал как гимн осажденному городу. (Навсегда осталось в моей памяти, как слушали этот монолог ленинградские дети в Гаврилове Яме.)

В годы войны в наших программах появилось немало нового; антифашистские миниатюры «Буква В» (в исполнении Л. Таганской и Б. Дмоховского), «Ать-два» (Л. Таганская, Г. Карповский, Р. Рубинштейн), «Передача окончена» (Т. Этингер и Р. Рубинштейн), а также памфлет о «немецком театре» (Л. Таганская, Г. Карповский, Б. Дмоховский), текст которого по нашему заказу сочинил Евгений Шварц, и другие.

В программах театра, кроме уже упоминавшейся Р. Зеленой, участвовали также М. Понна и А. Каверзин, Н. Мирзоянц и В. Резцов. Во время гастролей в Московском Эрмитаже в нашей программе выступила К. Шульженко с джаз-ансамблем В. Коралли.

Политическая, боевая сатира — вот главное направление нашего театра в те годы. В этом смысле наиболее ярким примером может послужить интермедия, которая и по сей день представляется мне удачной.

В 1942 году, когда по дипломатическим соображениям избегали говорить, а тем более писать о том, что союзники медлят с открытием второго фронта, я выходил к зрителям-бойцам, смотрел на часы и спрашивал кого-нибудь из тех, кто сидел близко от меня:

— Сколько на ваших?

— У меня без пяти минут, — следовал ответ.

— А у вас?

— Без четырех...

— А у вас?

— Без шести.

— Как хорошо было бы, — заключал я, — если бы во всем мире часы шли одинаково. А то мы смотрим по нашим московским и говорим: «Уже пора», а в Лондоне и Вашингтоне отвечают: «А по нашим еще рано»...

Тут зрители дружно смеялись, отлично понимая, что речь идет о втором фронте.

Выступали мы как-то в деревне, только что освобожденной от гитлеровцев. Большая часть домов в этой деревне была сожжена, остальные — повреждены снарядами. И только один деревянный домик остался в целости и сохранности. Там до войны помещался сельский клуб. И вот в этом домике все немногочисленное население деревни собралось на наш концерт. Люди пришли задолго до начала. Измученные, изможденные и... торжественные.

Электрического освещения, конечно, не было. Но нам — не привыкать. Мы осветили площадку керосиновой лампой, и все наши нехитрые мизансцены строили таким образом, чтобы свет от лампы падал на лицо выступающего.

В институте актеров обучают такому элементарному правилу: нельзя «выходить из луча». То есть, как бы ты ни был увлечен действием, ты обязан помнить о световой партитуре спектакля. Вот в этой точке луч софита тебя «берет», а в той — должна быть полутьма. Начинающие артисты, а также те, кто, не владея собой, рвет страсти в клочья, обычно весьма досаждают осветителям: того и гляди, выкинут что-нибудь непредвиденное. Мастеровитые же артисты, как правило, с этой задачей справляются легко. Но должен заметить, что даже самая сложная световая партитура не действует так на актерские нервы, как «партитура» керосиновой лампы. Она и коптит, и язычок пламени в ней колеблется от малейшего дуновения, даже от дыхания твоего. Так что ни слишком близко к ней, ни слишком далеко от нее находиться артисту нельзя.

Читаю я монолог — сейчас не вспомню точно, какой именно, но помню: что-то лирическое, предполагающее и в артисте, и в публике внутреннюю сосредоточенность. Чувствую: залом овладел, люди сидят не шелохнувшись.

И вдруг лампа стала так сильно коптить, что я невольно отодвинулся от нее. Шаг в сторону — и лица моего зрителям уже не видно.

Я, конечно, это заметил, но, если бы встал ближе к лампе, вообще не смог бы продолжать. Зрители, надо отдать им должное, поняли ситуацию и по-прежнему слушали меня внимательно. Но один из них, огромного роста бородач, по виду он был похож на партизана, точно с плаката сошел (я сразу обратил на него внимание; потом оказалось, что он и впрямь был партизаном), поднялся на сцену и встал у меня за спиной. Я — продолжаю, не оборачиваюсь. Нельзя прерывать выступление, несмотря ни на что! Но, согласитесь, странно. И вообще-то всегда не очень приятно, когда кто-то молча стоит у тебя за спиной, а уж на сцене — тем более.

А он дождался паузы, встал на стул, деловито поправил фитилек лампы и, взяв меня за плечи, «подвинул» на прежнее место. Все это он проделал, я бы сказал, обходительно. После чего преспокойно вернулся в зал. Особенно меня поразило, что ни один из присутствующих не отреагировал на его действия.

Возможно, этот случай вызовет у читателей улыбку. Но я вспоминаю его прежде всего как пример зрительской деликатности, зрительского партнерства. Ведь тот человек от всей души хотел мне помочь, и все остальные это поняли.

Теперь мне хотелось бы предоставить слово Роме. Вот один из ее рассказов, относящихся к нашей жизни на Северокавказском фронте.

«Был такой странный период нашего пребывания на фронте, когда мы все время опаздывали к своей смерти. Это звучит непонятно и требует разъяснения.

Дело в том, что нас всегда очень ждали в частях армии и флота, поэтому было составлено четкое расписание наших переездов и спектаклей. Но однажды, когда мы спешили в фальшивый Геленджик, где должны были остановиться в специально приготовленном здании небольшого санатория, нас на Михайловском перевале задержала пурга.

Мокрые хлопья снега шмякались об автобус. Мы поминутно вылезали, чтобы толкать его то туда, то сюда. Колеса, плавая в месиве, буксовали, мотор натужно выл, шофер тихо и разнообразно матерился. Наконец он заглушил мотор и сказал:

— Все... Не поеду... Нельзя.

Сопровождавший нас молодой морской офицер требовал, чтобы шофер сел за баранку, но тот упорно отказывался:

— Без цепей ехать нельзя: спуск крутой. Поедем на стоячих колесах. Я же всем артистам шеи посворачиваю.

— Мы должны быть в двадцать один ноль-ноль там. Кровь из носу.

— Будем. Не спешите. В ноль-ноль. А крови из носу — этого я не допущу. И кверху колесами ездить я не привык.

— Вы слышите? — вмешался Аркадий. — Василий Иванович не привык ездить кверху колесами. По правде сказать, я тоже. Это все-таки аргумент.

— Но там для всего театра ужин приготовлен. Начальник приказал прибыть вовремя. Ужин же остынет, — горевал офицер.

— Главное, чтобы было кому есть ужин. Переждем до утра погоду. Можно и утром поужинать.

Рассвело сразу, как всегда на юге. Яркое солнце быстро растопило снег, и автобус осторожно, как бы нюхая крутую влажную дорогу, стал спускаться на ту сторону Михайловского перевала.

Оказалось, что, пока мы стояли на горе, ночью был налет на Геленджик и дом, приготовленный для нашего ночлега, начисто снесло вражеской бомбой.

Из-за этого опоздания все наше расписание передвинулось, и мы также «опоздали» к выступлению на передовой — в Кабардинке, где днем снаряд попал в эстраду, на которой мы должны были в это время играть спектакль.

В тот день, о котором я хочу рассказать, мы выступали на Черноморской базе подплава.

Спектакль шел вяло. Райкин, как всегда, играл в полную силу, но подводники сидели тихо, мало смеялись, были молчаливы и подавленны. Мы искали причину такой непривычной реакции, считали, что, очевидно, играем хуже, стали «нажимать», на ходу перестраивать программу. Ничего не помогало. К концу спектакля в зале возник какой-то шумок, движение, кто-то вышел из задних рядов, потом, пригнувшись, начали выходить и из передних.

Огорченные, мы закончили спектакль, не понимая, в чем дело.

Внезапно за кулисы вбежал молодой матрос. Лицо его сияло.

— Ребята! — закричал он нам с порога. — Лодка вернулась! А мы их уже было похоронили, можно сказать, оплакали. Четверо суток ни слуху ни духу. А они вернулись! Живые! Целые! Невредимые!

Мы, не разгримировавшись, как были, выбежали к морю. Там моряки молча обнимали, передавая из рук в руки своих вернувшихся товарищей. Одного быстро пронесли на носилках. Потрясенные этим зрелищем, мы стояли кучкой, с трудом сдерживая слезы.

Начальник базы подплава, крупный, полный человек, фамилия его была, по-моему, Гуе, подошел к нам.

— Товарищи, — сказал он, — вот у нас какая радость! Под водой чинили лодку, на последнем дыхании. Ну, это ж молодцы! Потопили два вражеских транспорта, а потом и их зацепило глубинной бомбой. К вам, товарищ Райкин, и ко всем вам просьба, товарищи: сыграйте им снова. Для них. Сейчас они побреются, чаю выпьют, а? Хотят смотреть. Да и мы все еще раз посмотрим. Ведь, по правде сказать, нам глаза застило. Не до того было.

Мы побежали за кулисы, чтобы снова начать спектакль.

Зал быстро заполнился, и все стали терпеливо ждать прихода товарищей. Они вошли один за другим, смущенные и улыбающиеся.

— Ура-а-а-а! — стоя кричала наша публика. И мы кричали тоже.

Что это был за спектакль! Что за радость была играть его!

В первом ряду сидела команда вернувшейся подлодки. Изжелта-бледные матросы хохотали, и с ними хохотал, качаясь, весь зал.

А Райкин вспоминал все новые и новые свои сценки, монологи, песенки, стараясь развеселить людей, которые победили смерть».

В моей почте и по сегодняшний день встречаются письма от людей, помнящих выступления нашего театра в годы войны. К этим письмам я отношусь с особым трепетом и волнением. Нередко перечитываю их снова и снова. Я горжусь тем, что нас помнят ветераны батареи № 394, которой командовал капитан А. Э. Зубков. Эта батарея сражалась на подступах к Новороссийску. Ветераны приглашают меня на свои встречи, а приезжая в Москву, посещают наш театр, считают его своим. Правда, в последние годы все реже и реже приходят от них весточки — время неумолимо. Но оно не властно над человеческой памятью.

Спасибо Вам за добрую память о 394-й батарее Новороссийской военно-морской базы, за Ваше вдохновенное искусство, приносившее нам столько радости и сил, за то, что Вы были вместе с нами в самые тяжкие дни.

Позвольте мне — бывшему командиру этой батареи — в день Великой Победы поклониться Вам и поздравить с праздником, как достойного и почетного бойца славной Новороссийской батареи, и пожелать вам доброго здоровья, счастья и процветания!

С искренним
и глубоким уважением
Зубков А. Э.
9.05.78.

Стоит ли говорить, как до́роги мне эти строки. Ведь для артиста моего поколения самое почетное звание — звание бойца.

***

В конце 1944 года наш театр вернулся в Ленинград. Мы жили в гостинице «Астория». Это была единственная действующая гостиница. Ежедневно мы там встречали старых друзей и знакомых, со многими из которых не виделись всю войну. За эти годы они неузнаваемо изменились.

Так, однажды открылась дверь и к нам буквально ворвался худущий человек в бурке. В первое мгновение я даже не узнал его и хотел было сказать, что он ошибся дверью. Между тем это был Владимир Поляков, главный довоенный автор нашего театра; разумеется, мы не могли наговориться. Сколько всего было пережито!

Но говорили не только о прошлом. Главным образом строили совместные планы на будущее. Мирное будущее было не за горами. Это чувствовали все вокруг, и этим определялось общее настроение.

Весной 1945-го нас направили в Латвию. В городе Тукумс нас встретил старый знакомый, ленинградский режиссер Ян Фрид. Теперь он известен как постановщик многих фильмов, таких, как «Зеленая карета», «Прощание с Петербургом», «Собака на сене» и других, а до войны преподавал на Моховой. Тогда, в 1945-м, он был офицером, начальником клуба, в котором нам предстояло выступать. Фрид оказался великолепным организатором и был чрезвычайно внимателен к нам. Но в особенности он был внимателен к нашей актрисе Виктории Горшениной, которая вскоре стала его женой. Так что та поездка, счастливая для всех нас, для них оказалась вдвойне счастливой.

День великой Победы я встретил в Риге, в моем родном городе, где не был столько лет. Мы играли там в помещении Дома офицеров.

Утром 9 мая у нас спектакля не было, и я пришел в цирк. Просто как зритель. В разгар программы на арену вышел шпрехшталмейстер и объявил, что война закончена. Сначала люди даже как будто не поняли. Я хорошо помню мгновение тишины, полнейшей, абсолютной тишины, наступившей после этого известия. А потом... не передать, что творилось! Незнакомые люди обнимались, многие плакали. Так было повсюду в тот незабываемый день. И у всех людей было тогда такое чувство, что теперь, когда мы победили в такой войне, для нас буквально ничего невозможного нет: все одолеем!..

Оттенки и пробелы

Вот закончилась война, началась мирная жизнь... давай рассказывай, как она для тебя началась.

Нет, не так все легко.

Должен сказать, что пристрастное чтение современных, особенно актерских, мемуаров (интересно ведь, как другие это делают) привело меня к мысли, что у самых разных мемуаристов есть одна общая черта: им удается сохранять последовательность, некое подобие фабулы, преимущественно пока они излагают события первой половины своей жизни; той половины, которая относится к отдаленному времени. А по мере приближения к современности — у кого-то это возникает раньше, у кого-то позже — в реальной цепи событий все более явственно ощущаются пробелы. Так что порой трудно бывает определить, какова не только внешняя, но и внутренняя связь между одним событием и другим, между одной главой и другой.

Очевидно, чем ближе к нам время действия, тем больше требуется от автора осторожности и деликатности. Начинает сковывать сознание, что о многом просто рано еще вспоминать. Ведь что принадлежит недавнему прошлому (памятному людям не только старшего, но и среднего поколения), так или иначе продолжает существовать в настоящем и потому не выстраивается в законченный рассказ. Или наоборот, выстраивается с определенностью слишком жесткой.

Вот и передо мной возникает эта проблема.

В сущности, книга мемуаров — не столько репортаж о самом себе, сколько определенным образом сгруппированные портреты (в моем случае лучше сказать «зарисовки»). По ним внимательный читатель составляет впечатление и об авторе. А если его невозможно составить, то это происходит потому, что в повествовании преобладают общие места. Искусственно их не избежишь, как ни пытайся.

Мне везло на встречи с такими людьми, которые и при жизни, и после смерти вызывают всеобщее любопытство. А также везло на встречи с теми, кто был хотя и малоизвестной, зато колоритной фигурой. Но не о каждом из них я считаю себя вправе рассказывать.

Пожалуй, я не мог бы сформулировать, почему такому-то человеку решаюсь посвятить отдельный рассказ, а такому-то — не решаюсь... Могу сказать только, что вопрос не в степени близости знакомства, не в степени духовной общности. Так, со многими из тех, кто уже был или будет представлен на этих страницах, мои отношения были не очень глубокими. Хотя невольно отвожу им места не меньше, чем Утесову, Кассилю или Хикмету, с которыми крепко дружил. С другой стороны, о многих друзьях, равно как о многих событиях моей жизни (в особенности о событиях драматических), не получается сказать достаточно подробно, как они того заслуживают.

Очевидно, есть некая закономерность в том, что не все впечатления, рожденные той или иной памятной встречей, превращаются в рассказ о человеке. Не все впечатления ты способен организовать как сюжет. Не говоря уже о том, что не всякий устный сюжет поддается литературной записи.

Обо всем этом можно лишь сожалеть, но экспериментировать тут было бы рискованно, опрометчиво. Прежде всего по отношению к людям, которых ты не в состоянии изобразить так живо, как сам их видишь, когда остаешься один на один со своей памятью и со своей совестью.

Константин Симонов

«Все написанное мною в прозе связано с Великой Отечественной войной и предшествовавшими ей военными событиями на Дальнем Востоке.

Это же, впрочем, относится и к большинству моих стихов и пьес.

Хорошо это или плохо, но очевидно, что я до сих пор был и продолжаю оставаться военным писателем, и мой долг — заранее предупредить читателя, что, открывая любой из этих шести томов, он будет снова и снова встречаться с войной».

Так писал Константин Симонов в 1966 году в предисловии к своему собранию сочинений. Так он мог бы сказать и двенадцать лет спустя, в свой последний час.

Военное время сформировало его как художника, и я бы еще добавил, что своими лучшими человеческими поступками Симонов тоже был обязан военному времени. Тому неписаному кодексу фронтового братства, которому он — подчас неожиданно, непредсказуемо — следовал позднее, когда стал занимать высокие посты в Союзе писателей и когда, к сожалению, с ним произошли необратимые перемены.

Есть люди, которые почти не меняются с годами. О Симонове этого не скажешь. Он был очень разным, многоликим.

Мы познакомились перед самой войной, и я берегу его в своей памяти таким, каким знал в ту далекую пору, — открытым, скромным, робеющим на первой в своей жизни премьере (у Ивана Берсенева, в Московском театре имени Ленинского комсомола).

Он был тогда влюблен и любим. Это была романтическая, пылкая и красивая любовь, которой все вокруг восхищались, а многие завидовали. И было чему завидовать...

Потом все кончилось грустно, непримиримым разрывом с женщиной, которую он боготворил. Я очень переживал не столько сам их разрыв, сколько то, что этот факт стал предметом досужих обсуждений, а порой и весьма небезобидных домыслов. Теперь, когда нет в живых ни Симонова, ни Валентины Серовой, я считаю возможным сказать во всеуслышание, что их взаимное чувство не стоит замалчивать. Конечно, и теперь никто не вправе внедряться слишком глубоко в столь деликатную тему, но, уверяю, в их отношениях было много прекрасного. Они принадлежат истории хотя бы потому, что любовь к Серовой водила пером Симонова, когда он писал свои знаменитые лирические стихотворения военных лет, в том числе «Жди меня».

Валю Серову я знал еще тогда, когда она была артисткой, что называется, второго положения в берсеневской труппе. Это был 1938 год. Берсенев только-только возглавил Театр Ленкома, и вместе с ним в этот театр пришло много одаренных актеров, значительная часть которых прежде играла в закрытом к тому времени МХАТ-2. Лицо обновленного Ленкома определяли Серафима Бирман, Софья Гиацинтова, Борис Оленин, Ростислав Плятт, Владимир Соловьев... Серова не отличалась столь ярким дарованием, в мастерстве уступала им. Но она была очень красива, и отнюдь не кукольной красотой. В ней ощущалось обаяние независимости, способность к головокружительным решениям, глубокая эмоциональная жизнь.

Я снимался вместе с ней в фильме режиссера Навроцкого «Огненные годы». Съемки шли под Минском, в открытом поле. Вдруг в небе появляется самолет, кружит над нами и идет на снижение. Что случилось?! Все встревожены. Бегут навстречу самолету, который уже приземлился и, подскакивая на кочках, подруливает прямо к нам. И только Валя все понимает сразу.

— Не волнуйтесь, — невозмутимо говорит она. — Это ко мне.

Она была тогда замужем за Анатолием Серовым, летчиком-испытателем, Героем Советского Союза. Серов вышел из самолета с букетом цветов и вручил его Вале.

Вскоре он погиб при испытаниях. Она осталась одна с совсем еще маленьким сыном.

Костю с Валей познакомил я. Он увидел ее на сцене и попросил меня провести его за кулисы после спектакля и представить Серовой. Уже после этого она стала играть в его «Парне из нашего города», знаменитой ленкомовской постановке 1940 года. А популярной — на всю страну — стала после фильма «Девушка с характером».

Как хороша, весела была их свадьба — в квартире у Кости, куда он для шика пригласил официантов из «Метрополя».

— Атмосфера должна быть домашняя, — говорил Симонов, — но перемены блюд должны производиться профессионально!

В тот вечер он пил шампанское из ее туфли и вообще — гусарил. Ей это нравилось. Ей нравилась лихость. А Костя умел быть лихим.

Но жизнь не только из гусарства состоит: при иных обстоятельствах оно не спасает и только оборачивается самообманом. Впрочем, здесь я поставлю многоточие...

Мы с Симоновым дружили недолго — примерно до 1950 года. Потом и виделись редко, и общались сдержаннее. Но как забыть, например, первое послевоенное лето, когда мы с Ромой гостили у него на даче в Гульрипше!

Он очень любил готовить шашлыки и делал это превосходно. Еще до завтрака мы отправлялись на базар, и там он, я бы сказал, вдохновенно отбирал баранину, причем не терпел никаких советов в этом столь важном вопросе, и даже присутствие такого знатока, как местный поэт Иван Тарба, не смущало его. Мы втроем — Рома, Тарба и я — покорно плелись за ним.

Однажды я попробовал усомниться в необходимости нашего присутствия, поскольку он лишил нас даже совещательного голоса. В ответ он только пожал плечами. Точно я его всерьез обидел. Некоторое время спустя разъяснил:

— Понимаешь, вы мне нужны как зрители. Тогда я чувствую себя увереннее. Как человек, который заботится о благе ближних и знает, что ближние в случае чего могут подтвердить, что он действительно заботился.

Каждое утро после кофе совершался следующий ритуал: на доске раскладывалось купленное на базаре мясо, и Симонов, склонившись над ним, как полководец над картой, отдавал приказы:

— Это — в суп. Это — на котлеты. А это — в уксус. Отмачивать будем. Для шашлыка!!!!

Я знал еще двух мужчин, одержимых страстью готовить. Первым был генерал Игнатьев, автор знаменитых мемуаров «Пятьдесят лет в строю». А второй — литератор, критик Василий Сухаревич. Сам я никогда не понимал такую страсть. Но это — страсть.

Симонов был азартен. Как-то раз Иван Тарба привел нас на серебряную свадьбу к абхазцам. Костю там знали и в знак уважения к нему как писателю выбрали тамадой. А до этого, надо сказать, мы выражали сомнения в том, что вряд ли сможем соответствовать хозяевам в смысле способности к возлияниям. Костя подтрунивал над нами: мол, у него — фронтовой опыт. А я, вспоминая свой опыт по этой части (особенно ту историю с генералом-летчиком, который заставил меня выпить враз столько водки, сколько я за всю жизнь не пил), чувствовал себя нехорошо. Ну, приходим мы на свадьбу, и Костя, подмигивая мне, говорит хозяевам:

— Мы, конечно, знаем, что у вас есть такой обычай — пить до дна, не пропуская. Но вы поймите, ради Бога, мы — люди болезненные, мы к такому не привыкли. Так что уж давайте условимся заранее: лично я выпью столько, сколько сам поставлю на стол. И ни капли больше.

После чего он ставит на стол... восемнадцать бутылок вина. Самое удивительное даже не то, что он сдержал слово. (Зная его азартную натуру, можно было предположить, что он не просто бахвалится.) Самое удивительное, что он почти не опьянел.

Я вспомнил этот забавный случай вовсе не потому, что меня восхищает способность человека пить, не пьянея. Я равнодушен к алкоголю. В нашем доме початая бутылка коньяка может стоять месяцами — и никому из домашних в голову не придет притронуться к ней. Но дело в том, что если бы Симонову потребовалось доказать что-нибудь уж совсем невозможное, то он бы — я уверен, — как-нибудь исхитрившись, доказал бы и это.

Когда ему было нужно, он умел убедить кого угодно в чем угодно. Когда надо было проявлять дипломатичность, равных ему тоже не было. Впрочем, эти черты я обнаружил в нем позже.

А тогда, чудесным летом в Гульрипше, главным, сильнейшим моим впечатлением были его военные дневники. Я читал их запоем. Там была правда о войне. Он в ту пору приводил их в порядок, систематизировал. И мы с Ромой стали свидетелями того, как он, заглядывая в свои торопливые записи военных лет, диктовал стенографистке, что называется, с ходу какое-то новое прозаическое сочинение. Как звали стенографистку, я запомнил — Муза Ивановна. А что это было за сочинение — запамятовал. Но факт, что и в других случаях ему было свойственно ничего не менять в надиктованном художественном тексте.

К слову как единице текста он относился небрежно. Ему были важны периоды. Он мыслил периодами. Как бы вступая в тайное соревнование с эпическим размахом толстовского стиля. Толстой был для него высшим авторитетом в литературе.

Известно, что Симонов в течение всей жизни продолжал обращаться к своим фронтовым дневникам и корреспонденциям. Там он черпал сюжеты для романов и повестей.

Его проза оценена и не нуждается в защите. Но должен заметить, что Симонов-журналист, Симонов как автор дневников лично мне ближе, нежели Симонов в других своих литературных ипостасях.

Две встречи
с Анной Ахматовой

В начале 50-х годов Анна Андреевна, как известно, останавливалась у Ардовых, когда приезжала в Москву. Однажды, когда мы с Ромой тоже были в Москве, Виктор

Ефимович Ардов позвонил нам в гостиницу и, приглашая в гости, сказал (повторяю дословно):

— Анна Андреевна выразила желание послушать тебя.

Признаюсь, я опешил. Дело было даже не в том, что обычно я отказываюсь от подобных предложений и крайне редко, если только у самого возникает соответствующее настроение, исполняю что-нибудь в гостях, в кругу друзей. Главное, что смутило меня, — я не мог представить себе Ахматову в роли зрительницы эстрадного номера. К тому же и знакомы-то мы не были; хотя много лет жили в одном городе, почти по соседству, у меня было такое ощущение, что она живет в другом мире. Но отказаться от приглашения я не мог.

И если бы меня спросили, испытывал ли я когда-нибудь особенно сильное волнение от встречи с незнакомой аудиторией, я ответил бы не задумываясь, что это было в тот вечер, когда мою аудиторию составлял всего один человек (если не считать Ромы и домочадцев моего друга Виктора Ардова).

Не хочется произносить банальности о ее царственной осанке. Хотя и впрямь она была царственна, и это поражало с первого взгляда. Скажу только, что за столом она говорила очень мало, но поскольку при ней мы с Ромой тоже не говорили много, не отваживались, постольку часто возникали долгие паузы, в которых я чувствовал себя неловко. А Анна Андреевна, кажется, вовсе не тяготилась ими.

Паузы заполнял хозяин дома. Очевидно, в подобных ситуациях он уже бывал и ему это было привычно. Хотя я отметил, что и он, наш великий острослов, не слишком словоохотлив и совсем не саркастичен в присутствии Анны Андреевны. В основном он суетился у маленького столика в углу, на котором стояла электрическая плитка, и объяснял, как следует заваривать чай должным образом — по старым, времен Гиляровского, московским заветам, а вовсе не так, как это делают теперь, когда и не догадываются, что заваривание чая — особая культура.

Неожиданно Анна Андреевна сказала, что много наслышана обо мне, о моих, как она выразилась, артистических успехах, но жизнь ее складывается таким образом, что она почти не бывает в концертах и вообще мало где бывает. Она была бы весьма признательна, если мне, как уверяет Виктор Ефимович, удастся ее развеселить. Если, конечно, я буду настолько любезен, что не сочту просьбу слишком обременительной.

В ответ я попытался произнести нечто замысловатое о том, что странна не просьба, а мое положение, ибо, с одной стороны, я считаю для себя лестным... а с другой стороны, не уверен... понимая, так сказать, тщетность... поскольку работаю обычно для другой публики. Тут и Ардов философически добавил, что Ахматова — на века, а наше дело — сиюминутность.

Все это, как мне показалось, не произвело на Анну Андреевну ни малейшего впечатления. Как если бы она твердо знала, что за такой преамбулой непременно последует то, о чем она попросила. Словом, стал я читать монолог. Один, другой, третий... Читал, между прочим, самое смешное... постепенно заводился, входил в актерский азарт.

А она не смеялась. Только иногда улыбалась чуть-чуть. Царственно (волей-неволей скажу я снова).

Каково же было мое изумление, когда потом она сказала, что было очень смешно. Что ей давно не было так весело. Что она благодарна мне. Возможно, она говорила искренне. А смеялась, так сказать, про себя, внутренним смехом.

Иногда я встречал такую реакцию. В основном в профессиональной среде. Козинцев, как я уже рассказывал, тоже так смеялся. Да и сам я, бывает, не смеюсь (то есть по виду моему не понять, смешно мне или нет), когда сижу в зале. Все вокруг хохочут, а я сосредоточиваюсь на том, как артист работает, и говорю себе: вот это смешно, вот это он молодец, а вот это — нет, не годится. Впрочем, я далеко не уверен, что она смотрела с таким прицелом. Когда мы стали прощаться, Ардов — не помню, в какой связи — бросил фразу о том, что у Ромы есть альбом, наподобие «Чукоккалы», куда все что-нибудь записывают. Анна Андреевна оживилась. Сказала, что такой альбом — редкость по нынешним временам. Мы уже одевались в прихожей, когда она попросила немного подождать ее и удалилась в отведенную ей комнату. Вскоре она вернулась и протянула Роме листок, вырванный из школьной тетради. На листке было аккуратно записано ее четверостишие:

Эпиграмма.
Могла ли Биче словно Дант творить,
Или Лаура жар любви прославить?
Я научила женщин говорить,
Но Боже, как их замолчать заставить!

22 июля 1957 г.

— Это для вашего альбома, — сказала Анна Андреевна...

Прошло лет двенадцать, если не больше, прежде чем мы встретились еще раз. Не в Ленинграде, не в Москве, а вовсе даже в Оксфорде. Если бы тогда у Ардовых кто-нибудь высказал предположение, что такое будет возможно, я бы ни за что не поверил. Да и кто бы мог поверить!

Наш театр был в Лондоне, когда мы узнали от Мэлора Стуруа, собственного корреспондента «Известий» в Великобритании, что на днях в Оксфордском университете состоится церемония награждения Анны Андреевны Ахматовой. Для нас с Ромой это явилось столь же радостной, сколь поразительной вестью, и мы попросили Стуруа

271

непременно взять нас с собой, когда он поедет в Оксфорд. Но, к нашему удивлению, он не собирался присутствовать на торжестве, да и нам не советовал. Отношение к Ахматовой со стороны наших официальных кругов продолжало оставаться, мягко говоря, настороженным.

Так получилось, что из советских людей лишь Рома да я оказались свидетелями, да и то случайными, этого триумфа Ахматовой, триумфа русской поэзии.

Мы приехали в Оксфорд поездом несколько раньше назначенного часа, заняли очередь у входа, довольно внушительную. Тут к нам подошел незнакомый человек и произнес следующее:

— Извините, я слышу, вы говорите по-русски. Вы живете в России?

— Да, в Советском Союзе.

— Я тоже из России. Но я там не был с семнадцатого года..

Мы насторожились. Стуруа предупреждал нас о возможных провокациях. Но человек продолжал вполне миролюбиво:

— Разрешите представиться. Моя фамилия Молоховец. Вам это ни о чем не говорит?

Я хотел было ответить отрицательно, но Рома вспомнила:

— Позвольте, уж не родственник ли вы Елене Молоховец?

— Это моя бабушка, — с гордостью ответил он.

Тут и я вспомнил знаменитую до революции книгу кулинарных советов, написанную его бабушкой. Вспомнил, как в студенческие годы кто-то притащил эту книгу к нам в общежитие, и мы читали ее для развлечения вслух: то удивляясь диковинным блюдам, о существовании которых мы понятия не имели, то потешаясь над иными советами, с головой выдававшими «старорежимные» представления этого автора об ассортименте дежурных блюд, имеющихся на всякий случай в распоряжении каждой домохозяйки.

Между тем Молоховец-внук стал жадно расспрашивать о нашей жизни. Просил передать привет Леониду Соболеву, известному советскому писателю, вместе с которым когда-то учился в морском училище. Стал рассказывать о себе, но неожиданно осекся и, вновь извинившись, сказал:

— Собственно, мне от вас ничего не нужно. Просто я хотел постоять рядом с теми, кто имеет возможность дышать воздухом родины...

Но вот мы вошли в зал, и началось поистине великолепное зрелище. Зал был многоярусный. (Мы, в числе других гостей, смотрели со второго яруса.) Ряды партера окружали возвышение в конце зала, где в золоченом кресле — так и хочется сказать «на троне» — восседал ректор университета с молитвенником в руках.

В партере сидели студенты. Зазвучал орган, и в зал вошел церемониймейстер, ритмично взмахивавший жезлом, тоже золоченым. По его знаку началась церемония, посвященная переходу студентов на следующий курс. Каждый студент, облаченный в мантию своего курса, должен был, поднявшись по нескольким ступеням и затем преклонив колено, выслушать напутственные слова ректора, получить его благословение. После чего во главе с церемониймейстером покинуть зал, чтобы вскоре вернуться уже в новой мантии.

Потом настал черед ученых, общественных деятелей, художников, получивших почетную степень доктора «Гонорис каузе». Один из них был так стар и немощен, что его вели под руки. Но и он опустился на колено. Вся церемония длилась около трех часов, и в конце ее в зал вошла Ахматова. Ощущение было такое, будто мы стали свидетелями выхода королевы.

Она была в пурпурной мантии (точно в такой же мантии по поселку Переделкино разгуливал Корней Чуковский), но без шапочки, которую полагается надевать не-

273

пременно. Как потом рассказала Анна Андреевна, она сочла, что этот головной убор ей не к лицу, и в виде исключения ей позволили не надевать шапочку. Однако этим нарушение деталей ритуала не исчерпывалось. Ахматовой не пришлось ни подниматься по ступенькам, ни становиться на колено: ректор сам сошел к ней и вручил диплом.

Когда церемония закончилась, мы с Ромой купили большой букет роз и направились в гостиницу, где Анна Андреевна остановилась. Узнав от портье, что она отдыхает и просила не беспокоить ее, мы передали ей наш букет, вложив в него записку.

Но не успели мы отойти от гостиницы на несколько шагов, как нас догнал посыльный и сказал, что Анна Андреевна просит вернуться.

Мы застали у нее художника Юрия Анненкова, специально приехавшего из Парижа. Работы Анненкова я, конечно, знал. В основном книжную графику. Но для меня он был... как бы это сказать... чуть ли не доисторической фигурой. Никогда не думал, что доведется беседовать с ним. И уж вовсе неожиданным оказалось, что благодаря английскому телевидению он меня знает.

Кроме Анненкова, из Парижа на двух автобусах приехало множество поклонников и друзей молодости Ахматовой. Через несколько минут после нашего прихода они тоже явились в гостиницу. Я никогда не видел в таком количестве старых русских аристократов. Все они были крайне воодушевлены в тот момент, но смотреть на них было грустно. Некоторые плакали.

Узнав, что мы — советские артисты, они обрушили на нас град вопросов, в основном личного характера — о своих родственниках, друзьях, с которыми потеряли связь. Одна пожилая дама спросила Рому, не знает ли она что-нибудь о судьбе некой второстепенной актрисы, когда-то игравшей в Александринском театре. Мы о такой актрисе не слыхали. Тогда Рома пообещала, что попробует по приезде домой что-нибудь разузнать и напишет письмо. Пожилая дама расчувствовалась, долго благодарила и сказала:

— Адрес вы запомните легко. Мадам Мок. Париж. Франция.

Рома удивилась:

— А улица, дом?

— Ничего этого не надо. Мой муж — глава парижской полиции.

Когда же Анна Андреевна по привычке обратилась к присутствующим:

— До свидания, товарищи! — возникла напряженная пауза.

Прощаясь с нами, Анна Андреевна сказала:

— Они забыли, что товарищ значит друг. Но мы-то это помним, не так ли?

Я запомнил Анну Андреевну, окруженную морем цветов.

Корней Чуковский

Мы познакомились во время войны в Ташкенте. Чуковский был одним из организаторов концерта, сбор от него должен был пойти в помощь детям, оставшимся без родителей. После концерта, в котором я тоже принимал участие, нас представили друг другу.

— А я ведь с вами знаком давно, — сказал Чуковский. — Еще перед войной слушал вас по радио.

— В таком случае, Корней Иванович, я с вами вообще сто лет знаком. Вашего «Крокодила» помню и люблю с детства. Я читал его еще в первой, дореволюционной редакции, когда там действовал городовой, которого впоследствии вы убрали. Классическое произведение!

Он в ответ ухмыльнулся и шутливо погрозил мне пальцем:

— Знаете ли вы, что длинная память причиняет своим обладателям куда больше неудобства, нежели короткая? Во всяком случае, длинную память не всегда имеет смысл афишировать, ибо часто находятся желающие ее укоротить. Что же касается классичности упомянутого вами «Крокодила», то я, уж простите, спорить не стану. Хотя, между прочим, в двадцатые годы мно-о-гие не хотели меня признавать как детского поэта. И представьте себе, неохотно печатали. Странно, не правда ли?

— Странно, Корней Иванович.

— Бросьте. Что в этом странного?

— Да, действительно. Если подумать, то конечно.

— Что «конечно»? Нет, голубчик, нет. Все-таки это странно.

Такая у него была манера: подводить вас к какому-нибудь умозаключению, выуживать его из вас, чтобы тут же опровергнуть. Да еще и выразить недоумение: мол, что это вы такое несете. Это была своего рода игра. Эпатаж в духе Бернарда Шоу. В какой-то степени, наверное, объяснимый особым пристрастием Чуковского к литературе Туманного Альбиона, но не всегда уместный и естественный на нашей почве. Во всяком случае, чтобы не попасть впросак, с ним всегда надо было быть начеку. А то ведь он с самым невинным видом мог сделать из собеседника... отбивную котлету.

Переделкино — писательский дачный поселок под Москвой. Впрочем, это, наверное, все знают. Едва ли не у каждого писателя, который там жил, живет или время от времени приезжает в Дом творчества, можно найти описание, по крайней мере упоминание этого достославного места. Казалось бы, обычный подмосковный поселок. Но какое вместилище явных и тайных страстей! За каждым забором кто-то сидит и пишет. Что они там пишут? О чем думают?

За свою жизнь я исходил по Переделкино сотни километров. На моих глазах его обитатели превращались в названия улиц. А если не в названия, то в легенды, как, например, Пастернак. Многие, конечно, исчезли бесследно: ни доброй памяти, ни хороших книг по себе не оставив. А ведь как суетились и важничали!..

Чуковский был как бы частью переделкинского пейзажа. Когда он гулял по переделкинским улицам (а гулял он в любую погоду, даже в трескучий мороз), то походил на лешего, осматривающего свои владения.

Во всем, что касается детей, он был человеком душевно щедрым и неутомимо деятельным. По сей день в Переделкино работает детская библиотека, построенная на средства Чуковского и укомплектованная сотнями томов из его собрания, которые он передал в дар детям. Не знаю, как сейчас, а при его жизни дети не только читали там книги, но и делали уроки. И вообще это был как бы детский клуб, причем обязанности его председателя Корней Иванович добровольно взял на себя. Он верховодил окрестной детворой, я бы сказал, ритуально. С таким сознанием важности своей миссии, с каким иные его коллеги по Союзу писателей просиживают добрую половину жизни в президиумах различных заседаний.

Незабываемы детские праздники у костра, которые Чуковский многие годы подряд устраивал в Переделкино. Дети всей округи собирались на них, ждали их, готовились загодя. Да и взрослым было интересно. Пропуском на костер служила пригоршня сосновых шишек, которые каждый обязан был самолично набрать в лесу.

Надо было видеть, с какой серьезностью и с каким азартом проверял Корней Иванович наличие этого пропуска у каждого пришедшего независимо от возраста, и если иметь в виду взрослых, то и от занимаемого положения в обществе. Так что, будь ты даже солидным дядей, а все равно, если хочешь участвовать в общем веселье, изволь собирать шишки.

Я много раз участвовал в «чуковских кострах». Выступал на них, вспоминая свой довоенный детский репертуар. Приходил, как правило, с сыном.

Котя — ему было тогда лет шесть — изображал, как падает дерево. Р-раз — и действительно падал как подкошенный. Чуковский хохотал до слез, просил бисировать. Вообще он любил Котю. Был первым зрителем его танцев. Когда узнал, что он рисует, устроил в Переделкино выставку его рисунков. Хвалил его, когда вышла книжка «Раннее солнце», где В. Глоцером были собраны стихи и рассказы, написанные многими детьми, в том числе и Котины.

Впрочем, в последнем случае ему наверняка приходилось делать некоторое усилие над собой. Вступительную статью к этому сборнику писал Самуил Яковлевич Маршак. А ко всему, что делал Маршак, Чуковский относился в высшей степени ревниво и не мог да и не хотел этого скрывать.

В дни юбилея Корнея Ивановича Маршак прислал стихотворное послание:

> Могли погибнуть ты и я,
> Но, к счастью, есть на свете
> У нас могучие друзья,
> Которым имя — дети.

Помещая эти стихи в «Чукоккале», Корней Иванович снабдил их следующим комментарием: «Большинство его стихов отличалось язвительной колкостью. Но его голос всегда становился дружелюбным и мягким, когда речь заходила о детях». То же самое он мог бы сказать и о себе. Но когда речь заходила о чем-нибудь другом...»

Особенно Чуковский раздражался, говоря о шекспировских сонетах в переводах Маршака.

Однажды я имел неосторожность заметить, что мне они нравятся, да ведь и многим нравятся.

— Что такое «многим»?! — сердито вскричал Чуковский. — Кто они такие, «многие»?!

В этот момент он совершенно не был похож на того «дедушку Корнея», который вместе с ребятишками носился как угорелый по своему саду, напялив индейский головной убор из разноцветной кожи и перьев и выкрикивая при этом какие-то бармалейские заклинания.

Конечно, он не был тем добреньким, не от мира сего старичком, каким его пытаются представить любители сглаживать острые углы, создатели никому не нужных литературных идиллий о знаменитых людях. Добродушие не являлось определяющим свойством его натуры.

Не знаю, чувствовали ли это дети (думаю, что не чувствовали, потому что с детьми он вел себя совсем не так, как со взрослыми). Но уверен, что взрослые — и те, которые любили его и прощали ему многие экстравагантные выходки в повседневном общении, и те, которые его недолюбливали, — не могли бы с уверенностью сказать, где заканчиваются его симпатии и начинаются антипатии, где милые дурачества переходят в отнюдь не безобидные проделки.

Евгений Львович Шварц, который одно время был литературным секретарем Чуковского, говорил о нем так:

— Это секретер со множеством замочков и потайных ящиков.

Я не знал его так близко, как Евгений Львович, и не решаюсь претендовать на исчерпывающие определения его порой утомительной, порой обескураживающей, но при этом притягивающей как магнит незаурядной натуры. Факт, однако, остается фактом: в литературе и в жизни от него многим досталось («Серапионовым братьям», например), хотя, с другой стороны, он часто называл вещи своими именами, не боялся этого, особенно под конец жизни.

У Чуковского было очень тяжелое детство. И думаю, это обстоятельство многое определило в его характере. Он был сыном одесской прачки. Отца, который ушел из семьи, он почти не знал. А когда, оканчивая гимназию, обратился к отцу за помощью, тот не стал и слушать его, выгнал.

В автобиографической повести «Серебряный герб» Чуковский отчасти описал эту драматическую ситуацию. А точнее сказать, глухо намекнул на нее. Степень его обиды была такова, что он не изжил ее окончательно даже и в зрелости. Я сужу об этом по некоторым его фразам, мелькавшим в наших разговорах. А главное — по самой книге «Серебряный герб». По тому, как осторожен, скрытен Чуковский, изображая внутреннюю жизнь героя.

С собственными детьми у него были достаточно сложные отношения. В его переделкинском доме часто пустовал кабинет Николая Корнеевича, хорошего писателя, скромного, деликатного человека. Николай Корнеевич не очень-то• любил бывать в Переделкино. При отце предпочитал отмалчиваться. Автора знаменитого романа «Балтийское небо» Чуковский-старший подавлял своим авторитетом, своими художественными да и просто бытовыми вкусами.

Однажды иду по переделкинской улице Серафимовича, или, как называли ее аборигены, по улице Железного потока. Навстречу — Чуковский. Спрашивает:

— Что поделываете?

— Да так, знаете ли...

— Нет, ну все-таки. Интересно. Я же вижу, что вы не просто гуляете. У вас для этого слишком отсутствующий вид.

— Я учу текст нового монолога.

— На ход-у-у?! Нет, это не годится. Заходите ко мне. Колин кабинет в вашем распоряжении.

— Спасибо, Корней Иванович. Как-нибудь в другой раз.

В другой раз, увидя меня на той же улице с текстом роли в руках, он без всяких приветствий напустился на меня, как если бы поймал на месте преступления:

— Пренебрегаете!

— Бог с вами, Корней Иванович. Просто я так привык. Мне так удобно — гулять и учить.

— Ну, как знаете, — сказал он сухо и, не прощаясь, пошел своей дорогой.

В третий раз дело приняло совсем уж крутой оборот. Он, как выяснилось, поджидал меня, караулил у ворот своей дачи. И когда я поравнялся с ним, он распахнул калитку и выкрикнул с угрозой, как-то по-петушиному:

— Прошу!

Я понял, что сопротивление бесполезно. Рассмеялся. Вошел в сад. Поднялся на крыльцо и остановился у двери, чтобы пропустить его вперед.

— Вы гость. Идите первым, — сказал Чуковский.

— Только после вас.

— Идите первым.

— Не смею.

— Идите первым.

— Ни за что!

— Ну, это, знаете ли, просто банально. Нечто подобное уже описано в литературе. Кстати, вы не помните кем?

— А вы что же, меня проверяете?

— Помилуйте. Зачем мне вас проверять? Просто я сам не помню.

— Ну, Гоголем описано. В «Мертвых душах».

— Гоголем, стало быть? Неужто? Это вы, стало быть, эрудицию свою хотите показать? Нашли перед кем похваляться. Идите первым.

— Ни за какие коврижки!

— Пожалуйста, перестаньте спорить. Я не люблю, когда со мной спорят. Это в конце концов невежливо — спорить со старшими. Я, между прочим, вдвое старше вас.

— Вот потому-то, Корней Иванович, только после вас и войду.

— Почему это «потому»? Вы что, хотите сказать, что вы моложе меня? Какая неделикатность!

— Я младше, Корней Иванович. Младше.

— Что значит «младше»? По званию младше? И откуда в вас такое чинопочитание?! У нас все равны. Это я вам как старший говорю. А со старших надо брать пример.

— Так подайте же пример, Корней Иванович. Входите. А я уж за вами следом.

— Вот так вы, молодые, всегда поступаете. Следом да следом. А чтобы первым наследить — кишка тонка?!

После чего он с неожиданной ловкостью встал на одно колено и произнес театральным голосом:

— Сэр! Я вас уважаю.

Я встал на два колена:

— Сир! Преклоняюсь перед вами.

Он пал ниц.

То же самое проделал и я.

Он кричал:

— Умоляю вас, сударь!

Я кричал еще громче. Можно сказать, верещал:

— Батюшка, родимый, не мучайте себя!

Он шептал, хрипел:

— Сынок! Сынок! Не погуби отца родного!

Надо заметить, дело происходило поздней осенью, и дощатое крыльцо, на котором мы лежали и, как могло показаться со стороны, бились в конвульсиях, было холодным. Но уступать никто из нас не хотел.

Из дома выбежала домработница Корнея Ивановича, всплеснула руками. Она была ко всему привычна, но, кажется, на сей раз не на шутку испугалась. Попыталась нас поднять.

Чуковский заорал на нее:

— У нас здесь свои дела!

Бедную женщину как ветром сдуло. Но через мгновение она появилась в окне:

— Может, хоть подстелите себе что-нибудь?

Чуковский лежа испепелил ее взглядом, и она уже больше не возникала. А он продолжал, вновь обращаясь ко мне:

— Вам так удобно?

— Да, благодарю вас. А вам?

— Мне удобно, если гостю удобно.

Все это продолжалось как минимум четверть часа, в течение которых мне несколько раз переставало казаться, что мы играем. То есть я, конечно, понимал, что это игра. Да и что же другое, если не игра?! Но... как бы это сказать... некоторые его интонации смущали меня, сбивали с толку.

— Все правильно, — сказал он, наконец поднявшись и как бы давая понять, что игра закончилась в мою пользу. — Все правильно. Я действительно старше вас вдвое. А потому...

Я вздохнул с облегчением и тоже встал на ноги.

— ...а потому... потому...

И вдруг как рявкнет:

— Идите первым!

— Хорошо, — махнул я рукой. И вошел в дом.

Я устал. Я чувствовал себя опустошенным. Мне как-то сразу стало все равно.

— Давно бы так, — удовлетворенно приговаривал Чуковский, следуя за мной. — Давно бы так. Стоило столько препираться-то!

На сей раз это уж был финал. Не ложный, а настоящий.

Так я думал. Но ошибся опять.

— Все-таки на вашем месте я бы уступил дорогу старику, — сказал Корней Иванович, потирая руки.

Однажды он явился на дачу к Льву Абрамовичу Кассилю с тремя дамами. Я тоже там был, мы столкнулись в прихожей.

Двум дамам Чуковский сказал:

— Вообще-то я не знаю, почему вы со мной пришли. Вас тут никто не ждет. Так что лучше бы вам уйти отсюда.

Две дамы обиделись и действительно ушли. Третья, гостья из Болгарии, почувствовала себя неловко и тоже хотела уйти. Но он ее удержал:

— Вы иностранка, вам можно.

Правда, когда Светлана Леонидовна, жена Кассиля, пригласила гостью войти в дом, выпить чаю, то досталось от него и болгарке:

— Если вы будете пить чай в этом доме, лучше ко мне не приходите.

За столом была и Татьяна Тэсс. Он сообщил ей следующее:

— Читал вчера вашу статью в «Известиях». Более бездарного чтения еще не встречал.

Получил «комплимент» и я.

— Вы очень хороший артист. Вы очень нравитесь... моей кухарке. Правда, у нее и вкус соответствующий.

Наконец он стал прощаться:

— Я ворвался сюда как светлый луч в темное царство.

Когда он ушел, у всех точно камень с плеч упал. Но отсюда совершенно не следует, что в доме Кассилей были бы не рады его очередному визиту.

— Старик не в настроении, — пожал плечами Кассиль. — Чего не бывает!

Оксфордский университет удостоил Чуковского, как и Анну Андреевну Ахматову, ученой степени доктора «Гонорис каузе». Вообразить Ахматову, которая прогуливается в пурпурной докторской мантии, скажем, по Комарово, — немыслимо. А Чуковский щеголял в этой мантии на своих «кострах», бродил в ней по саду, как в халате. Согласитесь, что, встретив на проселочной дороге человека в таком одеянии, можно остолбенеть. А ему только того и надо было.

На даче у Чуковского висело объявление: уважаемые гости, учтите, что хозяин ложится спать в такое-то время, обедает и ужинает тогда-то. Он прекрасно умел оградить себя от всяческих соблазнов и обязательств. Ради главного обязательства — перед чистым листом бумаги.

А у него была огромная сила воли. Огромная работоспособность, даже в глубокой старости. Его рабочий день начинался в пять утра. Но и после обеда, когда он переставал писать, он не переставал работать. Во всяком случае, у меня было такое ощущение. Потому что Чуковский жил среди книг. Книги, книги и книги — это было главное в его доме, главное в нем самом...

Брат Назым

Конец 40-х — начало 50-х годов не самое радостное время в истории нашего коллектива, да и в моей судьбе.

После войны мы остались практически единственным в стране сатирическим театром. Казалось, и нас закроют.

Рецензии, которые появлялись в газетах одна за другой и были одна на другую похожи, давали все основания для мрачных предчувствий. Особенно усердствовал фельетонист Давид Заславский. Уж как он нас обличал! Ну да я не об этом...

Едва ли не первым, кто выступил в нашу защиту и реально помог нам силой своего авторитета, был Назым Хикмет. Он писал, что мы вовсе не злопыхатели. Что нас следует воспринимать по законам искусства, а не газетной публицистики. Его мысли были столь же просты, сколь необходимы нам — как воздух. Кто-то ведь должен был взять на себя смелость публично их сформулировать.

Мы пригласили Хикмета в художественный совет театра. Обычно члены худсовета, если они не являются штатными работниками театра, выполняют свои обязанности достаточно формально, от случая к случаю. К Хикмету это ни в коей мере не относилось. Он был человек редкостной обязательности.

Его юность, его университеты — это Москва 20-х и 30-х годов. В частности, Москва театральная. Через всю жизнь он пронес любовь к Мейерхольду. И, выступая на наших худсоветах, не раз вспоминал сатирические спектакли Всеволода Эмильевича. В то время мало кто позволял себе говорить о Мейерхольде так открыто и свободно, как Хикмет.

Наконец, он умел очень профессионально, тонко разобрать спектакль, чем приносил нам немалую пользу. Далеко не каждый драматург способен анализировать все компоненты театрального действия, а не только его литературную основу так, как это делал Хикмет. Он был в этом плане образован и широк, как хороший театровед. Причем театровед-полемист, легко овладевающий аудиторией, умеющий вызвать на спор и уложить на лопатки.

Он воодушевлял нас своими воспоминаниями о бурных дискуссиях 20-х годов. На долгие тринадцать лет оторванный от нашей действительности, он с трудом привыкал к тому, что Москва очень изменилась с той поры. Как известно, эти тринадцать лет он пробыл в турецкой тюрьме, куда был заключен в конце 30-х годов за принадлежность к коммунистической партии.

Когда товарищи помогли Назыму бежать из тюрьмы, его здоровье было подорвано. Вместе с еще одним бежавшим узником, не менее изможденным, они сели в лодку и, с трудом оттолкнувшись от берега, поплыли в открытое море. Им удалось выйти в нейтральные воды, но они были так слабы, что больше не могли грести и время от времени ложились на дно лодки, чтобы передохнуть. К счастью, их заметили моряки советского торгового корабля «Плеханов». С корабля спустили на воду шлюпку, и, увидев это, Назым из последних сил закричал:

— Братья! Я — Назым Хикмет!

Он знал, что в Советском Союзе его имя известно каждому. Решение, которое предстояло принять капитану корабля, напрашивалось само собой: поднять беглецов на борт и доставить их в советский порт. Тем более что они сразу же заявили о своем желании просить политического убежища в СССР. Корабль — часть советской территории, а его капитан — полномочный представитель советской власти. У него были все основания действовать самостоятельно. Но капитан привык действовать по распоряжению свыше. Прошло несколько часов, пока беглецы получили разрешение подняться на корабль. Именно столько времени понадобилось капитану, чтобы, связавшись по радио с начальством, получить необходимые указания. Потом в каюте этого капитана Хикмет увидел плакат: «Свободу Назыму Хикмету!»

Эту историю Назым не раз рассказывал. Но никогда — с обидой. А мне, когда я первый раз услышал ее, стало очень стыдно за нашего капитана. Заметив мою реакцию, Назым сказал:

— Из этого, безусловно, можно сделать только один вывод. Только один. Просто твои персонажи не только на суше не перевелись, но и на море. Можешь поставить его на свой сатирический учет.

Хикмет верил, что его друзья в Советском Союзе не похожи на этого капитана.

Он был человеком глубоко идейным. Его идейная убежденность выражалась не только в словах (хотя и в словах тоже: ведь именно слово — оружие поэта), но прежде всего — в бесстрашии, в повседневном чувстве гражданского долга.

Он воспитывал — не сентенциями, а личным примером. Рядом с ним невозможно было не задуматься о себе, о том, все ли ты делаешь, что в твоих силах, чтобы по праву называться гражданином своего отечества. Будучи социальным оптимистом, он старался понять природу недостатков нашей жизни, свято верил, что все это — преходящие явления, издержки роста.

Его дачу в Переделкино мы шутя называли «штаб-квартирой прогрессивных сил человечества». Но шутки шутками, а там ведь и впрямь можно было встретить представителей всех стран и континентов. Поэты и художники из социалистических стран, коммунисты-подпольщики из Латинской Америки; муж и жена, которые много лет находились в заключении в одной азиатской стране и, бежав из разных тюрем, ничего не зная друг о друге, встретились у Хикмета. Азиз Несин, Пабло Неруда, Витезслав Незвал... Как бы ни был разноязычен и разнолик круг этих людей, у меня всегда возникало ощущение братства.

Обедали на кухне. У него была не настолько просторная кухня, чтобы могли поместиться все. Но все помеща-

МХЭТ — Маленький художественный эстрадный театр

Афиша эстрадного представления "На чашку чая"

Афиша спектакля "Не проходите мимо!"

Монолог "Невский проспект"

У истоков нашего театра стояли известные артистки
Надежда Копелянская и Зинаида Рикоми

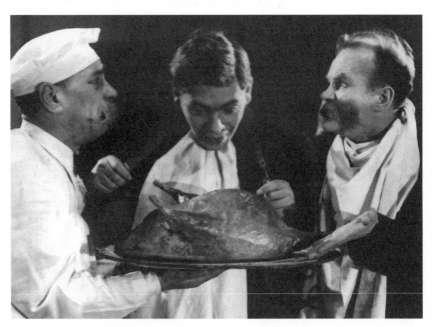

Н. Галацер, А. Райкин, Г. Новиков. Сцена из спектакля. 30-е годы

"Четыре канотье" (третий слева – А. Райкин).
Номер из спектакля "Не проходите мимо!" . 1941 год

А. Райкин и Г. Карповский.
1940 год

Одесса. 1939 год. Второй слева – И.М. Гершман

А. Райкин и Р.М. Рубинштейн (с трубкой)

Н.С. Орешков

А.М. Матов

К.Э. Гибшман

А.А. Менделевич — конферансье

В.С. Поляков

3/X 39г Кисловодск

Р. Рома, А. Райкин,
А.Д. Попов,
Ф.Г. Раневская.
Кисловодск, 1939 год

Рома
и маленькая Катенька.
1938 год

А. Райкин

Фронтовая бригада Ленинградского театра миниатюр

Карповский, Медведева, Жак, Райкин, Рома. В машине Галацер.
Совгавань, 1942 года

Выступление перед военными моряками ▶

М. Светлов

М. Зощенко

Е. Шварц

К. Чуковский

В. Ардов

Выступление А. Райкина для детей и взрослых
на костре у К.И. Чуковского в Переделкино

После творческого вечера Л.А. Кассиля (слева направо): С. Собинова–
Кассиль, И.С. Козловский, Е. Райкина, А. Райкин, Рома Райкина,
Л.А. Кассиль, Ю. Крижевская–Цейтлина. ЦДЛ

Л.О. Утесов и А.И. Райкин

А. Райкин, К. Паустовский. Переделкино

Н. Хикмет с женой В. Туляковой и А. Райкин – за кулисами театра

Р. Рома. 1945 год

Котенька Райкин на плечах
у сестрички Катеньки.
1950 год

Папа и дочка.
Первые послевоенные
гастроли и отдых

лись. Там круглый год висели на ниточках сушеные овощи, подчас весьма диковинные, привезенные хозяину в подарок откуда-нибудь из Колумбии или Индонезии, и поэтому на кухне стойко держался особый, пряный аромат. Хикмет был скромен в еде, совсем не гурман. Не помню, чтобы он принимал гостей широко, как в некоторых домах чревоугодников. Но ведь принять скромно и принять скупо — это разные понятия. Вопрос в том, зачем вас зовут в гости.

В доме Хикмета цена общения была чрезвычайно высока. Потому что большинство людей, как и он сам, слишком хорошо знали цену разлуки. Обращаясь к гостям, Хикмет каждого называл не иначе, как брат. Так он обращался ко всем, в ком не подозревал зла или малодушия.

Как-то раз между ним и известным польским дипломатом и публицистом Яном Османчиком произошел забавный разговор.

— Если бы я не знал, что ты поляк, — сказал Хикмет, — я бы принял тебя за турка.

— А я и есть наполовину турок, — огорошил его Османчик. — Мой отец был турком. А вот я, если бы не знал, что ты турок, принял бы тебя за поляка.

Тут пришел черед торжествовать Назыму:

— А я и есть наполовину поляк. Моя мать была полькой.

Хикмет горячо любил Турцию, любил Польшу и Россию, считая ее своей второй родиной. Но можно сказать, что такие же чувства сыновней любви он испытывал ко всему миру. Он был настоящим интернационалистом.

У Назыма был сын Мешкед, ровесник моего сына. Назым приходил к нам домой, брал Котю за руку и так сидел целый вечер. Почему-то ему казалось, что Мешкед и Котя похожи. Он никогда не видел своего сына.

Когда Хикмета заключили в тюрьму, знатные родичи отвернулись от него, навещала только одна женщина, дальняя родственница. Она стала его женой и родила ему сына. Живя в Советском Союзе, он не знал, какова их судьба, и тяготился этим.

И вот однажды, поехав на какой-то симпозиум в Италию, Назым увидел в порту корабль под турецким флагом. Он пришел к капитану и, рассказав ему свою историю, попросил капитана взять его с собой под видом матроса, чтобы он мог разыскать сына и жену и тайно вывезти их из Турции. Сначала капитан ответил, что Назым — сумасшедший. Ведь за его голову в Турции была назначена крупная сумма, и любой мог узнать его и донести первому же полицейскому. Но в конце концов капитан согласился рискнуть. Несколько дней, что они плыли в Стамбул, Назым провел скрюченный в три погибели в трюме, на старых канатах.

Когда показались родные берега, он не вытерпел и вышел на палубу. Капитан ужаснулся, поскольку среди команды могли найтись доносчики. Он стал отчитывать Назыма: мол, погубишь и себя, и меня, и всю команду. В сущности, капитан был прав, и Назым, рассказывая потом об этом, разводил руками: что поделаешь, чувство Родины в тот момент заставило забыть об опасности.

Уже когда корабль входил в акваторию порта и можно было разглядеть на причале фигуры таможенников, Назыма облачили в матросскую робу и свернутый из старой газеты колпак, выдали ведро с краской и малярную кисть, и, подвешенный в люльке, он стал красить борт корабля. Шансов, что его не заметят таможенники, было мало. Но они его не заметили.

Между тем доверенное лицо капитана, кто-то из команды, отправился к жене Назыма с запиской, в которой Назым писал, чтобы она и Мешкед немедленно шли с этим человеком в порт. Жена, надо сказать, находилась под домашним арестом, у дома круглые сутки дежурил полицейский. Но видимо, судьба была на их стороне: как раз в тот момент, когда к ней явился человек с запиской, полицейский куда-то отлучился (жена и сын Хикмета вели тихий, замкнутый образ жизни, и бдительность полиции со временем притупилась).

Все завершилось благополучно. Через несколько дней тот же корабль доставил мужа, жену и сына в Италию. Назым пришел к советскому консулу в Неаполе и рассказал все как было.

Ему доставляло удовольствие выискивать для нашего театра новых интересных авторов. Так, в 1961 году, незадолго до его смерти, я получил от него пространное письмо, в котором он всячески рекомендовал молодых в ту пору М. Азова и В. Тихвинского. Я верил Назыму безоговорочно, и вскоре в репертуаре нашего театра появились их миниатюры. Некоторые, надо сказать, действительно украсили наш репертуар.

Но сколько я ни просил самого Назыма написать для нас что-нибудь, он неизменно отказывался.

— Брат, — говорил он, — у меня не получится.

— Получится. Еще как получится!

— Не спорь, брат, я лучше знаю.

И при этом его добрые голубые глаза приобретали на мгновение стальной оттенок.

Впрочем, однажды, после долгих уговоров, он сдался. Пообещал вдруг:

— Будет тебе миниатюра, брат.

Несколько месяцев мы не вспоминали об этом, потом он приходит и говорит смущенно:

— Понимаешь, тут такая миниатюра вышла... страниц на шестьдесят. В общем, я же тебе говорил, что не получится.

У него получилась «полнометражная» пьеса «А был ли Иван Иванович?». Он отдал ее в Театр сатиры. Кстати, главная роль — вполне для меня. Но ничего не поделаешь...

Судьба спектакля, поставленного В. Плучеком, к глубокому сожалению, не сложилась. Он был запрещен — пьеса оказалась «слишком острой». Предвидя это, я советовал Хикмету подождать, не отдавать пьесу. Но он торопился, надеялся на свой авторитет. Увы... не помог и авторитет.

Леонид Утесов

Если бы в 1939 году, во время конкурса, мне сказали, что вскоре мы с Утесовым станем большими друзьями, я бы ни за что не поверил. Подумал бы, что надо мною подшучивают. Солдат не может дружить с генералом. Это противоестественно. А Утесов для меня и для всех нас, молодых артистов, принимавших участие в конкурсе, был больше, чем генерал. Он был мэтр. Кумир. Он был Утесов.

Впрочем, нет более неподходящих слов для характеристики Утесова, нежели «мэтр» и «кумир». Когда он появлялся среди участников конкурса, ни о каком благоговении не могло быть и речи. Он постоянно рассказывал что-то анекдотическое из собственной жизни и терпеть не мог разговоры о «муках творчества».

— Если вы такой большой художник, что не можете без мучений, отойдите, пожалуйста, в сторонку и мучайтесь там себе на здоровье. Не надо портить жизнь другим. Она и без вас не такая сладкая...

Это — его слова. В тех или иных вариациях он повторял их в течение многих лет. Разумеется, в этих словах не было пренебрежения к творческому труду. Он сам был большой труженик, но считал — и, по-моему, вполне справедливо, — что никому не должно быть дела до того, какою ценой приходите вы к результату.

Робость начинающих артистов в общении с ним Утесова веселила. Ему это было приятно, хотя он и делал вид, что совершенно не замечает, как мы к нему относимся. И даже демонстративно подчеркивал, что между ним и нами нет никакой разницы. Ведь все мы — артисты, все мы — одна компания. Мы от этого еще больше «зажимались»; как водится в таких случаях, изъяснялись главным образом с помощью междометий. А некоторые бросались в другую крайность — в панибратство. Этих Утесов обдавал холодным душем той специфической одесской иронии, которая в литературе опоэтизирована, а в жизни бесцеремонна и бывает весьма неприятна не только для тех, на кого направлена, но и для всех окружающих.

Впрочем, издеваться над людьми Утесов не умел. Владея искусством поставить человека на место, он тут же все превращал в шутку, так что обижаться на него было невозможно.

Не стану утверждать, что Утесов был самым скромным человеком из тех, кого мне довелось встречать на жизненном пути. Не стану утверждать и того, что он был человеком изысканного вкуса и тонких манер. Но у него была душа артиста, и все, чего ему недоставало от природы или в силу воспитания (его университетами была сама жизнь), восполнялось обаянием и самобытностью его артистической личности.

Ощущать себя на вершине Олимпа, проявлять высокомерие к творческой молодежи, кичиться перед ней своими заслугами — такое никогда не могло бы прийти ему в голову.

На конкурсе я случайно стал свидетелем его разговора со Смирновым-Сокольским, который настаивал на том, чтобы жюри было более строгим в своих оценках.

— Перестань! — сказал Утесов. — Мы уже заслужили право хоть кого-нибудь похвалить.

Он был очень добрым человеком. Дар легкого общения, легкого восприятия помогал ему идти «с песней по жизни» даже в самые тяжелые времена, когда джаз объявляли «музыкой толстых», а его самого — «безголосым» и «проповедником пошлости».

Через год после конкурса он приехал в Ленинград. Я встретил его на вокзале. Мы обнялись. Мы были уже приятели. (Впрочем, я никогда не мог перейти с ним на «ты»: всю жизнь он говорил мне «ты», а я ему — «вы» и считал это в порядке вещей, несмотря на то что он неоднократно предлагал мне «бросить церемонии».)

— Ты можешь сделать мне одно одолжение? — спросил Утесов, как только вышел из вагона.

— Почему только одно?! — ответил я ему в тон. — Сколько надо, столько и сделаю.

— Но я прошу тебя только об одном одолжении. Правда, это не столько одолжение, сколько жертва. Боюсь, ты на нее не пойдешь.

— Если только в моих силах... — сказал я, разведя руками: мол, чего не сделаешь ради друга.

— Начинается! — воскликнул он с ироническим пафосом. — Я тебя еще ни о чем не успел попросить, а ты уже выдвигаешь условия. Что значит «в моих силах»?! Я тебя сразу предупреждаю: это выше твоих сил.

— Что вы имеете в виду?

— Какая разница! Ты уже все сказал. Мне все ясно.

— Нет, вы, пожалуйста, скажите прямо. Вы же знаете: я все готов сделать для вас.

— Готов! — передразнил Утесов. — То, о чем я собирался тебя попросить, ты бы ни за что не сделал. У тебя нашлись бы тысячи отговорок, я бы расстроился, и наши отношения дали бы трещину. Спрашивается: кому все это нужно?! Кончено! Я тебя вообще ни о чем просить не буду. А тем более о таких жертвах, на которые ты просто не способен. Хотя то, о чем я собирался тебя попросить, в сущности говоря, пустяк.

— Послушайте, — сказал я, — может быть, хватит интриговать? Я даю вам честное слово, что сделаю все. Во всяком случае, вы меня уже довели до такого состояния, впадая в которое, люди не знают пределов.

— Действительно довел? — деловито осведомился он и бросил на меня испытующий взгляд. — Тогда слушай. Я прошу тебя бросить все свои дела и провести этот день со мной.

Возникла пауза.

— Понимаете, — сказал я неуверенно...

— Нет, ты посмотри, какой день. Нет, ты возьми глаза в руки и посмотри. Кто знает, когда мы еще сможем побродить вместе по Ленинграду?

— Конечно, — сказал я, — все это прекрасно. Но вы должны меня понять. У меня как раз сегодня дел невпроворот. Вы даже себе не представляете. Меня ждут люди. Понимаете, это же официальные встречи... Ну что вы молчите?! Слушайте, давайте перенесем нашу прогулку на завтра...

— Я так и знал, — сказал он с совершенно убитым видом. — Делай что хочешь. Нам не о чем больше разговаривать!..

Все-таки я не смог ему отказать. Я плюнул на все, и мы бродили до позднего вечера по городу, который стал родным не только для меня, но и для него. Хотя в то время он жил в Москве и любил ее, все-таки настоящий успех впервые пришел к нему именно в Ленинграде. Он шутя доказывал мне, что имеет право называть себя ленинградцем, — здесь родился его джаз. Боится только, что Одесса направит Ленинграду ноту протеста.

Для меня это был повод слегка его подразнить:

— Какого еще протеста?! Все вы, одесситы, немного «пикейные жилеты»...

— ...и это наше счастье, — неожиданно заключил он, как мне показалось, не шутя.

Под вечер он затащил меня в ателье знаменитого фотографа по фамилии Булла, с которым был коротко знаком еще с двадцатых годов. Перед фотоаппаратом мы разыгрывали комические сценки, дурачились: то он меня за ухо держит, то я его — за волосы; то мы оба такие рожи состроим, что видавший виды фотограф — профессор, а не фотограф — снимать от смеха не может. А напоследок всерьез сфотографировались. В обнимку.

В следующий раз мы встретились в Ленинграде только через пять лет, после войны. И опять бродили по городу. Но это уже было совсем не так беззаботно и весело, как в тот неповторимый день, когда он заставил меня сделать ему «одолжение».

Однажды летом мы всей семьей, включая двухлетнего Котю и пятилетнего пуделя Кузю, поселились в подмосковном поселке Внуково, на утесовской даче.

— Что может быть лучше дачи! — патетически воскликнул Леонид Осипович, приглашая нас к себе. — Что может быть лучше, особенно когда у вас на руках маленький ребенок, то есть когда вы связаны по рукам и ногам, то есть когда, с одной стороны, вам привалило большое счастье, а с другой стороны, вам просто ничего не остается, как только поехать на дачу и сидеть там все лето без всяких разговоров. Что? Вы терпеть не можете дачную жизнь? Она вам кажется слишком однообразной? Я вас не понимаю. Неужели вы такие черствые люди, что способны отказать маленькому ребенку в глотке свежего воздуха? Вот если бы я был ребенок, я бы жил на даче круглый год. Но, слава Богу, я давно уже не ребенок. Я говорю «слава Богу», потому что — конечно! — ничего не может быть хуже дачи, особенно когда она вам нужна примерно так, как рыбе зонтик. Мне, например, именно так она и нужна. Потому что я не люблю там жить, не хочу там жить и не буду там жить (разве что наезжать из необходимости, или, лучше сказать, из вежливости, или, чтоб уж совсем хорошо сказать, из сострадания к вам: чтобы вам не показалось, будто вы находитесь на необитаемом острове, хотя еще неизвестно, что лучше — настоящий необитаемый остров или такая жизнь, которая ни к селу ни к городу, то есть как раз на даче). И даже если вы будете очень упрашивать меня изменить свое мнение, то я вам скажу со всей прямотой, что абсолютно согласен с теми, кто думает так же, как я. А если вам не хватает здесь философии, то я могу добавить, что никто, кроме нас самих, не будет платить за те глупости, которые мы совершаем. Хотя, конечно, то, что я решился приобрести дачу, еще не самая большая глупость в моей жизни. Во всяком случае, она не идет ни в какое сравнение с той глупостью, которую я совершаю сейчас, а именно: не решаюсь эту чертову дачу продать. Короче говоря (хотя, конечно, говорить короче мне трудно в принципе!), если есть в ней хоть какой-нибудь смысл и какое-нибудь оправдание мне, так это лишь то, что я могу предоставить ее в ваше распоряжение: живите сколько вам нужно, мои дорогие, живите в свое удовольствие, а я на вас издали посмотрю. Посмотрю, что это будет за удовольствие.

Не ручаюсь за документальную точность изложения, но ручаюсь, что интонацию, а также временную протяженность этой утесовской тирады я передаю достаточно верно.

Леонид Осипович был известен среди своих близких друзей как воинствующий антидачник. Отдыхать он предпочитал в Кисловодске или в Доме творчества кинематографистов в Болшеве — где угодно, только бы подальше от Внуково. Когда же он все-таки приезжал на дачу, то тяготился этим чрезвычайно: скучнел, мрачнел и в конце концов выискивал какой-нибудь повод срочно вернуться в город.

Впрочем, где бы он ни находился, дачные проблемы настигали его повсюду и вызывали у него неподдельный ужас, хотя, как и в любых других ситуациях, он при этом чувства юмора не терял.

— Представляешь, — жаловался он мне, — что сейчас является для меня самым срочным, самым безотлагательным делом? Ты думаешь, подготовка новой концертной программы? Ничуть не бывало! Самое главное — это воз, извини за прозу, дерьма, который (именно воз и никак не меньше!) необходимо экстренным образом раздобыть и доставить на наш дачный участок. В противном случае все погибнет.

— Что, собственно, погибнет?

— Ну, я не знаю. Все, что там растет. Клубника. Или картошка. Что-то такое у нас там растет. Растет и требует удобрений. Растет и требует.

До чего же, право, не шла ему роль хозяина дачи! При том, что в ином случае Утесов вовсе не производил впечатления человека непрактичного и бесхозяйственного. Просто в дачной тишине и в дачных хлопотах он чувствовал себя не в своей тарелке. Для других такая тишина, такая размеренность, такая возможность переключиться, отрешиться от повседневной суеты — мечта заветная, рай земной. Для Утесова же, человека бурных общений, это было сущим наказанием.

Быть на публике, ощущать живую реакцию людей на каждую свою реплику, самому реагировать встречной репризой, то ли развивая мысль собеседника, то ли парируя ее, но, как бы то ни было, всегда обнаруживая готовность к ответу, к такому продолжению диалога, из которого тут же вытекает утесовский монолог, импровизированный сольный номер, — все это было для Леонида Осиповича своеобразным способом жизнетворчества. Он не представлял себя вне публики, вне хорошей компании.

В этом смысле Дом творчества в Болшево подходил для него идеально. Круг собеседников там широк и постоянно меняется: это, если угодно, круг-поток. Все это люди, объединенные профессиональными, цеховыми интересами, что имело далеко не последнее значение для Леонида Осиповича как яркого, видавшего виды рассказчика неправдоподобных театральных былей и правдоподобных театральных небылиц.

...Когда ему удалось наконец продать дачу, счастливее его на свете никого не было.

Несколько лет подряд мы отдыхали вместе в Кисловодске. Но я не могу с уверенностью сказать, когда и как отдыхал Леонид Осипович.

Сразу после завтрака, даже не выходя из корпуса, в котором помещалась столовая нашего санатория, он находил себе публику и самым добросовестным образом на эту публику работал. Даже в те редкие минуты, когда он чувствовал, что пора остановиться, зрители, заведенные этим бесплатным представлением, не отпускали его, да он и не сопротивлялся. Так проходило время до обеда.

Во время обеда он жаловался мне (но так, чтобы это слышали и за соседними столиками), что у него здесь, в санатории, «переработка» и что после отдыха в таком санатории в пору ложиться в больницу.

— Кстати, доктор, вы не хотите проверить мой пульс? — продолжал он без паузы, по-прежнему обращаясь ко мне. — По-моему, у меня уже нет пульса.

Так он втягивал меня в игру. Я увлекался, и мы начинали импровизировать, изображая попеременно то врача, то пациента.

Вот, скажем, врач (Утесов), щупая пульс, смотрит на часы больного, которые интересуют его явно не с медицинской точки зрения.

— Швейцарские? — спрашивает врач.

— Швейцарские, — отвечает больной.

— М-да. Я мог бы вас и не спрашивать. Это видно за десять километров... А скажите, пожалуйста, больной, туфли у вас, как я погляжу, тоже... да?

— Нет. Туфли не швейцарские.

— А чьи же?!

— Чехословацкие.

— Все-таки! А пиджак?

— Гэдээровский.

— М-да. Так я и думал.

Тут врач погружается в глубокое раздумье и после паузы восклицает с возмущением:

— Так на что же вы жалуетесь?!

Вариантов у этой сценки было множество, каждый раз мы придумывали что-нибудь новое, и в конце концов получился сатирический номер, в котором высмеивалось непомерное увлечение «тряпками».

Я решил включить его в один из спектаклей нашего театра. Конечно, на сцене у меня был уже _другой_ партнер, но рождением этого номера наш театр обязан Утесову.

Обычно люди, которые очень любят быть в центре внимания, не очень любят возиться с детьми. Но Утесов легко находил с детьми общий язык и не скучал с ними.

Когда Котя немного подрос и мы взяли его с собой в кисловодский санаторий, Утесов подолгу гулял с ним по аллеям и разговаривал как со взрослым. Он говорил нам с Ромой, что еще неизвестно, кто из них двоих получает от этого больше удовольствия.

Но как-то раз он сказал с грустным видом:

— Аркадий, ты только не огорчайся, но, к сожалению, нашей дружбе с Котей пришел конец.

— Что вы не поделили?

— Понимаешь, в этом санатории обнаружилась одна фигура, которая, как видно, является для него таким авторитетом, что мне и не снилось.

— Такого человека не существует в природе, а не только в этом санатории, — сказал я. — Но даже если бы он существовал, вы, Леонид Осипович, справились бы с ним в два счета.

— Разумеется, — согласился Утесов. — Но эта авторитетная фигура вовсе даже не человек.

— ??

— Это лошадь. И, что самое обидное, ничем не выдающаяся лошадь. Во всяком случае, я не нахожу, что у нее есть определенные преимущества передо мной.

— Что ж, может быть, она не так разговорчива, как вы?

— Может быть. Но какое же это преимущество?! Как я понимаю, это как раз недостаток.

Кажется, он был не на шутку озадачен.

А дело заключалось в следующем. Каждое утро старичок мусорщик вывозил из санатория мусор на повозке. В повозку была впряжена лошадь, такая же старая, как ее хозяин, и, когда хозяин отлучался, Котя отваживался ее погладить. Надо также сказать, что старичок, на самом деле вполне безобидный и, как вскоре выяснилось, словоохотливый, казался Коте суровым и неприступным. Наблюдая с почтительного расстояния за тем, как старичок грузит на повозку мусорные баки, он испытывал трепет.

— Знаешь, Аркадий, — сказал Утесов за обедом, так, чтобы слышал Котя, — у нас в санатории объявилась одна замечательная лошадь. Я хотел бы с ней познакомиться, но дело в том, что никто не может меня ей представить. Может быть, ты это сделаешь?

— Я тоже с ней не знаком, — подыграл я ему.

— Я знаком! — сказал Котя. — Но у нее есть хозяин. Мусорщик! Он может рассердиться.

— Я думаю, он не рассердится, если узнает, что у нас честные намерения, — возразил Утесов. — И вообще я должен тебе сказать, что мусорщики, а также извозчики, конюхи и жокеи, не говоря уже о таких аристократах, какими являлись биндюжники, в принципе гораздо более приятные люди, чем, например, артисты. И знаешь почему? Потому что, когда человек постоянно общается с лошадьми, это его облагораживает. А когда человек постоянно общается с людьми, то это еще бабушка надвое сказала. Впрочем, ты меня не слушай. Кажется, я говорю что-то не очень педагогичное.

На следующее утро Утесов и Котя отправились общаться с лошадью и ее хозяином. Мы с Ромой наблюдали эту сцену издали: надо сказать, она была так выразительна, что ее не требовалось «озвучивать».

Одной рукой Утесов держал за руку робеющего Котю, а другой придерживал огромную войлочную панаму. Ее необязательно было надевать в такой ранний час, но он надел, как я заподозрил, специально для того, чтобы почтительно приподнять ее, приветствуя как старика, так и лошадь. Затем Утесов и мусорщик вступили в беседу, и, если судить по оживленной жестикуляции собеседников, беседа представляла интерес для обеих сторон и проходила в атмосфере полного взаимопонимания. В довершение всего сияющий Котя был посажен на козлы, и в его честь лошадь совершила круг почета.

— Леонид Осипович, о чем вы с ним разговаривали? — спросил я, когда он подошел к нам, возбужденный не меньше, чем Котя.

— О Бернарде Шоу.

— Нет, серьезно.

— И я серьезно. Я сказал ему, что у меня был один знакомый, по имени Альфред Дулитл, тоже мусорщик, один из самых оригинальных моралистов в Англии.

— А он что?

— Он ответил, что у него в Минеральных Водах есть один знакомый киоскер, который в детстве изучал английский язык, но теперь уже, конечно, все забыл, и вообще очень мучается, потому что болен язвой желудка.

— И что же вы на это сказали?

— Я сказал, что жизнь есть жизнь и что я, между прочим, тоже не знаю английского языка, но, с другой стороны, это не самое страшное, если мы еще можем вот так вот встретиться и поговорить на своем языке.

— Вы думаете, он вас понял?

— Ты еще спрашиваешь? Он сказал, что вообще-то предпочитает разговаривать со своей лошадью, но теперь убедился, что поговорить со мной почти так же приятно.

С той поры до самого нашего отъезда из Кисловодска они дружили вчетвером — Котя, Утесов, мусорщик и лошадь.

Как-то раз, возвращаясь домой из Кишинева, я оказался по милости нелетной погоды в Одессе. До самолета на Ленинград оставалось часа три-четыре, и я решил прогуляться по городу. Иду и думаю об Утесове. О том, как он любит и не любит Одессу. Конечно, Одесса для него символ, легенда, и сам он в известной степени ее символ, ее легенда. Но ведь недаром он все реже и реже сюда приезжает. Как видно, между ними сложились такого рода отношения, которые можно поддерживать только на известном расстоянии... Так я размышляю и вдруг вижу: на афише — Утесов. Гастролирует в Зеленом театре. До начала представления — минут сорок, было бы грешно не заглянуть к нему. Так я и сделал.

Он обрадовался, но тут же заявил, что так просто не отпустит меня. Хороший экспромт требует достойного развития.

— Мы вот что сделаем, — стал фантазировать он. — Ты сядешь в ложу, скромно, незаметно, а я, между прочим, скажу: «Знаете, кто у нас тут в ложе? Райкин». И вызову тебя на сцену. Идет?

— Нет, не идет. Во-первых, это ваш концерт, а не мой. Во-вторых, я устал и не готов выступать. В-третьих, что мы будем делать на сцене вдвоем?!

— Вот это и есть самое интересное! — воскликнул Утесов. — Или, может быть, ты хочешь сказать, что мы не найдем, что делать? Так грош нам цена после этого!

Разумеется, он настоял на своем. (Да и был ли за все годы нашей дружбы хоть один такой случай, когда бы я в чем-нибудь не уступил ему!) И надо сказать, я нисколько не пожалел об этом импровизированном выступлении. Утесов, как и в жизни, на сцене был прекрасным партнером. Публика долго не хотела нас отпускать.

— Вот теперь можешь лететь домой, — сказал он на прощание. — Теперь я спокоен.

Утесов часто ругал меня за то, что в работе я не щажу себя, не экономлю силы. Во-первых, это было преувеличением: я всегда старался выстраивать свой рабочий день таким образом, чтобы самому управлять своими делами, а не так, чтобы дела управляли мной. Во-вторых же, слышать эти упреки именно от него было даже забавно: по части подобной «неэкономности» ему равных не было. Насколько щедро он был одарен природой, настолько же был щедр и, я бы сказал, расточителен и в искусстве, и в жизни.

Вместе с тем мне всегда казалось, что он обкрадывает себя, как бы махнув рукой на свое дарование драматического артиста. Об этой, так и не развившейся, грани утесовского таланта мы можем теперь судить только по фильму «Веселые ребята». А это, на мой взгляд, весьма трудно, ибо теперь архаичность кинематографического языка этой картины, при всей ее законной легендарности, бросается в глаза, и мы воспринимаем ее с поправкой на время. К сожалению, его участие в спектакле Центрального театра транспорта «Шельменко-денщик» в середине 50-х годов осталось незафиксированным.

Но я-то помню Утесова в его знаменитой бенефисной программе «От трагедии до трапеции»! Там, как известно, он демонстрировал самые разнообразные умения: не только пел песни, исполнял отрывки из оперетт, бил чечетку и играл на скрипке, но даже выступал в роли Раскольникова (его партнером, игравшим Порфирия Петровича, был известный в ту пору артист Кондрат Яковлев). Так вот, я убежден, что он совершенно напрасно не делал подобного в дальнейшем. В особенности памятно мне, как он читал рассказы Бабеля и Зощенко.

Впрочем, есть известный анекдот, отчасти объясняющий решительное нежелание Утесова, как он сам говорил, распыляться. Приходит человек наниматься в цирк на работу. Его спрашивают, что он умеет делать. Человек отвечает: умею, мол, ходить по проволоке под куполом цирка и одновременно играть на скрипке. Хорошо, говорят ему, продемонстрируйте свое умение, а наш эксперт скажет, берем мы вас или не берем. Эксперт посмотрел, как тот человек работает, и сказал: не берем. Человек удивился: разве я вас обманывал? Нет, сказал эксперт, но на скрипке Ойстрах играет лучше.

Так вот, Утесов всегда стремился к тому, чтобы никто, ни при каких обстоятельствах не мог сказать ему нечто подобное. В этом смысле его профессиональная совестливость была образцовой. И потом, он так любил джаз, что готов был всем на свете ради него пожертвовать.

Его отношения с оркестрантами — тема особая, и она еще ждет своего рассказчика. Он был как бы главой большой семьи. В ней далеко не все было идиллично, но при своей колоссальной требовательности Утесов относился к каждому из музыкантов с нежностью поистине родственной. Если кто-то уходил из оркестра, то это было не иначе, как изгнание. А если кто-то возвращался, то это было не иначе, как возвращение блудного сына. С меньшим пафосом Утесов жить не мог.

Одно время в оркестре нашего театра работали два бывших утесовца — дирижер Алексей Семенов и саксофонист Аркадий Котлярский. Впрочем, первый из них пробыл в оркестре Утесова недолго (он ушел, привлеченный возможностью создать свой оркестр, солисткой которого была Клавдия Шульженко). Зато «утесовский» стаж Котлярского — 32 года. Вот человек, который знает о Леониде Осиповиче буквально все.

Недавно Котлярский, услышав, что я работаю над мемуарами, признался мне, что занят тем же самым, и дал почитать рукопись. В ней автор вспоминает о людях, многие из которых вошли в историю советского искусства. Кроме того, он рассказывает о собственном опыте, опыте одного из пионеров нашего джаза. Во всяком случае, я читал эту рукопись с увлечением, и, надеюсь, она еще найдет дорогу к широкому читателю.

Котлярский вспоминает первых советских джазменов, собиравшихся в двадцатые годы для репетиций в квартире у Якова Скоморовского. Их поражало, что Утесов, вначале даже не знавший нот, довольно быстро научился читать партитуру и, стоило ему только захотеть, мог овладеть любым инструментом. Самое любопытное в этом свидетельстве музыканта состоит, пожалуй, в том, что ощущение природного дара у Утесова не только не притуплялось с годами, но развивалось, усиливалось. К сожалению, не было придумано такой формы, где могли бы проявиться все его таланты.

И чем шире становилась популярность Утесова, тем больше возникало вокруг его имени всяческих небылиц, досужих россказней. То говорили, что он бывший уголовник, то утверждали, что он горький пьяница, и даже — что у него «искусственное горло». Когда отмечалось пятнадцатилетие советского кино, создатели и участники фильма «Веселые ребята» были отмечены званиями и орденами, а исполнитель главной роли Утесов получил фотоаппарат. Леонид Осипович горько иронизировал по этому поводу в своей книге «Спасибо, сердце!».

Хорошо помню свой давний разговор с одним из руководителей искусства. Разговор, убедивший меня в том, сколь небезобидны бывают последствия обывательских сплетен.

Этот руководитель был «брошен» на искусство из совершенно другой сферы и ровным счетом ничего в нем не понимал. Я пришел к нему как-то по делам нашего театра. В конце разговора он, будучи в весьма миролюбивом настроении, попросил меня объяснить, что такое эстрада и с чем ее едят. Я стал растолковывать и в качестве примеров перечислил представителей разных жанров: мол, эстрада — это и хор Пятницкого, и братья Гусаковы, и Рина Зеленая, и, наконец, Утесов... Услышав имя Утесова, он неожиданно побагровел и ударил по столу кулаком:

— Об этом проходимце ты мне ни слова не говори!

Разумеется, я выразил удивление, почему вдруг любимец народа вызывает у него такую ярость. То, что он мне ответил, было до такой степени за гранью здравого смысла, что я бы и не поверил, если бы не услышал своими ушами:

— Утесов хотел на шине Черное море переплыть, удрать в Турцию.

Я сначала даже не нашелся, что сказать. Но передо мной вроде бы не сумасшедший сидел. Во всяком случае, человек при должности, и немаленькой. Взяв себя в руки, я возразил как можно более спокойно:

— Зачем же Утесову — на шине?! Он не раз ездил с семьей в Париж. Так что если бы ему очень хотелось в Турцию, он бы давно это сделал менее сложным способом.

— Ты правду говоришь? — спросил мой собеседник, как мне показалось, искренне обескураженный. — Если это правда, мы пересмотрим к нему свое отношение.

Когда Леониду Осиповичу исполнилось 80 лет, работники искусств чествовали его с таким размахом, изобретательностью и, главное, искренностью, что ни у кого не могло возникнуть сомнения: да, это очень достойный, очень любимый и очень удачливый человек. И вместе с тем я в тот вечер думал: если бы было в моей власти, я бы сделал так, чтобы талант этого человека был отмечен общественным признанием гораздо раньше, а не в конце жизни, когда оно приходит словно бы в качестве компенсации.

И еще я думал о том, до чего же Утесов не соответствует известному постулату, по которому художник каждую свою новую работу должен делать как последнюю, на пределе нравственных и физических сил. У Утесова все было по-другому. Он работал легко. Он излучал эту легкость. Даже когда имел основания думать, что по не зависящим от него причинам не сможет довести работу до конца, как бы отмахивался от этой мысли да и от всего, что могло бы сковать его голос, помешать ему петь.

Лев Кассиль

Я всегда считал, что вода и камень точит. Что долг сатирика — неустанно пресекать дурное, пошлое, неразумное. Все, что мешает жить по-человечески. Все, что мешает общественному прогрессу. Я не могу не верить в необходимость такой борьбы. Хотя, конечно, она далеко не всегда бывает эффективна. Более того, я отдаю себе отчет и в том, сколь может быть уязвим художник, исповедующий в искусстве подобные взгляды. Но мои взгляды именно таковы. Они сообразны моей человеческой и творческой природе. Я не могу и не хочу просто развлекать, забавлять, как, впрочем, и отвлеченно философствовать со сцены.

Конечно, от меня зависит не все. И от тебя зависит не все. И от него зависит не все. И даже от всех нас, вместе взятых, тоже зависит не все. Но если я смолчу, и ты смолчишь, и он смолчит, — то чего же тогда все мы вместе будем стоить?!

Здесь, однако, требуется кое-что уточнить. Я знал немало достойных людей, всегда стремившихся говорить то, что они думали на самом деле, но для которых были естественны совсем другие формы участия в жизни, воздействия на жизнь, нежели те, что были естественны для меня. Я всегда глубоко чтил таких людей, которые, как Ахматова, отличались высочайшей степенью внутреннего противостояния обыденности. Но должен признаться, что находить с ними общий язык стоило мне известных усилий: злободневность их мало интересовала. При этом я не считаю, что моя жизненная и творческая позиция выглядит обыденной в сравнении с высотою их духовного ценза. Как ни банально это звучит, но ведь и впрямь каждому — свое.

Кто меня понимал в этом смысле предельно, так это Лев Абрамович Кассиль. Он говорил:

— Не стыдно участвовать в чем бы то ни было, если твердо знаешь, что у тебя есть шанс сделать доброе дело. Пусть небольшое, не способное решить проблему глобально. Но — доброе.

Да, Кассиль был близкий мне человек. С ним мне было легко и просто.

Летом 1953 года, когда мы жили на утесовской даче, рядом с нами, во флигеле, проживало семейство Кассиля. Прежде мы знакомы не были, но, когда закончился дачный сезон, у меня уже было такое ощущение, будто мы знакомы и дружны всю жизнь.

Кто и как представил нас друг другу и о чем был наш первый разговор, я не помню. И думаю, это не случайно. Я всегда любил его книги, особенно «Кондуит и Швамбранию», а узнав его лично, сразу же почувствовал, что и в жизни ему присуща та душевная щедрость и тот талант доброты, которые для меня были да и по сей день остаются наиболее ценными признаками его литературной манеры, его писательского обаяния.

Наша дружба продолжалась семнадцать лет, вплоть до его смерти в 1970 году. И в течение всего этого времени я не раз ловил себя на мысли, что мне становится как-то не по себе, когда мы не видимся или не созваниваемся неделю-другую. (А ведь жили мы, заметьте, в разных городах, оба много разъезжали, и оба не были обделены широким кругом интересных общений.)

Подобно Утесову, Кассиль был очень общительным. И казалось, они с Утесовым могли сдружиться. Но этого почему-то не произошло. Отношения между ними, сколько я помню, были доброжелательными, но, я бы сказал, светски соседскими, не более.

Возможно, здесь сказывалось то обстоятельство, что каждый из них был душой своей компании и никому другому эту роль не смог бы уступить, даже если бы захотел. Ибо сама компания не допускала этого. Да и мало ли чем можно объяснить, отчего в одном случае человеческие отношения складываются, а в другом — не складываются.

Оба — хорошие люди, но просто разные, вот и все.

Но поскольку я дружил и с Утесовым, и с Кассилем, меня одно время волновало, как же это они остаются равнодушными друг к другу. Со временем я понял: никогда не надо предпринимать специальных усилий для того, чтобы сблизить одних своих друзей с другими. Это должно происходить естественно, невзначай, по их собственному, а не только по вашему желанию.

Нам часто бывает невдомек, что в общении с одним человеком мы раскрываемся совсем не так, как с другим. Ведь даже при самом искреннем расположении и к одному, и к другому мы «пристраиваемся» к ним — невольно! — по-разному. Так же, как и они — к нам. Ибо настоящее, глубокое общение есть не только обоюдная откровенность, но и обоюдный добровольный компромисс.

У меня было много друзей, верных и преданных. Отношения с каждым из них в отдельности не охватили всех сторон моей натуры. Человек так уж устроен, что не может быть исчерпан, предельно выражен в отношениях с каким-то одним человеком. Объективный портрет каждого из нас создается только в отношениях со многими людьми.

Что же касается Утесова и Кассиля, то, как мне кажется, они были несхожи прежде всего по самому характеру присущей обоим общительности. Если позволить себе каламбур, можно сказать, что между общительностью одного и общительностью другого ничего общего не было.

Утесов, повторяюсь, был больше рассказчик, чем слушатель. Кассиль таким сочным рассказчиком в быту не был, зато проявлял больше чуткости к тому, что волнует собеседника. Утесову была свойственна некоторая скептичность, насмешливость: она окрашивала его юмор, его интонации, его манеру общаться, хотя вполне уживалась, особенно в старости, с приливами сентиментального, элегического пафоса. Кассиль же был человеком резко выраженного лирического склада, но вовсе не сентиментальным. Внешне он был тих и спокоен, казался, да и был, каким-то очень домашним, и я убежден, что по-настоящему он раскрывался только в узком кругу близких друзей дома. Кстати, в отличие от Леонида Осиповича жизнь на даче, хотя он и был заядлым путешественником, нисколько не тяготила его, даже была ему в радость. Он принадлежал к тому редкому типу людей, которые умеют извлекать радость из каждого мгновения жизни, из всех ее форм.

Он никогда не навязывал себя людям, его никогда не было, как говорится, слишком много. Но он всегда неуловимо управлял ходом беседы, сообщал присутствующим — во всяком случае, за себя в этом смысле я ручаюсь — внутренний покой. Что, впрочем, не мешало ему быть человеком страстным, даже азартным. Он мог нервничать по пустякам. Был склонен к рефлексии, хотя и тщательно скрывал это на людях.

Но главным его качеством была его удивительная добросердечность, удивительное внимание к людям. К детям — в особенности.

На стене его кабинета висел герб Швамбрании, и мне иногда казалось, что сам он живет в этой вымышленной им стране. Он был из тех, кто носит детство в кармане, — определение достаточно банально, но не лишено точного значения. Такое ведь не скажешь ни о Маршаке, ни о Чуковском. Они были литературные мэтры. Кассиль же, хотя и занимал ведущее положение в детской литературе, мэтром не был. Я имею в виду его самоощущение.

В его разнообразных увлечениях присутствовал какой-то элемент мальчишества.

Как я уже упомянул, он обожал путешествовать и как-то именно по-мальчишески демонстрировал друзьям фирменные наклейки авиакомпаний и отелей на своих чемоданах. Кассиль мог неожиданно бросить все дела и помчаться в самый отдаленный уголок Советского Союза, куда глаза глядят; вдруг его осеняло: как же так, я ведь еще не был в Норильске (или в Донбассе, или на Сахалине)! Он самозабвенно любил спорт и, если проигрывал «Спартак», едва ли не плакал. (Кстати, был отличным спортивным журналистом, писал о спорте с охотой и знанием дела: любопытно, что с его легкой руки в обиход болельщиков вошел клич «Мо-лод-цы!».) К тому же отличался страстью к коллекционированию. Каких только коллекций у него не было: игрушки, значки, курительные трубки...

При всем том он вовсе не походил ни на чудака, ни на благостного «друга детей», который, желая отгородиться от взрослых жестоких игр, заигрался в детство.

Случалось наблюдать его в ситуациях, когда он проявлял чрезмерную, на мой взгляд, терпимость. Прежде всего к тем своим коллегам-писателям, которые были достаточно известны своим вполне непорядочным поведением. Однажды я прямо спросил его:

— Зачем ты общаешься с Н.? Ведь он же негодяй. У него это на физиономии написано.

— Но по его книжкам этого не видно, — сказал Кассиль. — А в гости мы друг к другу не ходим... Да и потом, разве отвяжешься от него?

Да, борцом Лев Абрамович не был. Иные острословы называли его за это Лев Либералович. Но совершенно неверно считать его мягкость следствием малодушного желания жить в мире со всеми. Просто он в каждом человеке пытался обнаружить хотя бы крупицу достоинства и, кроме того, органически не выносил окололитературные ссоры. Кассиль часто предпочитал отмалчиваться, но уж если говорил, то говорил то, что думал на самом деле. И в этом смысле не делил людей на «своих» и «чужих». В его посмертно изданном дневнике есть, между прочим, запись о ненавистном ему «культе околичностей».

Я наблюдал его в разных ситуациях, и гораздо больше было таких, когда мягкость, терпимость Кассиля воплощались в реальной помощи тем, кто нуждался в ней и, несомненно, ее стоил.

Нередко Кассиль посмеивался над собственной безотказностью, а я не вполне понимал его: тут не смеяться, а плакать надо. У меня другой характер, и я всегда старался не допустить, чтобы каждый, кому не лень, отнимал у меня жизненное время, нарушал мои планы. Я говорил ему, что он себя не бережет, не думает о своем здоровье, а главное — часто тратит силы на то, что, на мой взгляд, затрат не заслуживает.

Например, мог ему позвонить какой-нибудь совершенно незнакомый начинающий писатель с просьбой прочитать его роман и посодействовать публикации. Кассиль читал, вникал, подолгу разговаривал с автором даже в том случае, если с первых же страниц ему становилось ясно, что роман безнадежно плох. Да еще сокрушался, что приходится огорчать человека. Но, насколько я знаю, ни разу не оказывал содействия тогда, когда считал, что рукопись к публикации не пригодна.

314

Счастливы были те начинающие писатели, в которых он верил. Здесь-то уж он не успокаивался до тех пор, пока рукопись не выходила в свет.

Кассиль не был охотником до разного рода заседаний. Когда его звали, он мог робко осведомиться, так ли уж необходимо его присутствие. Ему говорили: да, необходимо. Кассиль шел, даже если не верил в такую необходимость.

У него было в высшей степени развито чувство ответственности. Он выполнял громадное количество общественных поручений не просто добросовестно, но, я бы сказал, ревностно: был председателем или активным членом множества общественных организаций, вел семинар в Литературном институте, придумал и организовал «Книжкину неделю», регулярно устраивал в Центральном Доме литераторов «Наши четверги», куда не раз вытаскивал и меня. И все это проделывал не формально, а с душой, нередко превращая, казалось бы, заведомо пустое мероприятие в настоящий праздник.

Только после его смерти, в дневниках, я нашел признание Кассиля в том, как бывало ему тяжело нести бремя ответственности, как иной раз его охватывал страх перегрузок.

Его издавали баснословными тиражами, переводили на множество языков, он был действительно любим, причем не только детворой. Но известность совершенно на нем не отражалась. Во время войны он много бывал на фронте, а еще раньше ездил в Испанию, охваченную гражданской войной. Там он проявлял и решительность, и храбрость. Но услышать об этом от самого Кассиля было практически невозможно.

Между прочим, в Испании он познакомился с одним человеком, который ему очень понравился. Однако, не зная языка, так и не разобрался, кто это такой. А много лет спустя увидел на фотографии в одном журнале себя и испанского знакомого с подписью: Эрнест Хемингуэй и Лев Кассиль. Лев Абрамович просто рвал на себе волосы от огорчения: он очень любил Хемингуэя. Когда я спросил его, может ли он ответить одним словом, что его так восхищает в этом писателе, он, не задумываясь, ответил:

— Мужество... Ответ, может быть, не слишком оригинальный, но я действительно восхищаюсь этим качеством. Особенно когда нахожу его в писателе. Понимаешь, мастеров много, а по-настоящему мужественных, бесстрашных людей куда меньше...

Кассиль обладал безошибочным чувством юмора. При том, что его нельзя было отнести к записным острословам, а тем более к людям, так сказать, эстрадного мышления, я постоянно проверял на нем новые монологи и миниатюры. По его реакции всегда можно было точно определить, «съест» ли тот или иной номер публика.

— Ну, Аркадий, что у тебя новенького? — спросит бывало Кассиль. — «Подопытный кролик» в твоем распоряжении.

Но «подопытный кролик» превращался в самого настоящего «удава», если что-нибудь из моего репертуара ему не нравилось. Нет, он никогда не бранил номер впрямую, а просто не смеялся. В данном случае это было равнозначно самой нелицеприятной критике. Когда ему нравилось, он хохотал так заливисто, заразительно, что я невольно и сам улыбался.

Он был одним из самых близких советчиков в моих делах. Я верил ему во всем. Причем не только в тех случаях, когда дело шло о литературном качестве номера (это уж само собой), но и когда приходилось принимать важное для судьбы нашего театра решение. Или когда просто особенно нуждался в моральной поддержке.

Так, однажды я отменил концерт. Вышел к публике перед началом — представьте себе битком набитый концертный зал в Ленинграде — и отменил. Случай беспрецедентный. После мне порядком влетело от разного рода ответственных товарищей, и не за то, что отменил, а за то, что прежде с кем надо не посоветовался. Формально, может быть, они и были правы. Но по существу... Это было в тот день, когда трагически погиб космонавт Комаров. Еще утром я и не думал отказываться от выступления. Но перед самым началом почувствовал: не могу я в такой день смешить людей.

— Сегодня у всех нас большое горе, я играть не могу. Приходите в мой выходной, через два дня, спектакль состоится, — сказал я публике.

А директор концертного зала в это время обрывал телефоны, спешил сообщить начальству, что снимает с себя всякую ответственность за мою выходку.

Вскоре я увиделся с Кассилем.

— Скажи мне, пожалуйста, — спросил я его, — неужели непонятно, что это был не каприз, не дурацкая выходка?!

— Что касается меня, — сказал Кассиль, — то ты можешь не спрашивать. Что касается зрителей, то, думаю, большинство из них тоже это поняло. А что касается тех, в ком гражданское чувство срабатывает только по согласованию с инстанциями, то они не способны понять. Да и зачем тебе нужно, чтобы такие тебя понимали?

— Мне не нужно. Но это же возмутительно!

— Да, — спокойно сказал Кассиль. — Но неудивительно. Ты правильно поступил, не жалеешь?

— Уверен, что правильно. Я просто не мог иначе.

— Вот и хорошо. Идем пить чай.

А потом, много лет спустя, прочитал я у него в дневнике: «...в результате скручивания стропов... Вот уж сколько дней, словно заевшая на пластинке игла, терзает меня это страшное сообщение...»

Лев Абрамович, его жена Светлана Леонидовна, преподаватель ГИТИСа, и их дочь Ирина жили в проезде Художественного театра. У них был открытый, гостеприимный дом. Что объяснялось прежде всего характером самого хозяина. Светлана Леонидовна, как мне казалось, не всегда разделяла готовность мужа принимать всех и вся.

В тех же стенах, когда она была девочкой, традиционно собирался достаточно замкнутый — по крайней мере не столь переменный и разнохарактерный — состав гостей. То были друзья отца, Леонида Витальевича Собинова. Кое-кто из них — например, Иван Семенович Козловский, Михаил Михайлович Яншин — захаживали и много лет спустя после смерти Собинова. Как правило, в день его рождения — день его памяти.

В этих случаях Кассиль несколько стушевывался; за столом царила Нина Ивановна, вдова певца.

Нина Ивановна (ее девичья фамилия — Мухина, она приходилась двоюродной сестрой известному скульптору Вере Игнатьевне Мухиной) обладала сильным характером и величественными манерами. Мы за глаза называли ее «женщиной в белом». Что объяснялось следующим семейным преданием.

Однажды Леонид Витальевич Собинов обратил внимание, что на каждом его концерте (причем не только в Москве, но и в других городах, где он гастролировал) в первом ряду сидит красивая дама в белом с неизменным букетом белых роз в руках. Каждый раз после концерта эти розы от незнакомки приносили ему в гримуборную. Собинов, надо сказать, был в то время женат на другой женщине. И вот он собрался вместе с женой на гастроли в Париж. А Нина Ивановна в отсутствие Собинова явилась к его жене и предложила ей уступить уже купленный билет до Парижа. Не знаю, какой аргументацией она пользовалась, но факт: в конце концов Нина Ивановна стала женой Леонида Витальевича. Вот какая решительная была женщина...

В застольях у Кассиля что-то, наверное, сохранилось от старых традиций собиновского дома. Но, естественно, возникло и много такого, чего не могло быть при Собинове. Другое время, другие нравы, другое поколение интеллигенции — и соответственно другой круг людей, другой, быть может, менее утонченный стиль общения. Но все же собиновский артистизм здесь укоренился, и сам Лев Абрамович — образец деликатности и хлебосольства — может быть назван достойным продолжателем традиции.

Завсегдатаями его дома были академик Николай Николаевич Семенов и легендарный спортсмен Андрей Петрович Старостин, художник Михаил Васильевич Куприянов (Кукрыникс, как называл его Кассиль) и кинорежиссер Сергей Аполлинарьевич Герасимов с женой, актрисой и педагогом Тамарой Федоровной Макаровой, писательница Татьяна Николаевна Тэсс и ее муж, архитектор Юрий Владимирович Локшин, актриса Ольга Николаевна Андровская... Всех, впрочем, не перечислишь. Там за одним столом встречались артисты и летчики, музыканты и журналисты, военные и спортсмены. Представители самых разных, порой далеких друг от друга сфер деятельности, все это были, как правило, содержательные люди, личности, интересные рассказчики. А уж как Лев Абрамович любил, когда Яншин пел под гитару цыганские романсы и все подпевали!..

Иногда появлялись Володя и Дима — его дети от первого брака. С Володей, Владимиром Львовичем, я дружу по сей день. Теперь он известный врач, доктор наук. Таким образом он продолжает семейную традицию. Ведь его дед, отец Льва Абрамовича, тоже был врачом, живой достопримечательностью Вольска, города на Волге. В первые годы революции его в городе называли «красный доктор». Володя и сейчас носит касторовую шубу с бобровым воротником, когда-то сшитую дедушке, а потом перешедшую по наследству ко Льву Абрамовичу. Редкой добротности вещь...

Размышления пациента

У Владимира Львовича Кассиля есть привычка, выработанная годами медицинской практики: и в гостях, и дома он садится поближе к телефону, чтобы не беспокоить никого из окружающих, если вдруг позвонят из больницы. А позвонить могут в любое время дня и ночи. И в любое время — берусь утверждать это наверняка — он проявит молниеносную реакцию и максимальную самоотдачу, спеша оказать помощь больному. Такая уж у него работа, что почти всегда дело идет о человеческой жизни, за которую он как врач-реаниматолог несет профессиональную и моральную ответственность.

Это чувство ответственности, предполагаемое в каждом, кто когда-либо дал клятву Гиппократа (хотя, к сожалению, далеко не в каждом подтверждаемое изо дня в день), развито в Кассиле-младшем в высшей степени. Он не только крупный специалист, но и человек настоящий.

Я знаю об этом не понаслышке, Владимир Львович спас жизнь моей жене.

Как-то раз, когда здоровье Ромы уже пошло на поправку, она внезапно почувствовала себя плохо. Не настолько, чтобы вызывать «скорую помощь», но все-таки. Это случилось поздно вечером, и где-то около полуночи я позвонил Володе. Извинился за поздний звонок и просил его проконсультировать нас, трижды подчеркнув, что вполне достаточно будет ограничиться разговором по телефону. Да он и сам, узнав, в чем дело, не мог не понять, что в данном случае его присутствие необязательно.

Тем не менее через несколько минут он примчался на машине и просидел у нас до трех ночи практически только с одной целью: успокоить Рому, поднять ей настроение. Он завел тогда разговор о музыке, о живописи (в которых, надо заметить, знает толк), то есть на темы, никакого отношения к болезни не имеющие. Не хочется это называть сеансом психотерапии, поскольку разговор был сам по себе содержателен. Но с другой стороны, это был поистине целительный разговор. А ведь рано утром ему надо было быть в клинике, и перспектива в очередной раз не выспаться вряд ли повышала его собственный тонус.

Впрочем, у хорошего врача, как и у хорошего артиста, никогда не поймешь, какое у него самочувствие во время работы.

Быть может, мне возразят, что ничего особо примечательного в том ночном визите не было. В конце концов Володя не просто лечащий врач, но и друг дома. Но, зная его, уверен, что и в любом другом случае он поступил бы точно таким же образом и ни на минуту не стал бы задумываться, что приносит ради больного как бы и не слишком необходимую жертву.

Вообще я убежден: человеческие, личностные качества врача иной раз эффективнее лекарств.

Если читатель помнит, мой дед по материнской линии был аптекарем и немного врачом. Моя сестра Белла и по сей день работает медицинской сестрой (она из тех медсестер, чей богатый практический опыт и преданность своей профессии позволяют, как говорится, дать фору иному дипломированному специалисту). Санитарным врачом был отец Ромы. Да и еще несколько наших родственников пошли по медицинской части. Наконец, среди моих близких друзей немало медиков. Кроме Кассиля, назову Станислава Яковлевича Долецкого, известного детского врача и литератора-публициста.

И хотя сам я имею отношение к медицине всего лишь как родственник медиков и пациент со стажем, я испытываю к ней неподдельный интерес. Прежде всего — в нравственном аспекте.

С тринадцати лет, когда я заболел ревматизмом с осложнением на сердце, я особо ценю в медиках способность сострадать больному. Если же этой способностью они не обладают или сознательно пренебрегают ею, считая ее чем-то вроде аппендикса, я не доверяю им. Хотя бы они и считались специалистами высокой квалификации.

На всю жизнь я запомнил, как профессор Т., «светило», которого знал весь Ленинград, предсказал моим близким после очередного случившегося со мной сердечного приступа мою скорую смерть. Я случайно услышал, как он рекомендовал родителям не тратиться больше на лекарства, поскольку это все равно бесполезно. А когда они попросили собрать консилиум, Т. объявил, что ни он, ни его ассистенты в консилиуме принимать участия не будут — опять-таки по причине отсутствия всякой надежды.

Несколько лет спустя я встретил Т. на Невском проспекте и подошел к нему, дабы он мог удостовериться, что я все еще не перебрался на тот свет. Его реакция поразила меня. Он был не просто искренне озадачен, но смотрел на меня как бы с некоторой укоризной: дескать, что же это вы, сударь, подвергаете сомнению мой диагноз. Я был для него не столько одушевленным предметом, сколько ходячим подтверждением его досадной ошибки.

Подобные проявления черствости, душевной неразвитости мне, к сожалению, не раз приходилось встречать в представителях этой, казалось бы, самой гуманной профессии. Да и кому, собственно говоря, не приходилось?

Однажды лежу я в больнице. Ночь. Не могу уснуть, дышу тяжело, какие-то пятна перед глазами. Зову дежурную медсестру. Она щупает пульс, заглядывает в глаза, неодобрительно покачивает головой и выходит. Дверь в коридор остается открытой, и мне слышно, как она говорит по внутреннему телефону:

— Приемный покой? Дежурного кардиолога! У меня тут больной кончается...

Или вот еще пример.

Попал я с инфарктом к одному весьма уважаемому профессору. Входит он в палату с целой свитой ассистентов, по дороге громко распекая кого-то из них. Не поздоровавшись, не улыбнувшись, знакомится с результатами моей кардиограммы. Причем не считает нужным скрыть от меня, что результаты ему не нравятся. Весь его вид внушает мне какое-то идиотское чувство вины перед ним: как же можно отрывать такого уважаемого профессора от его уважаемых занятий! А потом это чувство перерастает в глухое раздражение и даже в ярость, так что в пору еще один инфаркт получить. Ни на что не обращая внимания, он выходит из палаты так же мрачно, не прощаясь.

Терпеть не могу чинуш и хамов вообще, а в белых халатах — в особенности.

Конечно, знавал я и других медиков. Профессор Абрам Львович Сыркин спас меня после тяжелого инфаркта. От одной его улыбки становилось легче. Он никогда не ограничивался суховатыми расспросами о том, что, где и как болит, но всегда стремился найти человеческий контакт с пациентом.

Однажды я получил письмо от десятилетнего мальчика. Тайком от родителей он обращался ко мне с просьбой, к которой нельзя было остаться безучастным. Мальчик писал, что посмотрел по телевизору фильм «Волшебная сила искусства», где я играю, и решил, что я, «волшебник искусства», могу спасти его тяжело больную маму. «Папа ездил с ней в разные города, к большим знаменитостям, но никто не знает, как ее лечить. И теперь папа уже никуда с ней не ездит, а только говорит, что все врачи коновалы и грубияны».

Я позвонил Сыркину. Пересказал это письмо. Он, насколько я знаю, совсем не сентиментальный человек. И к тому же крайне занятой. У него все расписано наперед, и пациенты, дожидавшиеся его внимания, очевидно, нуждались в лечении не меньше, чем 'мама этого мальчика. Наконец, Сыркин не мог знать заранее, сумеет ли он чем-нибудь ей помочь. Ведь столько врачей до него не сумело этого сделать! Но он не раздумывал:

— Напишите им, чтобы немедленно выезжали.

С моей точки зрения, это была единственно возможная реакция настоящего врача. Дело шло не только о сомнительных шансах спасти некую женщину. Но также о несомненном, стопроцентном шансе утвердить в маленьком мальчике веру в человечность.

Я написал родителям мальчика, что у них замечательный сын, и пригласил их приехать. Они приехали, и профессор Сыркин действительно помог. Это было, если память мне не изменяет, в 1977 году.

Когда Сыркин выступает в кардиологическом обществе, там неизменно полный сбор, как в хорошем театре. Точно так же бывало и на лекциях замечательного ленинградского хирурга Юстина Юлиановича Джанелидзе.

Джанелидзе, преподававший в Военно-медицинской академии, нередко читал лекции непосредственно в клинике. И надо сказать, они пользовались таким успехом, что на них стремились попасть почти все ходячие больные. Он этому не препятствовал. Прекрасный рассказчик, эрудит, Юстин Юлианович считал необходимым передавать студентам не только сугубо медицинские, но и, если так можно выразиться, человековедческие знания. Помню его блистательную лекцию, посвященную ранению и смерти Пушкина. Он говорил как истинный знаток истории литературы, как тонкий психолог. И в то же время это была лекция именно врача. Подробно описав, каким образом доктора пытались спасти поэта, он задал студентам вопрос, что бы они стали делать, оказавшись на их месте, но располагая возможностями современной медицины.

Из той лекции-дискуссии можно было сделать вывод, что современная медицина могла бы сохранить Пушкину жизнь. Но говоря об антибиотиках, хирургических лазерах и надежных способах пересадки органов, Джанелидзе подчеркивал, что научный прогресс не самоцель, а всего лишь средство достижения цели. И что носителям научного прогресса надлежит сознавать врачевание как идею нравственную, гуманистическую.

Мне очень близка эта мысль. В конце концов то дело, которому я служу всю свою жизнь, тоже в известной степени врачевание.

Есть такой анекдот. Врач говорит: ну что, будем лечить или пусть живет? Лечение Джуны Давиташвили повредить не может — это, на мой взгляд, нечто вроде биостимулятора.

Наша встреча произошла в 1976 году. В очередной раз лежу в ленинградской больнице имени Свердлова. Адски болят ноги. Боль продолжается круглые сутки и отпускает лишь на короткие минуты, когда накладывают какие-то компрессы. Только в течение этих нескольких минут могу подремать... Болезнь трудно поддавалась излечению. Наконец профессору Кушаковскому удается поставить меня на ноги в прямом смысле слова. И все же они плохо слушаются, побаливают.

После больницы еду в подмосковный санаторий «Сосны». Один из отдыхающих рассказывает мне о том, как помогла его жене некая Джуна.

Пробую добиться у нее приема, что оказывается довольно трудно. Наконец Джуна назначила мне день и час. Приехав, не застану ее дома. В подъезде и на лестнице вижу множество ожидающих людей.

Возвращаюсь в санаторий с ощущением неловкости, что зря прогонял человека, любезно изъявившего желание меня подвезти. А главное, теряю надежду на встречу с Джуной.

Неожиданно она сама приезжает в наш санаторий навестить своего больного и садится ужинать за один стол со мной. Мы знакомимся. После ужина Джуна заходит ко мне в номер. В течение десяти минут, не дотрагиваясь до меня, делает какие-то пассы руками. В результате я тут же чувствую себя лет на двадцать моложе.

Так я вошел в ее орбиту, стал регулярно приезжать к ней на прием. Много интересного удалось мне повидать. Однажды в сопровождении врача-онколога пришел к ней высокий, широкоплечий человек. Разделся — на спине рана размером с ладонь, ее края посинели.

— Что же вы ко мне так поздно приехали? Надо было лечить раньше.

Сказав это, Джуна приблизила к ране свои руки, оттуда брызнула кровь.

— Вы мой пациент. Приходите каждый день. Вместе с врачом-онкологом и фотографом.

Прошло время, и я снова столкнулся с этим человеком. Его рана почти зажила, осталась ямка величиной с ноготь мизинца. Счастливый, он показал мне фотографии, запечатлевшие процесс излечения.

Не знаю, многим ли действительно помогла Джуна. Но знаю, что она не вредила. Есть ведь такая заповедь: «Не навреди!» Но министр здравоохранения, которым в ту пору был Б. В. Петровский, повел с нею решительную борьбу. Впрочем, он боролся со многими: с кислородной камерой, с хирургом Илизаровым...

Однажды в Тбилиси Джуне устроили очередную проработку. На большом собрании некий профессор говорил, что она шарлатанка, с которой надо бороться. Не успел он сойти с трибуны, закончив речь, как схватился за ухо.

— Это я, профессор. Мой привет вам! — крикнула с места Джуна.

В Москве к Джуне стали присылать бесчисленные комиссии, проверявшие ее деятельность. Комиссии писали свои заключения, далеко не всегда тенденциозные, но под давлением инстанций из этих заключений изымалось все положительное, а отрицательное добавлялось. Делалось все, чтобы очернить Джуну.

В такой сложной обстановке мне казалось необходимым поддержать Джуну, сделать так, чтобы она осталась в Москве и продолжала помогать нуждавшимся в ней людям. Я написал письмо Л. И. Брежневу, вложив в конверт отзывы ряда врачей, а также мнение И. Л. Андроникова. Джуна получила квартиру, прописку и работу.

Она продолжала принимать дома, хотя удовлетворить всех, конечно, не могла. Работала много. Когда вставала, не знаю, но ложилась очень поздно. Нередко, закончив прием около двенадцати ночи, ехала еще к кому-то.

Некоторые и сегодня продолжают считать ее шарлатанкой, не находят в ее работе ничего удивительного. Что касается меня, то я уверен, что ее деятельность надо изучать, но никак не преследовать. Ведь остается немало заболеваний, с которыми медицина пока еще не в силах бороться, нет лекарств. Вдруг Джуна сможет помочь!

Мне она всегда уделяла много внимания, и я ей очень благодарен.

Последние годы Джуна Давиташвили работает в научно-исследовательском институте. К ней по-прежнему приходят больные. Одаренная многими талантами, она пишет стихи, рисует.

Как человек, имеющий большой опыт общения с докторами разных рангов и профилей, позволю себе сказать, что весьма распространенным признаком атрофии нравственного чувства у представителей современной медицины является узость их профессионального мышления, их чрезмерная сосредоточенность на своей специализации.

Например, доводилось мне быть свидетелем того, как один человек жаловался врачу на повышенную температуру, описывал симптомы, тревожившие его. А врач отвечал:

— Да, батенька, что-то и впрямь нехорошо с вами. Но ничего не могу вам посоветовать: температура не моя, не мои симптомы.

Врач имел в виду, что к той области медицины, в которой он специализируется, заболевание собеседника не имеет отношения. Что ж, все может быть. Но меня поразило, что после этого врач потерял к собеседнику интерес. Заговорил на какую-то совершенно постороннюю тему, как видно, считая разговор исчерпанным.

Для сравнения представьте себе артиста, который выходит к зрителям и говорит:

— Пожалуй, сегодня я выступать не буду. Здесь сегодня не мои зрители.

В репертуаре нашего театра была лирическая миниатюра «Участковый врач». Я пытался дать собирательный образ скромного человека, духовного наследника тех земских врачей, которые лечили не болезнь, а больного, врачевали раны не только физические, но и душевные.

Мой герой приходил в квартиру пьяницы-прогульщика, требующего выписать ему бюллетень. В ответ на решительный отказ доктора пьяница бросал ему в лицо:

— Даром только деньги получаешь!

— Да, да, — не без горечи усмехался мой герой. — Кстати, не желаете ли узнать, сколько я получаю?..

Впрочем, для врачей, ему подобных, менее всего характерно сетовать на свою судьбу. Во всяком случае, то обстоятельство, что заработок ни в коей мере не соответствует их самоотверженным усилиям, отнюдь не способно поколебать присущую им убежденность в необходимости этих усилий.

Распрощавшись с пьяницей, мой герой продолжает ходить по вызовам. Возвращается домой смертельно уставший. Нездоровится. Он собирается прилечь, но едва успевает снять один ботинок, как вновь вызывают к больному. И он убегает в одном ботинке.

Когда вышла эта миниатюра, некоторые высказывали мысль, что образ участкового врача — именно как собирательный образ — нехарактерен и даже неправомерен, идеализирован. Мол, надо было сделать акцент не на бескорыстии и самоотверженности рядового представителя медицины, но на падении социального престижа профессии. Надо было выявить основные причины некомпетентности, грубости, поверхностного отношения к врачебному долгу. Ведь все это, к сожалению, так часто встречается именно среди участковых врачей. Надо было подчеркнуть, что если бы их труд оплачивался выше, если бы вся их жизнь была бы хоть немного легче, то, наверное, нам не пришлось бы так восхищаться одним из них (одним из тысяч!) лишь за то, что он просто-напросто честен, выполняя свои обязанности.

В подобной точке зрения, несомненно, есть резон. Но и по сей день я полагаю, что смещать акцент в той миниатюре не следовало. И вот почему. Конечно, социальный престиж профессии следует поднимать, и условия работы врачей улучшать, разумеется, надо. Но если это настоящий врач, никакие обстоятельства не могут заставить его изменить высшему смыслу своей деятельности.

В 1956 году мой товарищ Виктор Ардов написал Роме письмо:

«Милая Ромочка! Извините, что тревожу Вас таким грустным письмом, но иначе поступить не могу.

Я тут недавно заглянул к Вам на спектакль и просмотрел один номер в исполнении Аркаши (монолог пожилого человека, который завел нехорошую молодую жену). Меня поразило, до какой степени он устал, тяжело дышит и тихо говорит. В зал я пришел из-за кулис, где беседовал с ним минут пять. Там, в уборной, он выглядел еще печальнее. Простите меня за нехорошее сравнение, но я вспомнил, как играл в моей пьесе покойный Паша Поль — на премьере и через десять лет. За эти десять лет Поль постарел, и потому мне показалось, что я вижу те же обои с тем же рисунком, но сильно выцветшие. Но Полю было 60 лет в первом случае и 70 лет — во втором. А наш Аркадий — он, конечно, не износил себя, как старик, но, боюсь, к тому идет...

Ревность актерская могла заставить Райкина десять лет тому назад стремиться занять девять десятых времени спектакля. Сегодня это просто вредно для него даже творчески. Надо, чтобы зритель уходил со спектакля не совсем сытым. Пусть ему хочется еще немного полюбоваться этим артистом. А физически то, что делает Аркадий, — медленное самоубийство (и даже не очень медленное). Вы представляете себе, что через пять лет Аркадий будет приходить за кулисы с палочкой и с горечью вспоминать, как он нравился публике?.. А дело к тому идет.

Простите меня еще раз, но я не могу видеть глаза загнанной лошади, которые из зрительного зала наблюдают мало-мальски вдумчивые люди. И ни Утесов, ни даже Хенкин, ни Смирнов-Сокольский не делали этого никогда».

Письмо датировано ноябрем 1956 года. А прочитал я его много лет спустя, когда Ардова уже не было в живых и когда уже не было возможности сказать ему, как растрогало меня это проявление дружеской заботы. Растрогало, хотя я принципиально не могу согласиться с тем, что зритель должен уходить со спектакля «не совсем сытым».

Страстное желание работать, играть как можно больше — необходимое условие актерского долголетия. И если считать аксиомой, что «цель творчества — самоотдача», то это означает — по крайней мере для нас, артистов, — постоянное существование на пределе духовных, нравственных и физических сил.

Наша работа — точно катание с горы на санях. Сначала долго взбираешься на гору, долго накапливаешь в себе кинетическую энергию, а потом — в одно мгновение тратишь ее, летишь с ветерком, набирая скорость. Только бы не занесло на вираже! И чем труднее дается тебе внутренний подъем, восхождение к роли, тем щедрее и радостнее отдаешь то, что накопил.

Я не принадлежу к тем людям, которые с пренебрежением относятся к своему здоровью. Убежден, что соблюдение режима, умеренность в привычках для актера, как и для спортсмена, являются профессиональной необходимостью. К тому же и с возрастом не считаться нельзя.

Но когда меня принимаются лечить, так сказать, по стандарту, то есть безотносительно к особенностям моей профессии и моей человеческой индивидуальности, я внутренне сопротивляюсь и даже воюю с докторами. Когда они рекомендуют мне полный покой (исходя из некоего «среднестатистического», но лично ко мне совершенно неприменимого тезиса, что старость — пора отдохновения), я вспоминаю одну излюбленную фразу моего отца и в какой-то степени разделяю ее грубоватую логику.

— Надо вставать и работать, — говорил отец, — тогда не будешь болеть.

И еще мне вспоминается Мейерхольд, который говорил, что, глядя на пропасть, один человек думает о смерти, а другой — о том, как построить мост.

* * *

Естественно, что в последние годы я все чаще пользуюсь услугами медиков. Сознаю, что, будучи не самым покладистым пациентом, временами произвожу на них странное впечатление.

Так, однажды после очередного вызова «скорой помощи» и требования врача немедленно ехать в больницу, я ответил, что через час у меня выступление в Театре имени Вахтангова, поэтому больница отменяется. Врач все же усадил меня в машину, но по дороге, когда мы проезжали по Арбату (тогда он еще не был закрыт для автомобильного движения), я попросил:

— Будьте добры, остановите у театра и подождите меня на улице. Я выступлю и тут же вернусь, даю вам слово. Всего каких-нибудь двадцать минут.

Врач ничего не ответил. Но посмотрел на меня как на сумасшедшего.

В другой раз (хорошо запомнил эту дату: 30 декабря 1972 года) я должен был принимать участие в традиционном новогоднем концерте для молодежи столицы. В тот день я с самого утра чувствовал себя из рук вон плохо, но если уж обещал — приехал в назначенный час во Дворец Съездов, где проходил концерт. Как только вышел на сцену, сердце заболело невыносимо. Но я отработал положенных два номера. После чего кое-как добрался до кулисы с прижатой к груди рукой, опустился в кресло и понял: подняться не смогу. Так у меня случился инфаркт.

Друзья, корившие меня за безотказность в работе, на сей раз получили весомое подтверждение своей правоты. Но, с моей точки зрения, даже инфаркт не является убедительным аргументом в их пользу. Я твердо знаю: если бы я больше щадил себя, я бы тогда уж точно не выдержал напряжения жизни.

После инфаркта я поставил перед собой задачу научиться управлять своими эмоциями и своими силами так, чтобы приливы энергии приходились только на время творческой работы. В быту же я намеренно расслабляюсь: говорю тихо, самые элементарные движения делаю крайне медленно и осторожно. Незнакомые люди, наблюдающие за мной в жизни, приходят к выводу, что я стал совершенно немощен. Увидев же меня на сцене, удивляются, откуда у меня берется второе дыхание.

Один врач дежурил у нас на спектакле и с опаской наблюдал за тем, как я «выкладываюсь». Потом сказал:

— Странные вы люди, актеры. Вот вы, Аркадий Исаакович, лежали в антракте ни живы ни мертвы, а вышли на сцену — и как будто здоровый человек. Откуда только силы у вас?

Я ответил, что отгадка — в зрительном зале. Он мобилизует меня. И силы, по-видимому, возникают из непреодолимого стремления сказать зрителям то, что меня волнует сегодня. Потому что завтра меня может волновать другое. И вообще — как знать, что случится завтра... Я сказал также, что в любом художнике есть это нетерпение сердца. Даже если сердце требует щадящего режима.

Врач только развел руками. Должно быть, с медицинской точки зрения все, что я пытался ему объяснить, выглядело сущим вздором.

Неприкаянный Веничка

В 30-е и 40-е годы в Москве и Ленинграде едва ли не каждый второй литератор знал Веню Рискинда. До войны он дружил с Бабелем, потом был возведен в ранг оруженосца Олеши, который, в свою очередь, имел прозвище «рыцарь бедный» (кажется, с легкой руки Юзовского), и это шло им обоим, и Олеше, и Рискинду; каков был рыцарь, таков был у него и оруженосец.

Веня Рискинд, неприкаянный Веничка, был и моим спутником, забыть которого невозможно.

— А вот, допустим, Веничка, сэр Уинстон Черчилль пригласил тебя на обед. Что тогда?

— Я бы отказался.

— Неужели? Ты же так любишь покушать.

— Да. Но если я говорю, что я бы отказался, то это значит, что я бы отказался.

— Но тебе пришлось бы чем-то мотивировать свой отказ.

— За этим дело бы не стало. Я сказал бы: сэр Уинстон, позвольте полюбопытствовать, за чей счет приглашаете вы меня на обед?

— Что за вопрос! Конечно, за свой, за сэровский.

— Дудки, сэр Уинстон. Вы приглашаете меня на обед за счет эксплуатируемых вами беднейших слоев населения. Так лучше я плюну на это и отправлюсь в Гайд-парк, чтобы сказать там все, что я думаю о поджигателях «холодной войны»... Но прежде я хотел бы посмотреть, что у тебя в холодильнике, Аркадий. Я, между прочим, зверски хочу есть.

Он всегда хотел есть.

Сказать, что Веня был беден, — это ничего не сказать. Все его имущество — старый вещмешок, в котором лежали «походные» сковородка и электроплитка. Он всегда носил их с собой. Да еще была у него такая же старая, латаная-перелатаная шинель, в которой он прошел всю войну и которой укрывался в мирные дни там, где находил ночлег.

После войны у него не осталось никого из родственников, кроме сироты племянницы, которую он очень любил и которой отдавал последние гроши, заработанные случайно литературной поденщиной.

Считалось, что Веня — писатель, только не печатающийся. Не уверен, что это так. Может быть, впрочем, после него остались какие-то рукописи, которые мне неизвестны. Но те немногие рассказы, которые я читал, по-моему, не имеют художественной ценности. Вот когда он сам читал их вслух — это было очень выразительно, смешно. Думаю, в нем погиб не столько литератор, сколько незаурядный актер. Вообще он был человек со многими талантами: прекрасно играл на аккордеоне, пел, рисовал. Но все эти таланты так и остались нереализованными.

Веня был гордым. Как-то один из его многочисленных приятелей — писателей, журналистов, артистов, у которых он ночевал и занимал деньги, воскликнул:

— Старик, ты живешь просто как Диоген!

— Бери выше, старик, — парировал Веничка. — Диоген со своей бочкой слабак против меня. Против меня ваш Диоген — старосветский помещик.

Это был еще джентльменский ответ. Он мог и рассвирепеть и нагрубить, если кто-нибудь обращался к нему со словами жалости.

Веня как-то по-детски реагировал на любую несправедливость и пытался бороться с ней на свой манер. Борьба далеко не всегда приводила к успешным результатам, но были у него и свои маленькие победы. Например, такая.

Однажды он приехал в какой-то город, где у него не было друзей и знакомых, и решил остановиться в гостинице. Увидев его шинель и его вещмешок и быстро сообразив, с кем имеет дело, дама-администратор, у которой, как потом описывал Веня, пудра сыпалась со щек прямо в тарелку (а в тарелке перед ней лежали два недоеденных бутерброда: один с черной икрой, а другой — с красной), даже не повернув головы в его сторону и, что не менее характерно, даже не дождавшись вопроса насчет свободных мест (ну, в общем, заключил Веня, жуткая стерва), сказала сквозь зубы:

— Нет и не предвидится.

Веня остался сидеть в холле.

— Понимаешь, — рассказывал он, — если бы у них там было приличное кресло, я бы послал их далеко и заснул бы сию же секунду; ты же знаешь, у меня за этим дело не станет. Но мало того, что у них стояли только скрипучие стулья, как в самом последнем кинотеатре, у них еще и входная дверь всякий раз так била по нервам, что можно было с ума сойти. Тогда я стал наблюдать. И что я вижу? Один человек получает номер, другой, третий... все прекрасно устраиваются. Конечно, тебе не надо объяснять, что они ей давали «барашка в бумажке». А ты же меня знаешь: я человек не зловредный, но почему я должен наблюдать, как эти жулики зажравшиеся спокойно устраивают свой шахер-махер в советском учреждении!.. В общем, я вышел на улицу, зашел в телефонную будку, набрал 09 и спросил, как позвонить в такие-то и такие-то номера такой-то гостиницы. Ну, и стал им звонить, слава Богу, монет мне хватило. Я им сообщил, в самых изысканных выражениях — ты же меня знаешь, — что администрация просит извинения за беспокойство, но, к сожалению, только что приехала важная иностранная делегация, и поэтому есть просьба взять свои вещи с собой и провести эту ночь в холле. Представь себе, все они поверили. Все как один спустились вниз и расселись на этих скрипучих стульях. Чересчур напудренную даму к тому времени уже сменила другая администраторша, которая и бровью не повела: ночуют люди в холле — значит, они без мест. А я понаблюдал за ними в свое удовольствие и спокойно заснул. Да, я заснул с чистой совестью.

— А наутро? Наутро у тебя не возникло чувство, что ты поступил все-таки слишком жестоко?

— Боже упаси! Ты что, не понял: среди них не было ни одного порядочного человека! Заметь, никто из них не стал жаловаться. Потому что в глубине души все они знают: их место не в гостинице, а в тюрьме. Кстати, если бы меня спросили в органах, то я бы сказал: вот кем вы должны заниматься, товарищи. Но меня пока не спрашивают, а сам я — ты же меня знаешь — навязываться не люблю.

Надо сказать, что гостиницы были его стихией.

В кафе при московском «Национале» он регулярно появлялся вместе с Олешей, и у него был такой вид, точно он собирался немедленно купить весь «Националь» со всеми швейцарами и официантами в придачу. Швейцары и официанты, конечно же, поглядывали на него косо, а он каламбурил на их счет:

— Плебеи, когда они только научатся ценить национальную элиту?!

В киевской гостинице «Континенталь» к нему относились с большим пониманием. Горничные любили его и обычно, когда у него заканчивались деньги, чтобы платить за номер, пристраивали его куда-нибудь в бельевой чулан, разумеется, втайне от гостиничного начальства. Своим «нелегальным положением» Веня не только не тяготился, но, живя так неделями, чувствовал себя превосходно. В чулане он даже умудрялся готовить себе пищу. Для этого на кухне в ресторане требовалось раздобыть немного муки и масла, а уж плитка и сковородка, понятное дело, были у него наготове.

Однажды в «Континенталь» явилась с проверкой комиссия, а Веня в чулане как раз жарил оладьи на каком-то машинном масле. Дым и чад, разумеется, проникли в коридор. Тогда к нему прибежала перепуганная горничная:

— Веничка, дорогой! Потерпи со своими оладьями, а то нас сейчас оштрафуют, а тебя выгонят.

— Пусть только попробуют! — сказал Веня и жарить не перестал.

Когда члены комиссии добрались до чулана, они увидели Веню, склонившегося над листом бумаги, а на листе они увидели натюрморт: плитку, включенную в сеть, сковородку и оладьи на ней.

— Я рисую только с натуры, — пояснил Веня таким тоном, что всякие вопросы о противопожарной безопасности, а также о том, для чего в гостиничном чулане сидит художник, прозвучали бы по меньшей мере бестактно.

— Извините, — сказали члены комиссии и ретировались.

Веня бывал и бесцеремонен, но я не знаю такого человека, который мог бы всерьез на него сердиться.

Как-то он приходит к нам с Ромой в гостиницу «Москва»:

— Я у вас сегодня ночую.

— Видишь ли, Веня, — говорю я, — у нас всего лишь одна кровать. Тебе не будет неудобно?

— При чем тут кровать! У вас же есть ванная комната!

И действительно, улегся в ванне, постелив свою шинель.

Вени Рискинда уже нет на свете. Но в писательской и актерской среде до сих пор передаются из уст в уста связанные с ним истории. Чаще всего их рассказывают как анекдоты, даже не подозревая, что эти истории происходили с человеком, действительно существовавшим.

Расскажу напоследок еще одну. О том, как Веня Рискинд проучил милиционера-регулировщика.

Однажды, перейдя улицу в неположенном месте, Веня был остановлен милиционером, который потребовал заплатить штраф — один рубль. Веня сказал, что очень сожалеет, но у него всего один рубль в кармане, и поэтому он убедительно просит в виде исключения не штрафовать его.

Но милиционер и слушать не стал. Вене было обещано доставить его в отделение, если он немедленно не уплатит штраф. Пришлось уплатить.

Возмущенный таким педантизмом, такой черствостью, такой неразвитостью души, Веня замыслил месть. Раздобыв с этой целью рубль и разменяв его на сто копеек, он дождался очередного дежурства своего обидчика и вновь там же перешел улицу. Раздалась трель милицейского свистка. Регулировщик опять потребовал штраф. Тогда Веня достал из кармана горсть копеек и принялся считать:

— Одна копейка, две, три... двадцать четыре, двадцать пять... сорок восемь, сорок девять... нет, кажется, сорок девять уже было... вы не помните, товарищ милиционер?

Милиционер — то ли он почувствовал подвох, то ли ему просто надоело — сказал, что гражданин может быть свободен.

— То есть как «свободен»?? Я нарушитель, а вы милиционер. О какой свободе вы говорите?! Я плачу штраф, а вы меня сбиваете. Вы мешаете мне считать! Будьте любезны выполнять свои обязанности как полагается, в противном случае я вам обещаю большие неприятности по службе... Значит, так: одна копейка, две, три, четыре...

Тут он выронил несколько копеек на тротуар и стал подбирать их, между тем роняя другие.

Милиционер растерялся, а Веня потребовал:

— Помогайте, помогайте! Что вы стоите как столб? По вашей вине государство может лишиться моих последних денег! Этого нельзя допустить! Помогайте!

Вмиг собравшаяся толпа получила возможность наблюдать, как милиционер вместе с Веней ползают по асфальту.

Милиционер попытался было потребовать, чтобы люди разошлись.

— Люди не виноваты! — отрезал Веня. — У них и так мало впечатлений! Не мешайте людям получать удовольствие!

После этого регулировщик оказался всецело в Венином подчинении и больше не проронил ни слова. Только ползал. Веня же, напротив, прекратил поиски, встал во весь рост и целиком сосредоточился на общем руководстве.

Кажется, нескольких монет они так и недосчитались, но в конце концов нарушитель смилостивился и разрешил выписать квитанцию на один рубль.

С тех пор Веня еще несколько раз в часы дежурства того регулировщика спокойно переходил улицу у него под носом, не без основания полагая, что наученный горьким опытом милиционер больше не осмелится штрафовать.

Потом Веня говорил мне:

— Вот это, я понимаю, спектакль! В каком театре такое покажут, а?..

Когда я вспоминаю Веню Рискинда, мне хочется и смеяться, и плакать.

Наши авторы

Даже самое внимательное чтение рецензий сороковых — пятидесятых годов не позволяет составить сколько-нибудь внятное представление о том, чем мы занимались в те годы, чем жили, какие люди нас окружали, сотрудничали с нами и поддерживали нас. В лучшем случае — пересказ содержания той или иной миниатюры. А в подавляющем большинстве — стертые, ничего не значащие словеса: «Успех коллективу приносит вдумчивая работа», «худшие куски текста стали худшими кусками и по актерскому исполнению», «жаль, что отдельные эпизоды все же не удались» и т. д.

Перечитываю все это и с грустью спрашиваю себя: неужели жизнь нашего театра была так неинтересна, тускла, беспроблемна, как она выглядит в зеркале прессы? Вопрос отнюдь не риторический. Ведь иной раз, вспоминая то, что когда-то представлялось нам остроумным, важным, смелым, просто диву даешься: выйди сегодня со всем этим к зрителю — и потерпишь полное фиаско. А в ту пору приходилось копья ломать! Одно могу сказать твердо: при всех наших трудностях, при всем наивном схематизме и ограниченности нашей послевоенной сатиры мы оставались живыми людьми. И я убежден, что это нельзя было не почувствовать в зрительном зале.

Когда приходит «время собирать камни», хочется рассказывать о том, о чем никто, кроме тебя и твоих товарищей-артистов, рассказать не может. Наши авторы — именно такая тема. Среди них были самые разные люди: часто несоизмеримые друг с другом по масштабу дарования, по творческим устремлениям, по человеческим качествам. Но общение с каждым из них — штрихи истории нашего коллектива.

Я считаю своим долгом назвать их имена. Сделаю это в алфавитном порядке: независимо от последовательности, в которой они появлялись на наших афишах, и независимо от того, насколько ценным представляется мне вклад того или иного автора в наше общее дело.

Но прежде хотелось бы заметить следующее. Конечно, в искусстве нет и не может быть уравниловки: кого-то по праву называют мастером, а кто-то остается на вторых ролях. И конечно, далеко не все из того, что писали и пишут для нас, можно назвать литературой. Но такова уж особенность жизни театра, что автор, с которым ты сотрудничаешь сегодня и на которого именно сегодня возлагаешь надежды, представляется тебе пусть и не самым талантливым, но, если так можно сказать, самым главным. Нас связывает процесс работы, и, как бы сложно, как бы порой конфликтно он ни протекал, ты хочешь видеть в авторе только союзника. И может быть, невольно преувеличиваешь его масштаб. Потом, рано или поздно, ваши пути расходятся, возникают новые творческие интересы и соответственно новые союзники. Надолго ли?

С уверенностью никогда нельзя ответить. Но, так или иначе, на определенном отрезке пройденного пути каждого из своих авторов я ощущал союзником. В той или иной мере, с большим или меньшим успехом, но — каждого. И было бы несправедливо забывать об этом.

Итак, наши авторы — М. Азов и В. Тихвинский, С. Альтов, Н. Анитов и А. Осокин, В. Ардов, А. Арканов, Гинряры (коллективный псевдоним М. Гиндина, Г. Рябкина, К. Рыжова), В. Дыховичный и М. Слободской, М. Жванецкий, М. Зощенко, Я. Зискинд, Б. Ласкин, Г. Левина, Л. Ленч, Я. Лифшиц, Л. Лиходеев, В. Масс и М. Червинский, Г. Минников, И. Прут, Настроевы (Э. Бащинский, Б. Зислин, А. Кусков), М. Мишин, В. Поляков, М. Светлов, В. Синакевич, В. Сквирский, Л. Славин, А. Хазин, Е. Шварц... Прошу прощения, если нечаянно запамятовал кого-нибудь из тех, кто работал с нами эпизодически.

Театр миниатюр всегда отличали особые требования к драматургическому материалу, связанные с определенными традициями, с природой жанра. Материал должен быть актуальным, лаконичным, образным, смешным и в то же время облагораживать душу и сознание зрителя. Как мы представляли себе сумму этих качеств в те или иные годы — величина переменная. Но незыблемым был и остается самый тесный контакт с авторами. Если любой театр имеет возможность принять к постановке уже известную пьесу, и даже ту, которая идет на соседней сцене, то у нас каждая постановка единственна в своем роде, не может повториться ни на какой другой сцене.

В истории нашего театра не было, да и не могло быть так, чтобы автор принес готовый от начала до конца текст, а мы бы думали только о том, как его поставить. Нередко в недрах театра рождается идея спектакля, и лишь потом следует заказ автору. Во время репетиций текст, как правило, дорабатывается коллективно (разумеется, с участием автора), а репетиции превращаются в своеобразные диспуты. Предложенные авторами миниатюры обсуждаются с разных точек зрения, прежде всего — значительности и современности содержания. Случается, и не столь редко, в результате такого обсуждения снимается готовая работа, как бы ни было жаль затраченного труда. Помнится, в начале 60-х годов мы отказались даже от целого спектакля, уже доведенного до генеральной репетиции. Он назывался «В связи с переходом на другую работу». Правда, потом большая часть миниатюр вошла в спектакль «Волшебники живут рядом».

Конечно, писать для нас — дело трудное и неблагодарное. Жанр эстрадной миниатюры требует такого литературного аскетизма, что далеко не всякий уважающий себя автор готов на это пойти. Одни шли — и не выдерживали, уходили от нас. С другими мы расставались сами, как только понимали, что они начинают повторяться, перестают чувствовать время.

Необходимо умение спрессовать содержание почти до формулы, достигнуть обобщения в характеристике персонажа, комизма (а иногда трагикомизма) ситуации, афористичности и многого другого. Это не всегда удается. Я уже рассказывал о Назыме Хикмете. Подобная история произошла и с Алексеем Толстым. Он побывал у нас на спектакле, который, вероятно, ему понравился, и сам вызвался написать для нас миниатюру. А через полгода извинялся:

— Написалась пьеса...

Но те, кто становились нашими авторами, были, в сущности, членами нашего коллектива, хотя и не числились в штатном расписании.

Владимир Поляков

Сотрудничество с Владимиром Поляковым началось до войны и продолжалось — с перерывами — почти четверть века, вплоть до начала 60-х, когда он организовал в Москве Театр миниатюр и возглавил его. Многие помнят Полякова — патриарха эстрады, завсегдатая московских редакций, очень остроумного человека, привлекавшего артистическую и литературную молодежь не только увлекательными байками «из прошлой жизни», которые он знал в огромном количестве и умел вкусно подать в компании, но также — своим покровительственным отношением к начинающим.

Но я-то его помню еще в молодые годы. Посмотреть на него в ту пору — вполне спокойный человек, сын почтенного зубного врача, ни за что не заподозришь в нем способность подъехать к дому своей возлюбленной — в центре Москвы — верхом на лошади. И вообще с первого взгляда нельзя было сказать, что больше всего на свете он любит фраппировать своих приятелей, а не сидеть за письменным столом.

Однажды на репетиции ко мне подошел известный акробат Леонид Маслюков, который вместе со своей постоянной партнершей Тамарой Птицыной был тогда у нас в труппе, и попросил задержаться после репетиции. Дескать, будет показываться провинциальный опереточный актер, который мечтает поступить к нам в театр.

— Зачем?! — сказал я с неодобрением. — У нас нет мест.

— Ну все-таки посмотри его. Человек старался, приехал издалека...

Я был крайне раздосадован. Что еще за самодеятельность! Но делать нечего, и после репетиции весь худсовет остался в зале. На сцену вышел наш концертмейстер, сыграл несколько вступительных тактов, после чего из-за кулис вылетело какое-то чучело в огненно-рыжем парике. Я отвел глаза от сцены. Мучение, да и только.

Но тут мои товарищи покатились со смеху и зааплодировали. Смотрю: рыжий выделывает какие-то немыслимые антраша, высоко подпрыгивает и зависает в воздухе, явно не задумываясь о том, в каком виде возвратится в исходное положение. Если это и был танец, то танец камикадзе.

И вдруг до меня доходит: батюшки, да это же Володя Поляков! Стоит ли говорить, что мы устроили ему овацию.

Как-то раз я ему сказал:

— Володя, давай сделаем миниатюру о вежливости.

— Что значит «о вежливости»?

— Ну, о том, что утрачены элементарные нормы в поведении людей на улице, на работе, вообще в рядовых, будничных ситуациях...

— Что же ты говоришь «о вежливости»? Это должно быть «о невежливости».

— Ну хорошо. Пусть так.

Приносит он миниатюру. Едут люди в трамвае и скандалят по мелочи: дура — сам дурак; идиотка — идиот; а еще шляпу надел и т. д. Нет, говорю, плохо и нисколько не поучительно. Примитивно, лобово.

Поляков обиделся и ушел. Мы с артистами стали импровизировать. Я знал, что он вернется. Он в таких случаях всегда возвращался. В результате получилось следующее.

Аудитория. На стульях сидят трое мужчин и одна женщина — студенты какого-то учебного заведения. Они слушают лекцию и записывают под диктовку: «При входе в дом надо снять шляпу и сказать: «Здравствуйте». Лектор обращается к «аудитории»: «Товарищи, а что же надо сказать уходя?» Студенты молчат. Лектор: «Уходя, надо сказать: «До сви-да-ни-я». Все лихорадочно записывают: «До сви-да-ни-я». «А если, — говорит далее лектор, — старушка упала зимой на улице, и вы ее подняли, что она должна вам сказать?» Опять молчание. Лектор пытается подсказать слово, которое начинается на букву «с». «Ну, товарищи, какое это слово?» Ответ звучит неожиданно: «Склизко». «Нет, — говорит лектор, — неправильно». «А как же?» — недоумевают студенты. «Надо сказать «спасибо», — поясняет лектор.

В конце лекции трое студентов вставали, благодарили лектора, говорили между собой, что лекция очень важная, а единственная женщина уносила за кулисы все четыре стула.

Практически театр самостоятельно нашел решение интермедии, и Полякову на сей раз оставалось только зафиксировать и литературно обработать то, что было найдено импровизационным способом.

Но бывало, и нередко, сам По́ляков приносил остроумные идеи, весьма эффектно разрабатывал их. Например, он придумал сценку «Непостижимо», в которой некий Петр Сидорович, руководитель учреждения, в один прекрасный день обнаруживает, что у него пропала голова. Но, что характерно, этого никто не замечает — ни его секретарша, ни даже ревизор из министерства. И тогда Петр Сидорович в отличие от гоголевского коллежского асессора Ковалева успокаивается: если безголовый руководитель устраивает вышестоящие инстанции, то и впрямь волноваться не следует.

Между прочим, сценическое воплощение этой сценки потребовало особого иллюзионного эффекта, и он был выполнен так безупречно, что даже Эмиль Кио-старший, побывав на одном из наших спектаклей, не мог сразу раскусить технику трюка с исчезновением головы.

Поляков был человек насквозь театральный и в меньшей степени литературный. Он любил и умел придумывать сюжеты, обговаривать их, но не писать. Для этого ему никогда не хватало времени. Он не писал до тех пор, пока я не начинал кричать «Караул!». Зато за одну ночь он мог написать или, точнее, записать весь придуманный ранее спектакль — от начала до конца. Он строчил как пулемет одну миниатюру за другой, причем находил излишним, закончив строку, переходить на другую, а поворачивал лист бумаги таким образом, что строка выходила полукольцом. Думать о слове, выбирать слова было не в его правилах. В ответ на мои замечания он отвечал:

— Над словом работает Марсель Пруст. Найди себе Марселя Пруста, и тогда мы с тобой продолжим разговор.

Он был автором сценария фильма «Мы с вами где-то встречались». В ходе съемок сценарий бесконечно переделывался. Листки с очередным эпизодом он подкладывал мне ночью под дверь гостиничного номера, а наутро эпизод должен был сниматься. Я нервничал, торопил его. А однажды сказал, что новый вариант такого-то эпизода меня категорически не устраивает.

— Тут тебе не театр, — ответил он. — Посмотри, уже массовку собрали.

Делать нечего, стали снимать, но чувствую: не могу произносить текст. Попросил остановить съемку. А он мне говорит, да еще так громко, что слышно всем участникам массовой сцены:

— С чего ты взял, что ты здесь главное лицо?!

Мне стало обидно. Хотя отчасти это была правда. Потому что в кино все, что угодно, может быть главным, только не творческое самочувствие артиста. Но разве я в этом виноват?!

В общем, мы тогда разругались, и он сказал:

— Все, с меня хватит. Никогда в жизни больше к тебе не обращусь.

— Нет, — говорю, — ошибаешься. Это я никогда больше к тебе не обращусь.

Но ошиблись оба. Прошло время, и мы помирились. Старый друг лучше новых двух. Впрочем... как автор Поляков все реже и реже появлялся на наших афишах. Появились новые, молодые. Они принесли иное качество юмора.

Я всегда придерживался одного правила: несмотря ни на какие приятельские отношения, нельзя поддаваться сентиментальности, надо уметь проявлять жесткость, когда ощущаешь, что это требуется самим движением жизни.

Александр Хазин

Вскоре после войны — если не ошибаюсь, осенью 1945-го — судьба свела меня с Александром Хазиным. Он был родом из Харькова, там сформировался как литератор и, когда мы приехали туда на гастроли, взялся опекать нас по праву аборигена. Он стал нашим неофициальным гидом или, как пошутил кто-то из актеров, внештатным ангелом-хранителем.

Мы бродили по городу, залитому солнцем, заполненному по-южному говорливым, общительным людом, и жадно высматривали приметы возвращения мирной жизни. Она ведь вернулась не в одночасье. Война долго не отпускала людей.

Жизнь, что и говорить, была тяжела в ту пору, и тяжесть эта была совершенно иной, нежели в дни войны, когда мерещилось, что с первым днем мира наступит всеобщее благоденствие, рай земной. Во всяком случае, до

Победы как-то не думалось о том, что предстоит затяжная борьба с разрухой, голодом и прочими лишениями.

На этом суровом фоне беспечные наши прогулки способствовали несколько неожиданному для нас самих, полузабытому состоянию созерцательности и умиротворения.

Останавливаясь у того или иного здания, Хазин рассказывал, что и как здесь было до войны и еще раньше, до революции. И даже если архитектура здания не отличалась бесспорными достоинствами, то и в нелепой вычурности, скажем, купеческого модерна рубежа веков мы вдруг ощущали своеобразную прелесть. Прелесть минувшего. Мы ощущали, что само течение времени облагораживает эти камни.

Саша Хазин был знаток местной истории, ее проспектов и закоулков, и в его интерпретации Харьков, на первый взгляд вполне прозаический, лишенный того бросающегося в глаза колорита, каким обладает, к примеру, Одесса, открывался нам как город основательного уклада. Город, не чуждый культурных традиций и, в частности, традиций театральных. Они-то, естественно, занимали нас больше всего.

С воодушевлением повествовал он о знаменитом антрепренере Николае Николаевиче Синельникове и его труппе, одной из сильнейших в российской провинции; вспоминал с удивившей меня откровенностью яркую и короткую деятельность театра «Березиль», этого уникального явления украинской советской культуры. (Руководитель этого театра выдающийся режиссер Лесь Курбас был арестован и погиб в 30-е годы.) Хазина не на шутку тревожила дальнейшая судьба театрального Харькова.

Должен сказать, что почти в каждом городе, куда мы приезжали, находились энтузиасты, добровольно бравшие на себя миссию культурного представительства от

"Авас" . Р. Карцев, А. Райкин, В. Ильченко

М.М. Жванецкий

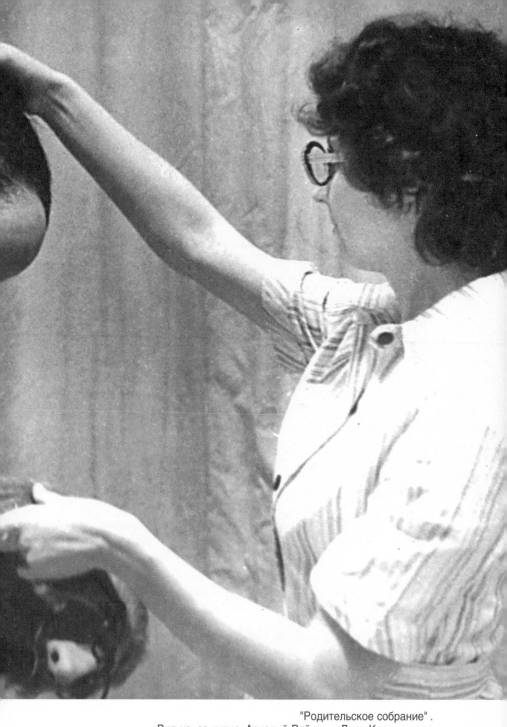

"Родительское собрание".
Вид из-за кулис. Аркадий Райкин и Лиля Каретникова

Маски –
персонажи
из разных
спектаклей
театра

Финал спектакля.
Шуточные поклоны,
прощание со зрителями

Р. Рома в миниатюре "Парикмахерская"

Фотография для афиши. 60–е годы

В ленинградской
квартире
на Кировском
проспекте

Катя Райкина и А. Райкин

Котенька с мамой

Бригада
театра
на целине.
50–е годы.
В этом вагоне
мы жили

На Би–би–си. Лондон.
Вилли Кембл, А. Райкин.
1964 год

М. Марсо
и А. Райкин

Р. Кент,
А. Райкин –
на телевидении
в Москве

Встреча
в ЦДРИ.
1956 год.
Ив Монтан,
Симона
Синьоре

«Низкий клоунский поклон королю мудрого смеха – Аркадию Исааковичу Райкину, другу нашего любимого циркового искусства». На фото:
М. Шуйдин, А. Юсупов, А. Ширман, М. Местечкин, Ю. Никулин,
А. Веншин, Р. Ширман, В. Дуров, М. Румянцев (Карандаш), М. Ширман

Гастроли в Польше. Успех!

Финальная песенка спектакля "На сон грядущий"

После спектакля

Монолог "11 неизвестных".
А. Райкин

Труффальдино – А. Райкин.
Спектакль "Любовь и три
апельсина"

Монолог «Невредного» парня

«Скандалист»

лица города. Историки-профессионалы или краеведы-любители — скромные люди, они всегда и везде руководствовались той благородной мыслью, что если забвение прошлого губительно сказывается на настоящем, то, стало быть, кто-то должен забвению противостоять, кто-то должен бороться с духовным беспамятством. Хазин был одним из таких людей. Хотя, как ни странно, на его литературной работе это не сказалось.

Когда мы познакомились, имя Хазина мне почти ничего не говорило, при том что было на слуху. Может быть, я даже читал что-то, но что именно — не помнил. Помнил только, что говорили о нем хорошо, уважительно. Репутация, возникшая благодаря обаянию и содержательности личности, так сказать, обгоняла его сочинения. Опытный журналист, прошедший всю войну в качестве корреспондента фронтовой газеты, он еще в предвоенные годы пробовал себя и в драматургии, и в прозе, и в поэзии. Но в основном делал это, что называется, для души. Не то что вовсе не помышлял о публикации своих сочинений: удавалось — печатал их в периодике, однако не суетился, предлагая их в издательства и редакции. Когда сочинение отвергали, не бросался сломя голову переписывать. Разумеется, если сам не считал, что переделка необходима.

— Ну и ладно, — говорил он. — Можно подумать, что литература не проживет без меня.

Это была не просто фраза. К своему литературному труду он относился с той мерой трезвости и здорового скептицизма, которая сдерживает в человеке излишне честолюбивые амбиции, и вовсе не считал себя настолько сильным писателем, чтобы, выдерживая тексты в столе, спокойно дожидаться лучшего для них часа. Но если обстоятельства вынуждали отказываться от расчетов на очередной гонорар, в котором он, как правило, весьма нуждался, то делал это с видимой легкостью. И в любых передрягах чувство юмора направлял прежде всего на себя самого.

Конечно, поначалу я всего этого не знал, но как бы предчувствовал, предугадывал в нем. Подобные свойства натуры, особенно в людях художественного склада, я ставлю очень высоко и нахожу весьма редкими. Рефлексия вкупе с самоиронией — верный признак человеческого достоинства. Что, с моей точки зрения, всегда предпочтительнее пусть крупного, но самовлюбленного дарования.

Тогда, в Харькове, Хазин показал мне свою только что написанную сатирическую поэму «Похождения Евгения Онегина», где пушкинский герой оживал в современном Ленинграде. Согласитесь, что, услышав, например, такую строчку: «В трамвай садится наш Евгений...», можно было прийти в некоторое замешательство. Но мне понравилась эта остроумная, смелая и в то же время корректная стилизация. Она была близка мне по духу. Ведь я не раз прибегал к подобному травестированию классических литературных сюжетов и образов. И кстати сказать, до сих пор считаю, что такой прием (требующий ювелирной отделки, ибо малейший сбой здесь неминуемо приводит к вульгарности и развязности) по самой сути своей не только не оскорбителен для классики, но и глубоко укоренен в традициях мировой сатиры. А для театра миниатюр он практически неисчерпаем, ибо позволяет давать в гротескном соотношении злободневное и вневременное, низкое и высокое. Это прием, который укрупняет, если так можно выразиться, масштаб иронии.

Я сказал Саше, что вижу в его сочинении некий импульс для работы над новым спектаклем. Впрочем, пока только импульс. Так что если он готов пройти вместе с нами все круги ада, прежде чем увидеть свою фамилию на афише, то мы могли бы заключить договор. Он ответил, что готов на все и даже больше, ибо далеко не каждому харьковчанину (хотя бы и переселившемуся, как он, в Ленинград) является театральный Мефистофель вроде меня.

Честно говоря, я не очень-то поверил в серьезность его заверений: решил, что это фигура речи, и только. Знаю я вас, братцы литераторы: поначалу все вы — образец кротости, но стоит вам чуть-чуть расправить крылья, утвердиться в общественном мнении, как ваши претензии начинают расти как грибы после дождя, — и вот уж не подступиться к вам, и управы на вас не найти. Впрочем, это и к нам, артистам, относится.

Как бы то ни было, принялись мы работать. Первое, что я посоветовал ему, — убрать некоторую запальчивость обличительного тона. При повторном прочтении ощущался определенный перекос в сторону бурного негодования по поводу «отдельных» недостатков. Это — суета. Это мельчит. Всегда и везде требуется чувство меры, а в нашем деле оно приобретает решающее значение. Чувство меры не в смысле осторожничанья (в этом грехе меня, надеюсь, трудно упрекнуть), но в смысле выдержанности, несуетности авторской позиции. Как ни парадоксально, чем внешне спокойнее, нейтральнее выражается сатирический пафос, тем глубже впечатление, которое он способен произвести на зрителя. Если, конечно, этот пафос серьезен и глубок по существу.

Кроме того, образ Ленинграда — центральный образ поэмы и будущего спектакля — не может не быть, по моему убеждению, положительным и, насколько это возможно в нашем жанре, возвышенным. Город только что пережил блокаду, нам дорог здесь каждый камень. Да ведь и образцы высокой сатиры, рожденной на берегах Невы, ориентируют нас не только на обличительство, не только на осмеяние пороков. Достаточно вспомнить хотя бы Гоголя с его «Невским проспектом».

Развивая эту мысль, я не без тревоги посматривал на тогда еще малознакомого, но уже вполне симпатичного мне автора, пытаясь угадать, в какой форме и в какой степени он выразит несогласие со мной. Но, к моему удивлению, он не только не стал спорить, но поверг написанное еще более критическому анализу, точно речь шла о тексте, принадлежащем какому-то третьему лицу.

Суть его рассуждений состояла в следующем. Он, мол, от природы менее всего склонен к зубоскальству, но в данном случае действительно ушел от лирики и внутренней патетики. Это не случайно, ибо лирика и патетика скомпрометированы, превращены в унылую жвачку усилиями эстрадных рифмоплетов с их дежурными, так называемыми положительными фельетонами. Теперь же он видит, что «перестарался». И еще он сказал, что стилизовать — не значит лишь «впрыгнуть» в пушкинский размер и более или менее удачно разбавлять архаизмами современную бытовую лексику. Главное — обрести внутреннюю свободу, такое дыхание стиха, которое создавало бы у читателя впечатление легкости и вольности авторской мысли, фантазии, иронии... Да только где же возьмешь-то их — легкость и вольность?! Вот в чем печаль.

С этим он и ушел. А я тогда подумал, что могу обрести в его лице не просто автора, но единомышленника. Человека, осознающего предназначение и положение сатирика так же, как я.

Второй вариант «Похождений Евгения Онегина» меня вполне устроил. На его основе — прежде чем приступить к репетициям в нашем театре — я подготовил моноспектакль, премьера которого состоялась в Риге, на гастролях. Потом была сделана запись на ленинградском радио (эта уникальная пленка и по сей день хранится в Ленинградском музее эстрады и у некоторых коллекционеров). Но завершить работу над спектаклем, увы, не удалось по обстоятельствам, как говорится, от нас не зависящим.

В числе авторов журналов «Звезда» и «Ленинград» разгромной критике подвергся и «некто Хазин» (именно так его и упомянули), в связи с чем у него началась длительная полоса неприятностей...

Саша Хазин был во всех отношениях красивый человек. Статный, стройный, с тонкими чертами лица и безукоризненными манерами. Его можно было принять за коренного петербуржца, что порой становилось предметом дружеских шуток: его-де специально выписали из Харькова, дабы Северная Пальмира не оскудела. Он был один из тех, кто не просто переселился в этот город, но пропитался до мозга костей его исторически сложившейся атмосферой, раз и навсегда ощутил себя его частицей. Такое ощущение помогало ему жить.

Литературная судьба Хазина была несладкой. По твердому моему убеждению, он сделал меньше, чем мог. Его не хватило на то главное произведение, к которому настоящий писатель стремится всю жизнь, и, наконец написав, обретает внутреннее равновесие или по крайней мере испытывает облегчение. Слишком много сил ушло у Хазина на жизненную борьбу, от которой, увы, мало что остается, когда приходится подводить итоги. Но тем более замечательно, что он не озлобился и не сломился. Не уподобился многим собратьям по перу и по судьбе, которых жизнь превращала в жалких завистников.

Я поражался его веселости. Его стойкость всегда была для меня примером. И еще я научился у него умению быть неподдельно внимательным к каждому собеседнику, независимо от общественного положения, круга интересов и степени знакомства. Неоднократно я становился свидетелем того, как самые разные люди обращались к Хазину со своими радостями и горестями. Хотя, конечно, все понимали, что он не принадлежит к тем, кого принято называть влиятельными фигурами, и что оказать практическое содействие, как правило, не в его власти. Но ведь есть и другая власть, другое могущество, в котором люди не перестанут испытывать потребность. Власть и могущество сострадания одного человека другому.

Легко вписавшись в литературную и театральную жизнь Ленинграда, он до конца своих дней (его не стало в 1976 году) был одним из самых живых и обаятельных, хотя, вероятно, не самых заметных ее персонажей.

Вместе со своей женой и другом, актрисой Театра комедии Тамарой Сезеневской, он был близок старой, акимовской гвардии этого театра. Желанный завсегдатай тамошних знаменитых «капустников», он был идеальный «капустный» зритель. Не только потому, что умел искренне радоваться остроумию ближнего, но еще и потому, что из любви к артистам склонен был даже завысить великодушно цену иной репризы. В конце концов дело не в том, насколько тонка и мастеровита реприза, а в том, насколько свежа и раскованна атмосфера, в которой она родилась.

В нашем театре Хазин и подавно был своим. Мы обязаны ему многими добрыми советами, проницательными суждениями, а главное — спектаклем «Волшебники живут рядом», который я считаю одной из лучших наших работ.

Он писал пьесы, интермедии, монологи. Они далеко не равноценны. Многое в них слишком принадлежит своему времени и, надо признать, свое время не пережило. Но глупых и конъюнктурных среди них нет.

В одной из его пьес действует персонаж, которого он назвал Летописцем. Он дал этому персонажу такой текст:

Пока еще невинная страница
Доверчиво лежит перед тобой,
Рука твоя, Поэт, да не польстится
На ложь, и фальшь, и пафос громовой.
Не зашивай простреленные флаги,
Не исправляй события хитро,
Когда твоей касается бумаги
Правдивое, нетленное перо.
Но и тогда, когда грохочет бой,
И в краткий час затишья рокового
Ты отличай от случая иного
Высокий дух Истории самой...

Это, конечно, голос не только персонажа, но и автора. Чистый голос.

Михаил Зощенко

В начале 50-х годов нашим автором стал и Михаил Михайлович Зощенко.

До войны Зощенко был одним из самых репертуарных эстрадных авторов. Его рассказы считались «самоигральными», особенно те, где повествование ведется от лица обывателя. Конечно, артистов, а среди них были Владимир Хенкин, Леонид Утесов, Владимир Яхонтов, Игорь Ильинский, прежде всего привлекала новая речь. Язык улицы, учреждений, коммунальных квартир, который благодаря творчеству Зощенко становился фактом литературы. Привлекали жизненные сюжеты, взятые из повседневности и организованные таким образом, чтобы создавалось впечатление, будто они подсмотрены в замочную скважину и уместны скорее в застолье, нежели на бумаге.

Однако почти никому не удавалось передать самое существенное и самое сложное в его прозе — дистанцию между автором и персонажем. Играли один к одному. Играли жанровые картинки. Педалировали репризные моменты, в то время как юмор Зощенко не на репризах строится. Наверное, не избежал этого и я, читая его рассказы в студенческие годы.

В наши дни Зощенко хорошо читают Сергей Юрский, Александр Филиппенко: нейтрально, невозмутимо, как и написано. И тогда в анекдотической ситуации вдруг проявляется драматизм. Начинаешь понимать, что слово героя, рассказчика — это вовсе не слово самого Зощенко. Слово Зощенко, оставаясь непроизнесенным, лишь подразумевается.

Пьесы Зощенко еще в довоенные годы шли в ленинградских театрах. Мне очень хотелось встретиться с ним в работе, но я долго колебался, прежде чем позвонить ему с просьбой написать для нашего театра. При том что между нами уже установились отношения, хотя и не близкие, но достаточно добрые, для того чтобы он по крайней мере не удивился моему телефонному звонку.

Очевидно, в такой нерешительности, обычно несвойственной мне в делах, сказывался мой давний пиетет к его творчеству. У меня не было уверенности, что он не откажется сотрудничать с нами, а получить отказ именно от него мне было бы в высшей степени неприятно. Самый факт отказа, чем бы Зощенко его ни мотивировал, можно было квалифицировать как признание писателя, что мы работаем, так сказать, на разных этажах сатиры и что он — мастер слова — не какой-нибудь текстовик, чтобы опускаться в наш эстрадный полуподвал.

Сейчас мне кажется странным, что я мог предполагать в Михаиле Михайловиче подобную спесь. Ведь он был вовсе не из тех мастеров, которые охраняют свою мастерскую от непрошеных вторжений с других этажей жизни.

Впрочем, в таком случае получить от него отказ было бы вдвойне обидно.

Не знаю, рискнул бы я когда-нибудь заговорить с ним о возможном сотрудничестве, если бы не трагические обстоятельства, в результате которых его перестали публиковать и исполнять с эстрады. В конце сороковых — начале пятидесятых годов удары в адрес Зощенко следовали один за другим. Только, казалось, начал он оживать после постановления 1946 года — вновь (!) был принят в Союз писателей, начал печататься в «Крокодиле» и других изданиях, — как после памятной встречи с английскими студентами весной 1954 года началась новая травля Зощенко.

В тяжелое для него время Михаил Михайлович, и без того малообщительный, замкнутый, старался как можно реже появляться на людях. Он избегал людей, чтобы избежать новых разочарований.

Я убежден, что среди его знакомых не было человека, который бы не понимал, что с Зощенко обошлись несправедливо. Кто-то старался уверить его, что вскоре все образуется, справедливость восторжествует. Кто-то молча пожимал руку при встрече. Но было немало и таких, которые, завидев его на улице, делали вид, что не замечают его, и норовили свернуть в сторону, сбежать. Обнаружив это раз-другой, Михаил Михайлович и сам стал отворачиваться, когда встречал кого-нибудь из знакомых. На всякий случай спешил сделать это первым.

Не стану утверждать, что все, кто поступал таким образом, непременно малодушничали, трусили. Некоторые, вероятно, руководствовались ложно понимаемой деликатностью. Ощущая беспомощность утешительных слов, да еще зная зощенковскую гордость, предпочитали помалкивать, не навязывать своего сочувствия. Я знал таких людей и думаю, что они не трусили, когда отводили глаза при встрече с ним, а просто не знали, как себя вести. Потом, исповедуясь друзьям, они сокрушались: дескать, что же я мог сделать, чем же я мог помочь?!

И все же, какими бы ни были их соображения, я полагаю, что есть минуты, когда надо действовать импульсивно, не заботясь о том, какое впечатление произведешь на человека, которому хотел бы, но не можешь помочь. Если человек попал в беду, доброе слово не бывает лишним.

Я позвонил Зощенко и без всяких предисловий, точно мы расстались только вчера, сказал:

— Михаил Михайлович, надо восстановить справедливость. По крайней мере в возможных для нас пределах. Я считаю несправедливым, что вы до сих пор ничего не написали для нас.

Он долго молчал. Очень долго. И я уж было пожалел о несколько неестественной игривости, с какою сформулировал свое предложение. Может быть, я и впрямь взял не самый верный тон. Но, так или иначе, Зощенко ответил:

— Хорошо, я подумаю. Спасибо.

Вскоре он принес миниатюру. В пересказе она звучит так.

Человек в последнюю секунду прибегает на работу. Он всклокочен, как воробей после драки. Он тяжело дышит. Он так торопился, так боялся опоздать, что даже не успел переодеться. Он в шлепанцах и ночной пижаме. Открывает портфель, куда второпях запихивал дома одежду, и с ужасом обнаруживает, что одежда в портфеле женская, одежда жены. Впрочем, это пустяки — пережить можно. Главное, что он не опоздал. Он не опоздал, и начинается рабочий день, и этот день он встречает на своем рабочем месте. Правда, у него уже нет сил, так он перенервничал. Но это тоже пустяки — пережить можно, тут же он ложится на письменный стол и засыпает.

Такой сюжет, актуальный и сегодня, заключает в себе много возможностей для эксцентрического артиста. Но тогда ведь у всех было свежо в памяти, как за опоздание отдавали под суд. Так что это был не просто смешной, но и социально острый юмор. Надо сказать, что в этой миниатюре мы, против обыкновения, ничего не переделывали в процессе репетиций. Этого не требовалось. Оказалось, что автор превосходно чувствует законы нашего жанра.

Чувство жанра выражалось прежде всего в том, что он оставлял персонажу минимум текста, зато помещал его в такие предлагаемые обстоятельства, которые говорили сами за себя. В этих обстоятельствах мог оказаться кто угодно — хороший человек или дурной, умный или глупый. Не важно кто. А важно, что любой из нас. Трагикомический эффект возникал не только независимо от индивидуальности персонажа, не только против его намерений, но и как бы независимо от намерений автора и артиста. То есть мы стремились дать не гротеск, но объективность, видя в том одну из важнейших особенностей зощенковской прозы и пытаясь перевести ее на язык театра миниатюр. Главная задача состояла в том, чтобы ненормальную спешку персонажа, его загнанность изобразить как совершенно естественное, привычное для него состояние.

В переводе на язык театра миниатюр лапидарность и концентрированность, присущие прозе Зощенко, достигались активным включением актерской мимики, пластики, жестко заданной еще на стадии литературной работы. Нам оставалось лишь точно следовать замыслу автора.

Помню, Михаил Михайлович рассказывал, что журнал «Крокодил» заказал ему несколько «положительных фельетонов». И без всякой иронии жаловался, что это чертовски трудно. Естественно, он понимал, что бесконфликтная литература — изобретение недоумков и негодяев. И все же пытался решить эту неразрешимую задачу.

Когда я думаю, мог ли Зощенко и в самом деле всерьез рассчитывать на успешное выполнение подобных заказов, я прихожу к выводу, что именно он, как ни странно, мог, хотя, конечно же, не на том уровне, который требовался перестраховщикам. Но по большому счету «положительными» его позиция, его вещи были всегда.

Михаил Михайлович не принадлежал к числу завсегдатаев театральных кулис. Я не помню, чтобы он принимал участие в репетициях или обсуждениях спектаклей. Не помню также, чтобы он когда-нибудь острил в компании.

У меня есть привычка делить людей на «вещающих» и «внимающих». Сам я скорее отношусь к последним. В малознакомом обществе обычно помалкиваю. (Мне даже говорили, что тем самым я разочаровываю людей: они, видите ли, приходят в гости «на Райкина», а он весь вечер — ни одной хохмы.) Но, помалкивая, я всегда наблюдаю и — это уже чисто профессиональное — определяю характер, настроение и прочие свойства собеседника по его пластике, мимике, выражению глаз, интонации. Всему этому я доверяю куда больше, чем словам. Так вот Зощенко, по моим наблюдениям, был не столько «внимающий», сколько «отсутствующий».

Мне кажется, он чрезвычайно зависел от малейших перемен своего внутреннего состояния. Я не раз замечал, ощущал физически, что в течение одного и того же вечера от него могли идти совершенно разные, порой диаметрально противоположные импульсы, сменявшие друг друга без видимых на то причин. Внешне это почти не выражалось. Но я чувствовал, что параллельно общему разговору, в котором, казалось, он принимает участие, пусть и молчаливое, Зощенко продолжает жить какой-то другой, потаенной жизнью, не имеющей отношения ни к кому из присутствующих. При том что за весь вечер он мог ни разу не вступить в разговор, его молчание не было сколько-нибудь демонстративным или тягостным для окружающих. Напротив, он был в высшей степени учтив. Сдержан, но не надменен.

Зощенко было присуще нечто такое, что заставляло даже близких ему людей (как, например, Евгения Львовича Шварца, человека открытого и жизнерадостного) внутренне подбираться в его присутствии и трижды подумать, прежде чем что-нибудь сказать. Не знаю, как определить и чем объяснить эту особенность. Нетрудно предположить, что он весьма болезненно реагировал на малейшие проявления пошлости, хотя и не подавал виду. Но это не совсем точно. Вопрос в том, что́ он считал пошлостью. Он не был настолько строг к людям, чтобы не прощать им застольные банальности и пересуды, болтовню о том о сем. Напротив, у меня сложилось впечатление, что всякого рода житейщина была в известной мере ему приятнее, нежели рассуждения на высокие темы. В особенности — рассуждения с пафосом.

Когда кто-нибудь начинал говорить о предназначении литературы, да еще при этом имел неосторожность употреблять такие обороты, как «совесть художника», лицо Михаила Михайловича принимало отсутствующее выражение.

Евгений Шварц

— Евгений Львович, я вам не помешал?
— Входите, входите. Русский писатель любит, когда ему мешают.

Дабы вы не усомнились, что он действительно только и ждет повода оторваться от письменного стола, следовал характерно-пренебрежительный жест в сторону лежавшей на столе рукописи: невелика важность, успеется.

Однако в любом жесте и в любой фразе Шварца можно было прочитать и некий второй смысл. Например: мешайте — не мешайте, а вот видите, сколько уже написано.

Спеша вам навстречу, он еще издали протягивал в приветствии обе руки. Обеими пожимал вашу. После войны руки у него стали слегка дрожать. Болезнь прогрессировала с годами, и это заметно тревожило его, хотя он и бодрился, шутил на эту тему.

— Если вдуматься, — иронизировал он, — не так уж плохо; почему-то все проходит, когда выпиваешь рюмочку коньяка. Правда, вскоре опять начинают дрожать, так что, пожалуй, коньяка не напасешься. Вот если бы столь же целебными свойствами обладал чай с молоком (излюбленный напиток Шварца), тогда бы и вообще все было замечательно. Впрочем, в жизни так не бывает.

Его беспокоило главным образом то, что почерк становится совершенно неразборчивым: прыгает перо в руке, не слушается, выписывает какие-то кренделя. И поскольку даже самые сердобольные машинистки отказываются разбирать такие каракули, постольку приходится осваивать пишущую машинку: сначала печатать самому и уж потом отдавать в перепечатку. А это ведь не просто вопрос техники. Для этого требуется психологическая перестройка, целая революция в сознании. Что в особенности неприятно, если учесть, до чего он не любит менять привычки. Да, он — консервативный человек, он предпочитает раз и навсегда заведенный порядок. Порядок и ясность — вот, в сущности, скромный его девиз. Потому что порядок и ясность — в мыслях, поступках, а также в предметах, постоянно окружающих литератора, чье имущественное положение оставляет желать лучшего, — есть жизненно необходимая замена или, как хотите называйте, иллюзия комфорта. Великая иллюзия. Потому что без комфорта — если не внешнего, то уж внутреннего всенепременно — рискуешь сам обозлиться и других обозлить. А Злоба — дама антихудожественная и антиобщественная... Да и с какой стороны ни возьми, дрожащей рукою писать неприлично и совестно. Хотя большинство наших писателей пишет именно так; и ничего, приспособились люди, не испытывают неудобства, как будто сговорились не замечать неестественность подобного состояния. Иной раз и сам пытаешься сговориться с собой: ну и пусть. В том смысле, что черное — это белое. Но боишься, что явится какой-нибудь мальчик — всегда находятся эти невинные обличители — и заметит во всеуслышание, что рука у тебя дрожит от несмелости и твоя писанина — сплошное лукавство. Вот оно что получается: двойной страх. Вот от чего, оказывается, помогает рюмочка коньяка. Недаром же говорится: выпьем для храбрости. Но если бы всем, кто болен отсутствием храбрости, явилась идея лечиться таким сомнительным способом, многим добропорядочным гражданам пришлось бы стать хроническими алкоголиками. Это, разумеется, неприемлемо, даже противно. И выходит, что лучшего лекарства, чем правда, никто пока не изобрел.

О серьезных вещах Евгений Львович часто говорил шутя. Отталкиваясь от какого-нибудь житейского факта, который, казалось бы, совершенно не располагал к обобщениям и к интеллектуальной игре. Если бы было возможно изобразить графически движение его мысли в подобных случаях, получилось бы нечто неразборчивое, как его почерк; нечто вступающее в противоречие с идеей порядка и ясности. Но, подчеркиваю, только на первый взгляд.

Ясность была, но от собеседников или, точнее, слушателей Евгения Львовича требовались внимание и терпение и, я бы сказал, координированность, чтобы не сбиться с толку под воздействием синкопированного ритма его умственной гимнастики. Да, именно синкопированного, как в джазовой импровизации: то обволакивающей вас, то заставляющей вздрагивать от неожиданности. Если же вы не проявляли встречных усилий, то рисковали утомиться мгновенно, не поняв и половины того, о чем он беседует с вами. И не потому, что это было уж очень сложно понять, но потому, что как истинный импровизатор он мог часами тянуть свое витиеватое соло, оправдывая переходы от темы к теме как бы только самой непрерывностью и протяженностью высказывания.

К этому стоит добавить, что у Шварца был кот, имевший обыкновение устраиваться у него на коленях и непрерывно мурлыкать, как бы аккомпанируя ему. И в какой-то момент вы ловили себя на том, что слушаете их обоих и пытаетесь улавливать, где у них контрапункт, а где — унисон.

Евгений Львович жил в писательском доме на Малой Посадской улице. Теперь эта улица, поблизости от киностудии «Ленфильм», носит имя Братьев Васильевых.

Между прочим, это, на мой взгляд, одно из поспешных и совершенно неоправданных переименований. При всем уважении к памяти братьев Васильевых, знаменитых кинорежиссеров, создателей фильма «Чапаев», можно было бы назвать их именем и какую-нибудь другую улицу, скажем, в одном из новых районов города. Впрочем, о неправомерности подобных переименований в последние годы много говорится в прессе, и кое-что уже начало возвращаться на круги своя. Так, может быть, и Малую Посадскую нам вернут? А заодно, кстати сказать, установят на доме № 8 мемориальную доску: здесь жил писатель Евгений Львович Шварц...

Итак, он жил на Малой Посадской, в небольшой уютной квартире, где командовала жена, Екатерина Ивановна, женщина нелюдимая и, как мне всегда казалось, слишком ревностно оберегавшая его покой. Во всяком случае, когда она открывала входную дверь, выражение ее лица отнюдь не излучало приветливости. Однажды я попробовал пошутить, сказав, что могу открыть дверь и своим ключом (мы заказали дверные замки одному мастеру, и он сделал их одинаковыми), но она ничего не ответила. Вот, в сущности, и все, что я могу о ней рассказать. Однако у них с Евгением Львовичем, судя по всему, были крепкие, хотя и негладкие отношения. Он был привязан к ней, и это ощущалось даже в том, как он вам говорил:

— А мы вот что. Мы Екатерину Ивановну беспокоить не будем. Пойдемте-ка на кухню, поставим чайку.

Мы шли на кухню. Он колдовал у плиты и, заваривая чай, цитировал из Хармса:

— Иван Иваныч Самовар был пузатый самовар.

Никакого самовара у него не было, зато была огромная, трехстаканная чашка, предмет особой привязанности хозяина. При определенной работе воображения эта чашка вполне могла бы показаться одушевленным персонажем того же Хармса или самого Шварца. Вообще предметы, которые его окружали, были как будто живые. Точно во власти Шварца было наделить их душой и памятью.

Он уютно устраивался у окна. Разбавлял свой чай молоком. Молча делал несколько глотков. Со вкусом затягивался папиросой. И лишь после всего этого приступал к главному:

— Ну, что говорят?

Евгений Львович был большой любитель обсуждать последние новости литературной и театральной жизни. Собственно, такими любителями был населен весь дом. Наверху жили Хазин, Пантелеев, Гранин. В соседнем дворе — Козинцев. Но даже среди них Шварц выделялся каким-то по-особому заразительным, раззадоривающим собеседника любопытством ко всему, что происходило вокруг.

Мне доставляло большое удовольствие сообщать ему о том или ином событии. Впрочем, выступить в роли первого вестника удавалось редко. Почти всегда кто-нибудь опережал меня, ибо Агентство Информации Друзей — сокращенно АИД или, с намеком на древнегреческую мифологию, «царство АИДа» — отличалось удивительной оперативностью.

Увлекала возможность услышать комментарии, версии и прогнозы Шварца по любому поводу. Его проницательность, логичность, сложно выстроенная система доказательств не могли не убеждать. Но... как показывало реальное развитие событий, зачастую жизнь складывалась по-своему, не желая повиноваться даже такому умному толкователю и прорицателю, как Евгений Львович. Может быть, его ошибка состояла в том, что он всегда настраивал себя и окружающих на лучшее.

Когда в очередной раз выяснялось, что Евгений Львович, по его собственному выражению, попал пальцем в небо, он разводил руками и говорил:

— Ну кто бы мог подумать!.. Нет, все-таки нам положительно не хватает объективной информации. Мы неинформированные люди, оттого-то и страдаем таким недержанием фантазии.

Разумеется, это была шутка. Но, как всегда у него, только отчасти. Шварц был остроумным человеком, но не остряком, не острословом. Его чувство юмора — это прежде всего способность подмечать неявные, я бы сказал, тихие контрасты между задуманным и воплощенным, желаемым и действительным. В быту, как и в творчестве, его стихией был не сарказм, но глубокая ирония, вытекающая из сознания силы и немощи философии донкихотства.

Бывало, придешь к нему; дверь откроет Екатерина Ивановна, и, глядя на нее, можешь заключить, что Евгению Львовичу не до гостей. Но тут же из кабинета доносится раскатистый хохот в два голоса. Заглядываешь туда, а там Евгений Львович с Юрием Павловичем Германом ведут «борьбу животов». Это у них была такая игра: выпятив живот, каждый пытался сдвинуть соперника с места. Причем прибегать к помощи рук в этом состязании категорически возбранялось. Проигрывал, как правило, тот, кто первым начинал смеяться. Но поскольку оба они были очень смешливы, борьба часто заканчивалась вничью. Добродушно подначивая друг друга, они были неистощимы. Мне очень нравилось наблюдать за ними в такие минуты.

Герман говорил, что мы с ним из одного двора. Имея в виду, как мне казалось, нечто более значительное, нежели то, что мы оба одно время жили на Мойке, 25. Юрий Павлович был мне всегда симпатичен и как человек, и как писатель. (Ужасно жаль, что он не дожил до того времени, когда его сын Алексей, которого я помню еще мальчишкой, стал снимать такие прекрасные фильмы, и среди них два фильма, в которых воскресли достойные, но забытые произведения отца. Во многом

благодаря сыну к Юрию Герману снова возник читатель-
ский интерес.)

Так вот, несмотря на наше стародавнее знакомство и
с Юрием Павловичем, и с Евгением Львовичем, рядом с
ними я предпочитал помалкивать.

Не то чтобы меня сковывал их личностный масштаб.
Нет, с ними было легко и просто. Но когда они общались
между собой (с некоторым расчетом на реакцию присутствующих), это был своего рода спектакль, вторжение в
который я ощущал как нарушение жанра.

Артистизм был природным и, я бы сказал, спасительным даром Евгения Львовича. Известно, что он начинал
актером, причем актерское чутье, актерское знание
сцены помогло ему в писании пьес и облегчало театральным практикам общение с ним как с автором. Но дело
не только в этом. Его артистизм помогал ему в жизни, и
если жизни недоставало радостной импровизационности,
то Шварц восполнял ее отсутствие за счет своих, так сказать, внутренних ресурсов.

Шварц был, что называется, комильфо. Он любил но-
сить жилеты, даже когда это было не очень принято. Не
зря Николай Акимов, написавший его портрет, изобразил
его в жилете. Никому из моих знакомых жилет не шел
так, как Шварцу.

Между прочим, Хармс, с которым он в молодости
дружил, тоже отличался слабостью к элегантной одеж-
де и не расставался со своей жокейской шапочкой,
клетчатыми бриджами и курительной трубкой, напоми-
ная собравшегося в дорогу Шерлока Холмса. Такой до-
рожно-спортивный стиль представлял собой весьма
экзотическое зрелище. Если же и в элегантности Шварца было нечто английское, то это был вариант куда
более респектабельный, спокойный, призванный удосто-
верить солидность человека, который одевается

таким образом. Солидность, разумеется, артистического, а не чиновничьего свойства.

Парадоксальным образом манера Шварца одеваться связана в моем сознании с присущим ему — и не раз подмечавшимся мемуаристами — свойством недооценивать себя как писателя. Он писал трудно, неуверенно, постоянно терзаясь мыслями о своей вторичности, о своем недостаточном художественном масштабе. Мастерство Чехова, Гофмана, Андерсена не давало ему покоя. С другой стороны, не давала покоя память о литературной школе его юности, о том круге писателей, в котором его ценили, любили, подбадривали.

Эта память лишь усиливала его неуверенность, он считал себя гадким утенком среди своих литературных единомышленников. Шварц относился к тем писателям, которые никогда не позволят сказать о себе «я — писатель», полагая это немыслимой нескромностью. Так вот, его манера одеваться была, как мне кажется, одной из форм преодоления неуверенности.

Общеизвестна близость Шварца акимовскому Театру комедии. Стилистика его пьес, их интонация помогли сложиться художественному облику этого театра. Я даже придерживаюсь той, быть может, спорной точки зрения, что Акимов обязан Шварцу больше, чем Шварц Акимову. Во всяком случае, фантастические притчи Шварца могут быть решены на театре совсем иначе, нежели это делал Акимов. Что, конечно, не умаляет усилий режиссера, но позволяет взглянуть на драматургическое наследие Евгения Львовича шире, чем принято до сих пор.

Впервые я задумался об этом, посмотрев «Голого короля» в театре «Современник». Замечательный спектакль, хотя пьеса была прочитана совсем не по-акимовски. С тех пор прошло четверть века, и теперь некоторые уверяют, что драматургия Шварца устарела. Что, например, в «Драконе» слишком прямолинейная для нашего времени система ассоциаций. Я так не считаю. Жесткой социальной символикой Шварц не исчерпывается и не этим главным образом ценен (в отличие, например, от Брехта). Он глубоко поэтичен, но ключ к его поэтичности театрами еще не найден. Впрочем, вряд ли он нуждается в моей защите. Думаю, театры еще вернутся к нему и его время настанет.

Для нашего театра Шварц (совместно с конферансье Константином Гузыниным) написал пьесу «Под крышами Парижа». Это была именно пьеса — «полнометражная», сюжетная, и некоторая ее эстрадность от сюжета же и шла. Главный герой — французский актер Жильбер — служил в мюзик-холле. Этот Жильбер позволял себе задевать сильных мира сего и в результате поплатился работой, стал бродячим артистом, любимцем бедных кварталов.

На постановку был приглашен Акимов, он же и оформил спектакль. Кроме главной роли, я играл еще и директора мюзик-холла — огромного толстяка, циничного и жуликоватого.

Две стихии царили в этом спектакле. Первая — стихия ярмарочного театра, навеянная отчасти фильмом «Дети райка», который нам довелось увидеть сразу после войны. (Между прочим, это один из самых любимых моих фильмов; много лет у меня висела и сейчас висит на стене афиша с изображением Жана-Луи Барро в роли Гаспара Дебюро. Когда Барро впервые приехал в Советский Союз и побывал на одном из наших спектаклей, он заглянул ко мне в гримуборную. Мы познакомились, и, испытывая волнение от этого знакомства, я хотел было сказать ему, как много значит для меня его виртуозное искусство, но вместо того указал на афишу «Детей райка» и развел руками. Барро тоже развел руками и сделал на этой афише трогательную надпись.)

Другая стихия — политическая сатира, обличение буржуазного общества, осуществленное нами, надо признать, в духе времени, с вульгарно-социологической прямолинейностью.

Готовя «Под крышами Парижа» в 1952 году, много переделывали по собственной воле и по взаимному согласию, но еще больше — по требованию разного рода чиновников, курировавших нас и опасавшихся, как водится, всего на свете. Всякий раз, когда я приходил к Шварцу с просьбой об очередной переделке, мне казалось, что Евгений Львович взорвется и вообще откажется продолжать это безнадежное дело, которое к тому же явно находилось на периферии его творческих интересов. Но он лишь усмехался, как человек, привыкший и не к таким передрягам.

— Ну, — говорил он, — что они хотят на сей раз... Ладно. Напишем иначе.

Он принадлежал к литераторам, которые всякое редакторское замечание, даже, казалось бы, безнадежно ухудшающее текст, воспринимают без паники. Как лишний повод к тому, чтобы текст улучшить. Несмотря ни на что.

Михаил Светлов

Михаил Аркадьевич Светлов написал для нашего театра много песен. Большинство из них по тем или иным причинам не вошло в спектакли, забылось, затерялось на полпути к зрителю. Но у меня сложилось впечатление, что Светлова мало интересовала их судьба, как судьба других его заказных опусов, являвшихся на свет с весьма прозаической, но такой насущной целью — прокормить автора.

Впрочем, он точно так же отмахивался, когда пропадали или, становясь достоянием литературной молвы, превращались в апокрифы те его сочинения, которые рождались не по заказу — бесчисленные эпиграммы, каламбуры, наброски стихотворений. Он записывал их на чем попало — на пустых папиросных пачках, салфетках, гостиничных и ресторанных счетах.

Не могу сказать, что Светлов оставался равнодушен к своей репутации блестящего экспромтиста. Такая репутация в известной степени льстила ему, но все-таки Михаилу Аркадьевичу хватало вкуса и, пожалуй, даже мнительности, чтобы ощущать ее недостаточность. Так что в последние годы жизни он порой мрачновато ее вышучивал.

Мне трудно вообразить его за письменным столом, при свете зеленой лампы. Всегда казалось, что он писал второпях, на людях, как бы между прочим. Возможно, слишком многое в его существовании определяла бытовая неустроенность. Он жил, я бы сказал, бивуачно. Словно в ожидании того момента, когда можно будет избавиться от суеты, от мелких проблем, изматывающих впустую, и предаться наконец истинному вдохновению, сосредоточиться всерьез. Хотя вряд ли он действительно верил, что такой момент в его жизни когда-нибудь наступит. Да если бы и наступил, он не знал бы, как им распорядиться. Не зря говорят, что привычка — вторая натура.

Но что же мешало ему? Безденежье, вынуждавшее заниматься литературной поденщиной, — не главная причина. Во всяком случае, «подхалтурить» с реальной пользой для себя Светлов не очень-то умел. Делал это в общем-то нехотя, рывками, сменявшимися внутренней апатией.

Он мог целыми днями просиживать в ресторане Дома литераторов, подсаживаясь то за один столик, то за другой, и независимо от состава собеседников вести как бы один и тот же нескончаемый разговор. У него было много закадычных приятелей, всегда готовых поставить ему рюмочку и дать выговориться всласть, но не уверен, что это спасало его от одиночества.

О чем бы ни рассказывал Светлов, рано или поздно он поворачивал разговор к воспоминаниям о своей комсомольской юности, к литературным баталиям 20-х годов. Это была ностальгическая лейттема всей его жизни.

В архиве нашего театра сохранился текст его песенки, которой открывалась — во второй, послевоенной редакции — программа «На чашку чая». Песенка (музыку написал Никита Богословский) была вполне симпатична, хотя сделана незатейливо, даже небрежно. Мы с удовольствием исполняли ее, но, поскольку вряд ли она имеет самостоятельное художественное значение, я не рискну цитировать ее полностью, а приведу лишь два куплета.

Первый куплет примечателен своим мягким, типично светловским юмором:

> Советскому искусству
> Мы отдаем все чувства;
> У нас предмет — и тот всегда артист!
> Поймите, ведь недаром
> Мы все за самоваром —
> Он издает художественный свист.

А вот второй куплет, хотя речь в нем идет обо мне, прежде всего характеризует самого автора:

Учтите, Бога ради,
Что стал уже Аркадий,
Нам кажется, немного староват.
Но время беспощадно;
Идет себе — и ладно,
И в этом он ничуть не виноват.

Выяснение отношений с беспощадным ходом времени, осознание необходимости примириться с ним, при полном нежелании ему подчиниться, — излюбленный мотив позднего Светлова. У него можно найти немало строк, в которых он пытается вырвать у времени собственную молодость, выговорить себе право оставить ее за собой. Пытается сохранить то романтическое жизнеощущение, которое в молодые годы продиктовало ему «Гренаду», «Каховку», позже — «Итальянца». Вот три названия, безусловно удостоверяющие его поэтический дар.

Однажды мы повстречались в Москве, на Пушкинской площади. Несмотря на раннюю весну, он был без шапки, в расстегнутом пальто, из-под которого виднелся бессменный потертый пиджак. Порывистый ветер трепал его редеющие волосы. Он был небрит, выглядел стариком. Против своего обыкновения не спросил, как дела, а схватил меня за пуговицу и, притянув к себе, прислонил лоб ко лбу. (Между прочим, такая же манера — лоб ко лбу — являлась знаком расположения к собеседнику, предвестием особо доверительного разговора и у Владимира Николаевича Соловьева.) Не обращая ни малейшего внимания на прохожих, он прочитал мне — хрипло и картаво — четверостишие Михаила Голодного, одного из комсомольских поэтов первых лет революции. Потом махнул рукой и, не говоря больше ни слова, ушел.

Вот это четверостишие:

Пуля не брала его,
Сабля не брала его;
Время село на него —
Не осталось ничего.

Помню, я тогда удивился, что эти стихи — не Светлова. Он вполне мог бы написать такое. Кстати, я не встречал поэтов, которые бы с такой охотой, как Светлов, читали вслух не свои, а чужие стихи.

Вспоминается он мне и беспечальным. Совсем не таким, каким стал в пожилом возрасте. До войны на премьеру своей пьесы «Глубокая провинция» в Ленинградский театр имени Ленинского комсомола, где я тогда работал, приехал некрасивый, но знающий цену своему обаянию человек. Свежевыбритый, моложавый, раскованный, он, по всему было видно, привык к публичному вниманию, расточал комплименты артистам и, выйдя кланяться публике, с несколько старомодной галантностью (как-то не вяжущейся с тем образом революционного поэта-мечтателя, который сложился в моем воображении еще в школьные годы, когда я впервые прочитал «Гренаду») поцеловал ручку нашему режиссеру Наталье Сергеевне Рашевской. В «Глубокой провинции» я играл роль венгра Керекеша и на венгерском языке исполнял песенку про «нефелейч» — незабудку. Светлов шутя спрашивал, не имеет ли смысла играть в переводе на венгерский всю пьесу; поскольку зрители не знают этот язык, постольку слова не будут им мешать наслаждаться искусством театра, да и автору меньше волнений. Эта шутка выглядела тогда не более чем легким кокетством. Но... не прошло и нескольких месяцев, как появилась разгромная, уничтожающая пьесу статья в «Правде», определившая судьбу спектакля.

Был еще и Светлов военного времени. Те, кто находился с ним рядом во фронтовой обстановке, говорили о его бесстрашии, внутреннем спокойствии перед лицом опасности, отзывчивости к горю близких и неблизких ему людей. В это легко поверить. Он и в мирные дни был настоящим альтруистом. И совсем не походил на человека, способного испугаться тяжелых испытаний.

Как-то в начале войны я провел с ним вместе всего один вечер. Приехав на несколько дней в столицу, случайно встретил его на улице Горького, неподалеку от «нашей» гостиницы «Москва». (Так вышло, что я остановился в том самом номере, где мы со Светловым, Андрониковым и другими весельчаками-полуночниками славно коротали время в предвоенные годы. Теперь казалось, что все это было в какое-то далекое, бесконечно далекое время и как бы не с нами происходило.) Светлов жил рядом, в проезде Художественного театра, и затащил меня к себе домой. Эти дни были у меня расписаны по минутам. Меня ждали где-то в другом месте. Но, узнав, что наутро он отправляется на фронт, я изменил свои планы на вечер. Как знать, доведется ли еще встретиться на этом свете?

Мы многое могли бы рассказать друг другу. Мы могли бы забросать друг друга вопросами. Но как-то не говорилось. Все то, что было пережито и что лишь предстояло пережить до конца войны, еще такого неблизкого, — было выше слов, непередаваемо словами. Но я хорошо запомнил впечатление глубокого общения в тот вечер. Он умел не только острить и каламбурить. Он и молчать умел точно и выразительно.

Вообще в моих друзьях я всегда высоко ценил это качество — умение помолчать вместе.

И еще я запомнил, как выла сирена. Начался налет, и я сказал ему, что надо бы спуститься в бомбоубежище. Но он поднял вверх указательный палец: дескать, слушай внимательно. И произнес:

— Наша очередь еще не пришла. Мы не можем погибнуть так прозаически.

Михаил Жванецкий

В начале 60-х на гастролях в Одессе меня пригласили посмотреть представление «Парнаса-2», студенческого эстрадного театра. Этот самодеятельный коллектив мог дать фору иным профессионалам. Нехватку ремесла там восполняли живая мысль, увлеченность, ненаигранный общественный темперамент. Трех наиболее понравившихся мне артистов — Людмилу Гвоздикову, Виктора Ильченко и Романа Карцева — я пригласил в наш театр.

Жванецкий, инженер по профессии, был не просто автором, но душой и, можно сказать, идеологом «Парнаса-2». Он сочинял остроумные сценки и монологи, их своеобразие сомнений у меня не вызывало. Хотя поначалу я не был уверен, что Жванецкий сможет с таким же успехом писать для профессиональной сцены. Помню, он прочитал мне тогда, в Одессе, какой-то из своих монологов: насыщенный великолепными репризами, но невероятно длинный, вялый, туманный по своей общей идее и совершенно несценичный. Мы уехали из Одессы, ни о чем конкретном со Жванецким не договорившись, ничего ему не обещая.

Между тем, проявляя завидную настойчивость, он стал ездить за нами из города в город, разумеется, за свой счет. Бывало, попрощаешься с ним, к примеру, в Кишиневе, а он уже поджидает нас в Донецке со своими новыми сочинениями. Однажды, не обнаружив его в каком-то из пунктов нашего гастрольного маршрута, я поймал себя на мысли, что мне его не хватает. Но главное — он писал все лучше и лучше.

В результате — достаточно неожиданно для меня и, думаю, для него самого — родилась целая программа, которую мы назвали «Светофор». После чего я предложил ему стать заведующим литературной частью нашего театра.

Дело прошлое, но должен сказать, что как завлит Жванецкий никуда не годился. Ему не хватало дипломатичности, терпимости, элементарной усидчивости. Он с ходу отвергал все, что ему приносили другие авторы, — и плохое, и хорошее. Ему как писателю, причем писателю с ярко выраженным собственным стилем, собственным видением мира, почти ничего не нравилось. Все хотелось переделать. Но работать над текстом вместе с автором Жванецкий тоже считал излишним. Опять-таки как писателю ему это было скучно. Между тем настоящий завлит, по моему разумению, — это прежде всего редактор. А настоящий редактор — это человек, готовый умереть в авторах, подобно тому, как режиссер умирает в актерах.

Но литературный дар Жванецкого, острота и парадоксальность его жизнеощущения, его способность передавать в тексте многообразие современной разговорной речи, его умение улавливать фантастичность действительности — все это покорило меня. Настолько покорило, что на какое-то время Жванецкий стал в нашем репертуаре, если так можно выразиться, автором-премьером.

Его миниатюры «Звание — человек» («Дедушка с внуком Юзиком»), «Участковый врач», «Авас», «В греческом зале» и многие другие получили широкую известность. Почерпнутые автором из повседневности, они в повседневность же и вернулись. Репризы, украшающие их, как бы стали частью городского фольклора. При том что люди, в чью речь они естественно вошли, могут и не догадываться, кто является автором. В одних случаях авторство приписывают мне (поскольку услышали их от меня), в других случаях вообще не берут в голову, что у них есть автор.

Наступил момент, когда подобное положение Жванецкому показалось обидным. Входя в троллейбус и слыша какие-нибудь реплики собственного сочинения, обращенные друг к другу ничего не подозревающими пассажирами, ему подчас хотелось (как он сам шутя признавался в одном из своих позднейших рассказов) обратить внимание пассажиров на то, что автор-то вот он, едет вместе с ними в троллейбусе.

Он начал сам выходить к публике с чтением своих вещей и быстро завоевывал признание. В конце концов желание общаться с публикой, так сказать, напрямую, а не опосредованно, через артистов, можно понять. Но конечно, это не могло не сказаться на наших творческих отношениях. В какой-то момент мы перестали быть друг другу нужны.

Жванецкий — сам себе театр. Когда он выходит на сцену со своим старым портфельчиком, битком набитым текстами, то не нуждается ни в ком, кроме слушателей, и никакая аудитория ему не страшна...

Прошло уже довольно много лет с тех пор, как он вместе с Карцевым и Ильченко ушел из нашего коллектива. Расставались мы, прямо скажу, конфликтно. Но бытовая, житейская линия наших взаимоотношений с течением времени вновь выровнялась. Я с большим интересом следил за тем, как складывались творческие судьбы моих бывших питомцев, искренне радовался и огорчался за них. Мне приятно сознавать, что они с благодарностью вспоминают те времена, когда проходили школу нашего театра. Приятно было узнать, что Жванецкий написал обо мне лирический монолог...

Сам факт ухода Жванецкого я готов отнести на счет диалектики жизни. Это естественно. И все же не дает покоя мысль, что мы расходимся теперь в чем-то главном. По-разному думаем о высшей цели искусства сатиры. Он все чаще пишет грустные, интимные вещи. Некоторые из них просто прекрасны, но камерность его иронии, а иногда степень усложненности его языка и мышления для меня как артиста, а не просто как читателя и слушателя — неприемлема.

Может быть, я отстаю от времени? Не знаю. Во всяком случае, действенность слова для меня всегда имела и имеет некий практический смысл, мы стремились повлиять на общественную жизнь, что-то в ней изменить.

А Жванецкий, как видно, считает, что все это уже неактуально. Он уходит к чистой лирике. Это, конечно, его право.

Иногда мы общаемся, и довольно тепло. Я говорю ему:

— Миша, есть что-нибудь для меня?

Он отвечает:

— Конечно, есть. Вот это и вот это.

А я читаю и понимаю: нет, это не для меня.

Моя семья

Однажды ко мне за кулисы явилась некая чиновная дама. Рассыпаясь в комплиментах по поводу только что увиденного спектакля, она сказала: «Вот что значит театр одного актера! Вы — прекрасный актер, а все ваши партнеры...»

Очевидно, она думала доставить мне этим удовольствие. А я вспылил и, не вдаваясь в объяснение, разнакомился с ней. Оставим в стороне этическую сторону ее поведения. В конце концов, может быть, она и впрямь говорила то, что думала, и это право каждого зрителя. Хотя в данном случае допустила явную бестактность. Но я должен подчеркнуть, что определение «театр одного актера» применительно к нашему театру неверно по существу.

Когда кто-то говорил: «театр Райкина», я мог считать это справедливым не только потому, что я был художественным руководителем, но еще — и солистом, гастролером. И все же у нас именно коллектив, и в нем, с моей точки зрения, всегда есть одаренные артисты, мои товарищи, без которых мне трудно представить себе пройденный путь.

Ведь театр — прежде всего коллектив, без него спектакля не сыграешь. Труппа — твои единомышленники, с которыми ты связал свою жизнь. Как же добром и благодарностью не вспомнить тех, кто вместе со мной прошел эту тяжкую тропу «легкого жанра»!

Моим первым партнером по МХЭТу был Григорий Карповский. Он пришел вместе с уже известным артистом Романом Рубинштейном, о котором я вспоминал, рассказывая о рождении театра. До этого они вместе выступали на эстраде в скетчах и сценках. Карповский, молодой, хорошо смотревшийся с эстрады, легко освоил жанр микроминиатюры. Возможно, он не был очень ярким актером, но партнером хорошим. Он прошел с нами всю войну вместе с женой Елизаветой Федоровной Медведевой — мы звали ее Федя. Учительница по профессии, она, чтобы не расставаться с мужем, переквалифицировалась в костюмершу. Почти со дня основания работал у нас и Николай Галацер. Позднее вместе с Григорием Карповским они создали эстрадный дуэт и стали работать самостоятельно.

По фронтовым дорогам прошли с нами и балетные пары — Нина Мирзоянц и Михаил Резцов, Мария Понна и Владимир Каверзин. Первоклассные танцовщики со своим оригинальным репертуаром, они помогали нам сделать программу разнообразной, не ограничиваться лишь разговорным жанром. Я уж не говорю о Рине Зеленой — постоянной участнице нашего коллектива в военные годы. Ездили с нами и польская певица Роза Райсман, пианист и композитор Илья Семенович Жак, в свое время написавший известный романс «Руки» для К. Шульженко. Ряд наших послевоенных спектаклей украшали акробатические номера Леонида Маслюкова и Тамары Птицыной, прекрасных артистов, в годы войны работавших в блокадном Ленинграде. В спектакле «Под крышами Парижа» они даже исполняли небольшие роли. Надо упомянуть и отличного жонглера Федора Савченко.

После ухода Карповского его заменил во МХЭТе Герман Андреевич Новиков, великолепный партнер, очень мобильный, что необходимо в жанре микроминиатюры. Как характерный актер он отлично сыграл целый ряд ролей в маленьких пьесках. Трудная школа жизни (беспризорник, воспитанник детского дома) помогала ему быть естественным в ролях деревенских парнишек. Так органичен он был в роли юного пастушка, который представал воображению маститого академика в сценке «Встреча с прошлым».

Сколько веселых «капустников» придумал и организовал в свое время Герман! Приветливый, покладистый, остроумный, он всегда был хорошим товарищем.

А Виктория Захаровна Горшенина, или, как все мы ее до сих пор называем, — Вика! Она пришла к нам в театр, если не ошибаюсь, в 1945 году. Вместе с родителями, когда-то эмигрировавшими из России, она жила в Маньчжурии. После окончания военных действий на Дальнем Востоке семью, оказавшуюся на территории Советского Союза, ожидали тяжелые испытания. Так сложилось, что юная Вика стала актрисой нашего театра и прошла с нами теперь уже сорокалетний путь. Красивая, элегантная, она хороша и в острохарактерных ролях, где ей приходится неузнаваемо менять свою внешность.

Горшенина великолепно репетирует. Она умеет находить такие комические детали, что мы просто валимся от смеха. «Мисс Эстрада» — называют ее в театре.

Немало ролей сыграла и продолжает играть Тамара Кушелевская — актриса темпераментная, очень профессиональная, одаренная многими актерскими качествами, необходимыми в нашей работе. Какой точный рисунок был найден ею для трудной роли американки в пьесе Настроевых «Директор»! Великолепно получаются у нее и сатирические образы этаких бой-баб. Подобную «эмансипированную» женщину играет она в последнем нашем спектакле «Мир дому твоему». Наряду с Горшениной Кушелевская — одна из самых давних членов нашей театральной семьи.

Со дня основания работала у нас и Ольга Николаевна Малоземова, которую я уже упоминал. Выйдя на пенсию, она продолжала жить интересами театра.

Когда-то в юности мне довелось видеть Малоземову на сцене «Кривого зеркала», потом на эстраде в паре с артистом Л. Копьевым. Эффектная, яркая — не случайно зрители всегда хорошо ее принимали. Пересадка на нашу почву прошла естественно, и я вспоминаю ее как одну из лучших партнерш, которых мне доводилось встречать на сцене. А каких «старух» она играла! Как убедительно! Как смешно!

Вспоминая актрис театра, я не могу не сказать о Роме, переигравшей на нашей сцене самые различные роли. Кроме сатирических и комических, ей удавались и лирико-комедийные, вроде Смеральдины в большой пьесе В. Масса и М. Червинского «Любовь и три апельсина». А во время войны она прекрасно читала монолог девушки-бойца, который сама же и написала (вообще литературные способности Ромы, ее вкус были для нас очень ценны). Ее героиня, армянка по национальности, рассказывала о товарищах-бойцах, о единой интернациональной семье. Помню, как командующий 1-м Прибалтийским фронтом, маршал Баграмян, после спектакля начал разговаривать с Ромой по-армянски — так точно сумела она передать национальность своей девушки.

В течение многих лет был моим партнером Владимир Наумович Ляховицкий, яркий комический актер.

В нашем дуэте мне принадлежала роль «белого», а ему — «рыжего». Впрочем, случалось, мы менялись ролями, он играл «белого». По-моему, это было занятно. Он внес свой и немалый вклад в жизнь нашего театра, что нельзя не оценить.

В последние годы Ляховицкий выступает на эстраде в системе Москонцерта в паре с моим младшим братом Максимом. После окончания Ленинградского театрального института и работы на периферии Максим (псевдоним Максимов) в течение довольно долгого времени тоже был артистом нашего театра. Дуэт Ляховицкого и Максимова, кажется, имеет успех у публики.

Незаменимым человеком был Иосиф Израилевич Минкович — заведующий постановочной частью и исполнитель небольших ролей в спектаклях. Так, в миниатюре «Диссертация» он, спрятавшись под стол, невидимый публике, «работал» за ребенка.

Сильным характерным актером был Вадим Деранков, впоследствии перешедший в созданный Владимиром Поляковым Московский театр миниатюр. В ряде спектаклей конца 40-х годов моим партнером был Жорж Рубин.

Следующее, более молодое поколение. Прежде всего, конечно, высокоталантливые и самобытные Роман Карцев и Виктор Ильченко. Наташа Соловьева, Людмила Гвоздикова, Ира Петрущенко, Нина Конопатова, Игорь Улисов, Виктор Меркушев, Виктор Харитонов. Мои партнеры в последних спектаклях: Саша Карпов, Игорь Еремеев, Владимир Михайловский...

Наша труппа до переезда в Москву состояла обычно из двенадцати — четырнадцати актеров и примерно такого же числа технических работников. Среди них немало людей, бесконечно преданных театру, много лет составлявших вместе с нами единую семью.

Давно нет на свете Гермогена Ивановича Феофилова, но не могу его забыть. Как старший машинист сцены он пользовался непререкаемым авторитетом, обладал большой физической силой и редкой добротой, душевностью. Верующий человек, перед каждой премьерой он шел в церковь, чтобы помолиться за успех. Такой был доброжелатель — даже слов не найду! И так горько, что мне не удалось с ним проститься. Он заболел, когда был уже на пенсии. Я об этом узнал случайно. Поехал его навестить в больницу, но... опоздал.

Прекрасным работником был Сергей Гусев, наш шофер, его уже тоже нет на свете. Его приход к нам в театр связан с драматической историей. Во время войны Сережа попал в плен. Ему удалось организовать побег из концлагеря и вывести оттуда небольшую группу заключенных. В результате, как и многие другие, он снова попал в лагерь, теперь уже сталинский... К счастью, мне удалось ему помочь, подлечить — в лагере у него начался острый туберкулезный процесс. Безупречно добросовестный, скромный, добрый человек, Сережа Гусев работал у нас верой и правдой.

Такая же преданность нашему делу, исполнительность, постоянная готовность во всем помогать отличали и Володю Акашева — многолетнего заведующего электроцехом.

До сих пор работает костюмер Зина Зайцева. Она не только заботится о моем костюме, но и о самочувствии.

Вспоминается смешной случай, когда в антракте, будучи на страже моего покоя, она не пустила ко мне министра. «Что ты делаешь? Это же министр!» — говорят ей. «Министров много, а он один», — не задумавшись парировала Зина. Не дает спуску она и всем нам: делает замечания не только по поводу костюмов, оформления, но и игры... «Наш Немирович-Данченко» — называют ее в шутку. В основе всего этого, конечно, любовь к театру, преданность общему делу. Такие же качества отличают и работу нашего постоянного гримера Лилии Каретниковой.

Не могу не вспомнить помощника режиссера Наташу Черкасс, заведующего литературной частью, высокообразованную и неизменно благожелательную Надю Целиковскую, реквизитора Ольгу Ивановну Гулякову, бухгалтера Ольгу Васильевну Кунт — каждый из них по-настоящему болел за театр. И конечно же, наших директоров — Жака Адольфовича Длугача, Бориса Михайловича Марголина, администратора Ростислава Леонидовича Ткачева, дирижера Алексея Владимировича Семенова (до конца 60-х годов мы работали с оркестром, состоявшим в штате Ленинградского театра эстрады), звукорежиссеров Мишу Ковко и Романа Добровецкого.

Роль всех этих людей тем значительнее, что без малого полвека, как уже говорилось, театр существовал, не имея постоянного пристанища, путешествуя по городам и весям. Когда оказывались в Москве — играли в «Эрмитаже», Театре эстрады, концертном зале «Россия», концертном зале Олимпийской деревни и других. Бродячее существование осложняло работу администрации и технического персонала. А творческая жизнь... где только нам не приходилось репетировать!

Да простят меня те, кто здесь не упомянут. За промелькнувшие десятилетия через наш театр прошли многие, и нет возможности назвать всех без риска утомить читателей книги.

Возвращаясь к началу моего рассказа, к замечанию, что наш театр является «театром одного актера», надо сказать, мне приходилось это слышать не однажды. Да и от критиков нередко доставалось, что партнерам я отвожу лишь служебные функции. Однако такой упрек принять не могу. Это все равно что упрекать пианиста, играющего с оркестром, в том, что он не дает каждому из оркестрантов вести сольную партию. Но без «оркестрантов» наш концерт не мог бы состояться. Здесь важен был каждый.

А те, кто хотел и мог работать самостоятельно, уходили из нашего театра, с пользой для себя пройдя его школу. И хотя, должен признаться, я не всегда в таких случаях справлялся с чувством (естественным, впрочем) актерской ревности, тем не менее понимаю, что иначе быть не может. Другое дело, что я не могу простить, когда поводом для ухода из театра являлась не творческая неудовлетворенность, а стремление заработать побольше денег — во что бы то ни стало, любой ценой. Один из бывших наших так мне и сказал: «Сам я заработаю больше, чем с тобой».

Я не ханжа. И не хочу сказать, что деньги не играют в нашей жизни большую роль. Но все же ведь не главную!

В последние годы наша труппа пополнилась молодежью. Процесс естественный, понятно, что без молодежи театр не имеет будущего. Об этом надо помнить и вовремя готовить смену. Но ведь дело все в том, что ученики вырастают не как овощи в огороде. Лук посадишь — вырастет лук, картофель — вырастет не яблоко, а именно картофель.

А наши ученики: здесь все гораздо сложнее. Я всегда считал (не только считал, но и поступал), что надо смелее брать людей из самодеятельности. Они приходят в искусство, имея другую профессию, прожив какой-то кусок жизни, что-то испытав, в чем-то разочаровавшись. Ведь, кроме владения пантомимой, воображаемым предметом и других профессиональных качеств, необходимо иметь еще ум, душу, сердце. Быть личностью со своей позицией в жизни и искусстве.

В коллективе нашего театра «Сатирикон» около двухсот человек. Много людей новых, им еще предстоит себя проявить.

Как художественный руководитель, я придерживаюсь твердого принципа: нужно стремиться к тому, чтобы артист не испытывал недовольства своим положением в труппе. Но это в теории. А на практике я, как и многие наши руководители разных подразделений, связан бесконечным количеством законов полувековой давности. Они камнем висели на моих руках, но не соблюдать их я не мог. Если говорить о заработке наших актеров, то трудно себя в чем-либо винить. Таковы условия. Что ж, мне приходилось ощущать их и на собственной шкуре. Я никогда не понимал и не пойму, почему интеллигенция — врачи, учителя, актеры, библиотекари и другие — оплачивается у нас так низко. Они как бы приравнены к бездельникам, тунеядцам, в то время как среди них такие трудяги!

А если говорить о театре, то он еще всегда предполагает постоянную творческую конкуренцию каждого с каждым. Но возможно и необходимо, чтобы эта борьба не переходила, так сказать, на личные взаимоотношения и чтобы зависть и недоброжелательство не становились для членов коллектива ведущими стимулами в работе и жизни.

Да, мой театр — моя семья. И я — глава этой семьи. А кого это обижает, тому я не могу помочь.

Дорогие мои безбилетники

В течение полувека, что существует наш Театр миниатюр, на его представлениях не бывало пустующих мест. Я не преувеличиваю.

Но хочу подчеркнуть, и отнюдь не из ложной скромности, что было бы неверно объяснять стабильный интерес публики к нам лишь уровнем актерского мастерства. Нет на свете такого мастера, который был бы застрахован от полуудач и даже от явных неудач. Знали их и мы. Я в частности. Однако если это никогда не снижало наш кассовый успех, нашу репутацию, то прежде всего благодаря тому, что в самой публике существовала неудовлетворенная потребность в сатире как общественно-политическом явлении.

Конечно, вполне удовлетворить эту потребность одному театру не под силу. Но, сознавая себя каплей в море, мы тем более проникались чувством ответственности за каждое слово, произнесенное нами со сцены.

Мы выступали на лучших площадках столицы, в скромных сельских клубах, в заводских цехах во время обеденного перерыва. Причем могу ручаться, что всюду мы старались работать с одинаковой отдачей. В этом смысле для нас не было разницы между зрителями Кремлевского Дворца съездов и зрителями сибирской деревни Верх-Мильтюши.

Кстати, от этой деревни — малонаселенной, зачисленной в «неперспективные» — до ближайшей станции железной дороги километров тридцать, да и до других населенных пунктов расстояние порядочное, поистине сибирское. Каково же было наше удивление, когда мы обнаружили, что в огромном деревянном сарае, специально приспособленном, трогательно украшенном для нашего выступления, народу собралось гораздо больше, чем насчитывалось местных жителей. Кроме местных, пришли и люди из отдаленных поселков. Добирались кто как мог — на лодках по реке, на подводах, а некоторые и собственных ног не жалели. После концерта часть зрителей расположилась на ночлег прямо в том же сарае, где мы играли, а наутро — в обратный путь.

Можно ли в таких предлагаемых обстоятельствах позволить себе экономить творческие силы?! Можно ли считать, что такая аудитория не престижна для артиста?! Это, разумеется, чисто риторические вопросы. Кто думает иначе, тот вряд ли имеет право выходить на сцену.

Еще один памятный эпизод.

Целый месяц мы гастролировали в Ростове-на-Дону. Все складывалось удачно, но, когда до отъезда осталось сыграть два спектакля, многие в труппе, в том числе и я, расхворались. А через несколько дней надо было начинать гастроли в Москве. Нам пришлось извиниться перед зрителями и отменить эти два спектакля. Разумеется, объявив, что билеты подлежат возврату. Спустя семь лет мы вновь приехали в Ростов. И представьте себе, все зрители тех отмененных спектаклей явились с билетами семилетней давности. Ни один из них, оказывается, не сдал свой билет в кассу. Каждый — хранил, рассудив, что рано или поздно мы вернемся в их город и оплатим наш долг.

Играем в Днепропетровске, в помещении Русского драматического театра. Ждем, когда помреж объявит, что можно начинать. Давно пора, а сигнала все нет. В чем дело?

Заглядываем в зрительный зал (вместительный, ярусный), а там происходит нечто из ряда вон выходящее: людей — как в трамвае в час пик.

Они сидят на подлокотниках кресел и на коленях у тех, кто сидит в креслах. Они стоят в проходах, так что не сделать ни шагу. Чуть не на люстре висят. К тому же все держат друг друга за руки (круговая порука — и в переносном, и в буквальном смысле) для того, чтобы мешать администраторам, капельдинерам, представителям пожарной охраны и специально прибывшему наряду милиции наводить порядок. Зажатые в тиски блюстители порядка уговаривают покинуть зал тех, у кого нет билета. А люди — ноль внимания. Каждому ясно, что в такой обстановке устроить проверку билетов немыслимо. Да и бессмысленно. Ведь если даже выявишь безбилетника, попробуй выведи его.

Так все и остались в зале, включая милицию, очевидно, не предполагавшую, что ей тоже доведется посмотреть спектакль. Начали мы почти с часовым опозданием.

— Пойдемте, Аркадий Исаакович, я покажу, что вы наделали, — сказал мне после спектакля администратор. Он вывел меня на улицу и указал на стоявшую возле стены сорокаведерную бочку. За ней в каменной стене оказалась огромная брешь, самый настоящий подкоп. Таким вот образом публика проникла в зал. И ведь не мальчишки какие-нибудь, а вполне солидные граждане, среди которых были и дамы и, возможно, даже ответственные работники. Их не смущало даже то, что, несмотря на холодную осень, приходилось в целях конспирации оставлять дома верхнюю одежду.

Нечто похожее произошло на гастролях в Баку. Правда, там для штурмующих наш театр студентов результат оказался печальным. Они успешно перепилили железные решетки, чтобы проникнуть в здание, где мы гастролировали. Но по ошибке пилили не те решетки и дружно ворвались в склад театрального буфета. Их заподозрили в попытке грабежа, отправили в отделение милиции. Пришлось заступаться.

Еще одна история из этой серии.

Играли мы в Москве, в Центральном Доме культуры железнодорожников. Некий гражданин, киномеханик, приехавший в столицу с Камчатки на какие-то курсы, чтобы попасть к нам в театр, каждый вечер выстаивал у входа перед началом спектакля, безуспешно спрашивая лишний билетик. Наконец, доведенный до отчаяния, он забрался на крышу Казанского вокзала, затем перешел на крышу Дома культуры и проник внутрь через вентиляционную трубу.

Оказавшись на колосниках, он сполз по тросам на сцену и, никем не замеченный, спустился в зрительный зал, как раз когда начали впускать публику. Смешавшись с публикой, почувствовал себя в безопасности и стал высматривать, где поудобнее простоять спектакль.

Но он не видел себя со стороны. Его одежда была в саже, мазуте, масляных пятнах и прочей гадости, скопившейся на театральных небесах за многие годы. Люди шарахались от него. Уже после третьего звонка капельдинеры вывели его из зала. Бедняга сопротивлялся отчаянно.

Артисты слышали какой-то странный шум в зале перед началом и поинтересовались у администратора, что случилось. Он рассказал. Тогда я спросил, ушел ли этот человек.

— Нет, он сидит у меня в администраторской.

— Зачем?

— Аркадий Исаакович, вы только не беспокойтесь; я — со всей строгостью, как положено. Я сразу указал ему на дверь. Но... через дверь он не может выйти. Только через крышу.

— Если это шутка, то неудачная.

— Понимаете, Аркадий Исаакович... вы только не нервничайте, не расстраивайтесь... конечно, этот гражданин виноват. Но на улице тридцать градусов мороза.

— Ничего не понимаю. При чем тут мороз?

— Дело в том, что у него на крыше пальто и шапка. А до антракта достать их оттуда нет никакой возможности.

— Пожалуйста, в антракте пригласите его ко мне.

Когда привели безбилетника с Камчатки и он поведал со всеми подробностями свою горестную историю, я крепко пожал ему руку и сказал:

— Если бы присуждался приз самому отчаянному зрителю, вы, несомненно, могли бы рассчитывать на него. Но поскольку зрителям такие призы пока еще не дают, приглашаю вас на завтрашний спектакль.

И, вручив ему контрамарку в первый ряд партера, добавил:

— Вход, не забудьте, через дверь.

На деревню дедушке

Один мальчик — было ему одиннадцать лет — решил стать артистом, о чем и сообщил мне в письме. Он спрашивал меня (цитирую дословно): «Как вы достигли такого таланта?»

Писем я получаю очень много, и ответить на все невозможно. Остался без ответа этот вопль юной души. Но не тут-то было. Как-то после спектакля пришла ко мне за кулисы незнакомая женщина и сказала:

— Мой сын Саша написал вам письмо. Я понимаю, что у вас есть дела поважнее, но прошу вас войти в мое положение. Он до того заболел театром, что решил убежать из школы и поступить в какой-нибудь театр на работу. Когда ему говорят, что в таком возрасте на работу его никто не примет, он смертельно обижается, никого не хочет слушать. Вы для него авторитет, и теперь он ждет не дождется вашего ответа.

Женщина была не на шутку взволнована. Я как мог успокоил ее, пообещал, что не стану уверять Сашу в том, что учителя и родители не должны заниматься его воспитанием, и написал ему следующее:

«Здравствуй, Саша!

Ты спрашиваешь: «Как вы достигли такого таланта?» Прежде всего должен тебе сказать, что твой вопрос поставлен неправильно.

Талант не достигается, а, как красота или уродство, ум или глупость, является качеством, присущим человеку от рождения. Талант можно развить, обратив на него внимание, и, наоборот, погубить ленью, невежеством, легкомыслием.

Самое главное условие — трудолюбие, упорство самого человека, обладающего талантом.

Я понял из твоего письма, что ты умный, развитый мальчик, поэтому пишу тебе как взрослому человеку. И если даже тебе сейчас мое письмо покажется слишком сложным и что-нибудь не сразу поймешь, то, когда станешь старше, ты, пожалуй, со мной согласишься.

Кроме того, я хочу тебе сказать, что неталантливых людей очень мало, почти все люди талантливы. Надо только правильно и вовремя определить талант.

Один человек музыкален, другой хорошо рисует, третий обладает актерским дарованием, для четвертого одна из самых легких наук — математика, пятый может легко собрать и разобрать любой механизм — от автомобиля до часов — и постигает это с необыкновенной легкостью. Важно только, чтобы тот, кто обладает талантом математика, не выбрал бы себе профессию актера, к которой у него нет таланта, и, наоборот, человек, который может стать хорошим актером, не стал бы плохим математиком. И опять повторяю, что талант без трудолюбия ничто, так как он не может проявиться, не может развиться без упорного, самоотверженного труда.

До свидания, Саша. Желаю тебе правильно определить свой талант, найти свое место в жизни, любить труд, не увиливать от него, пытаясь найти дорогу полегче, такие дороги никуда не ведут, эти дороги кончаются тупиками. Но я уверен, что последний совет тебе не нужен. Посылаю тебе свою фотографию, другой, к сожалению, у меня сейчас нет.

Еще раз желаю тебе всего хорошего,
Аркадий Райкин».

Прошли годы. Мальчик Саша стал известным артистом, очень хорошим артистом, что, кстати, совсем не одно и то же. Это Александр Калягин. Я не склонен преувеличивать значение своего участия в его судьбе. Но мне было очень приятно, когда на вечере, посвященном моему 70-летию, он вместо поздравления выступил с текстом, который, полагаю, можно рассматривать как продолжение нашей давнишней переписки. Во всяком случае, этот текст, остроумно написанный, навеян ею.

Итак, Калягин вышел на сцену с горестным видом, сел за стол и начал:

— Ванька Жуков, сорокалетний мальчик, отданный на службу в Художественный театр к сапожнику Ефремову, в ночь на 23 декабря не ложился спать.

Дождавшись, когда директор, главный режиссер, мастера и подмастерья пошли домой, он достал из шкафа початую бутылку с чернилами, ручку с заржавленным золотым пером, измятый лист бумаги и стал писать.

Прежде чем вывести первую букву, он несколько раз пугливо оглянулся на темный образ Константина Сергеевича, перед которым тускло мерцала лампадка психологического реализма, и прерывисто вздохнул.

«Милый дедушка, Аркадий Исаакович!
Я пишу тебе письмо. Поздравляю Вас с юбилеем и желаю тебе всего от Господа Бога.
Нет у меня ни отца, ни маменьки, ты, дедушка, у меня один остался».

Ванька перевел глаза на темное окно, в котором мелькало отражение Олега Николаевича, и живо вообразил себе своего деда — Аркадия Исааковича, живущего в Москве и служащего ночным сторожем в Ленинградском театре миниатюр. Это невысокий, тощенький, необыкновенно юркий и подвижный старикашка лет 70, с грустным лицом и вечно пьяными от вдохновения глазами. Днем он балагурит со Жванецким или учит Костю искусству перевоплощения, вечером же, укутанный в просторную дубленку, ходит по Театру эстрады и стучит в свою колотушку. Ванька вздохнул и продолжал писать...

«Милый дедушка! Сделай божецкую милость — возьми меня отсюда к себе. Я буду помогать тебе перевоплощаться, а если думаешь, должности мне нету, я у Кости в суфлеры попрошусь или замест Тонкова к Авдотье Ни-

китичне. Дедушка, милый, нету никакой возможности.
Просто смерть одна. А когда вырасту, то за это самое
буду тебя кормить и никому в обиду не дам. Пропащая
моя жизнь, хуже собаки всякой. А кланяюсь еще Руфи
Марковне, Кате, Коте и всем, кто меня помнит».

На этом Калягин заканчивал чтение письма и продолжал от автора:
— Ванька сложил вчетверо исписанный лист, перело-
жил его в конверт, украденный накануне в репертуарной
конторе. Подумал немного, умакнул перо в чернильницу
и написал адрес: НА ДЕРЕВНЮ ДЕДУШКЕ.
Потом почесался, подумал и прибавил: АРКАДИЮ
ИСААКОВИЧУ.

На разных языках

Впервые Ленинградский театр миниатюр выехал за
рубеж — в Польшу — в 1957 году. Там о нас уже немного
знали. Рассказывая о сатирической направленности
наших спектаклей, автор журнала «Пшиязнь» писал, что
этот театр вряд ли когда-нибудь приедет; разве что чи-
татели журнала обратятся с просьбами в соответствующие инстанции. Не уверен, что этот призыв возымел действие. Но, так или иначе, польские чиновники действительно прислали официальный запрос чиновникам советским. Ну, у нас, как водится, долго решали, следует ли
нам ехать. Многие считали, что не следует: сатирический
театр — как бы театр внутреннего пользования. После
бесконечных дебатов в Министерстве культуры вызвал

меня министр Н. А. Михайлов, который, прежде чем стать министром, год или два был послом в Польше и, видимо, считал себя знатоком этой страны. Он сообщил мне о высокой чести, оказанной нам как полпредам советского искусства, и долго пугал трудностями, с которыми театру придется встретиться в стране, где «пооткрывали церквя». Я разозлился:

— Знаете что, берите мои костюмы и маски, поезжайте сами. И не пугайте меня. В самом деле, если что-то будет не так, вы же меня потом сживете со свету.

В общем, поехали. Но, должен сказать, — не без опасения, что нас ожидают неприятные инциденты.

Еще на перроне в Варшаве мы увидели множество воодушевленных людей с цветами в руках. Мы сначала подумали, что встречают какую-то делегацию, но оказалось — нас. К нам по очереди подходили депутации польских артистов из всех городов страны с просьбой, чтобы мы включили их город в свой гастрольный маршрут.

Гастроли начались в Варшаве в здании Национального театра, украшенном советскими и польскими флагами. Все выглядело очень торжественно, разве что не исполнялись государственные гимны. Мы говорили со сцены о простых вещах, волнующих всех: о бюрократизме, о воспитании детей, об отношении к женщине, о прожитой жизни. Когда занавес закрылся, публика аплодировала стоя. Мы стояли на сцене и не могли сдержать слез.

В поездке по стране нам предоставляли самые большие театральные помещения. Мы давали четыре-пять спектаклей и ехали дальше. Когда приехали во Вроцлав, режиссер местного театра, с которым мы были уже знакомы, заранее купил билеты своим актерам. Не знаю, что им нашептали, но на первый спектакль никто из них не пришел. Такая демонстративная акция тем более огорчила нас, что в других городах мы встречали самый радушный прием не только со стороны широкой публики, но и театральной общественности. Однако на второй день гастролей, очевидно, не удержавшись от профессионального любопытства, один из местных артистов все-таки появился в зале. Как бы пошел в разведку. А на третьем представлении была уже вся труппа. Свободных мест не нашлось, и польские артисты, наши хозяева, уселись прямо на полу в проходах или стояли, прислонившись к стене. После спектакля они аплодировали вместе со всеми, а потом пришли к нам за кулисы и взволнованно благодарили.

Кто-то из наших не удержался и спросил, почему они не пришли на открытие гастролей, когда мы их так ждали. И тогда они признались, что были уверены: в Советском Союзе сатира невозможна, и советский сатирический театр приехал не столько играть, сколько «пропагандировать».

Помню пресс-конференцию, на которую пришли сотни людей. Вопросы задавали не только о театре, но и о том, как живут в Советском Союзе. Я старался отвечать откровенно. Кто-то из выступающих упомянул Владимира Дудинцева, незадолго до того опубликовавшего роман «Не хлебом единым», который у нас честили почем зря. Понимая, что грубый окрик в адрес писателя и поднятая затем кампания не могут не волновать аудиторию, я решил, что лучше сам скажу о Дудинцеве, чем дождусь, когда меня спросят. Пояснил слушателям, что Дудинцев жив-здоров, работает, ему можно написать, он лучше меня ответит на все связанные с его творчеством вопросы.

В общем, пресс-конференция прошла хорошо и лишний раз свидетельствовала об интересе к нашему театру. Когда мы возвращались домой, посол П. К. Пономаренко сказал:

— А ведь вы, артисты, работаете иной раз эффективнее дипломатов. Вашу работу можно «пощупать» руками — мы уже получаем от поляков просьбы познакомить с советскими пьесами.

С той поры мы подружились с Польшей, не раз бывали там, а у меня хранятся два польских ордена.

Не могу не вспомнить, как в одной из последующих гастрольных поездок в Польшу (1961) в нашем спектакле был большой монолог, где, в частности, шла речь о человеке — покорителе Вселенной. И вот 12 апреля весь мир облетела весть о полете Юрия Гагарина. Мой монолог в тот день произвел особое впечатление. Спрашивали, знал ли я заранее о полете Гагарина. Пришлось признаться, что я ничего не знал, просто предчувствовал.

Вслед за Польшей была Болгария, страна, где у нас тоже оказалось много добрых друзей. Мы работали на специально подготовленной передвижной сцене, которая собиралась в течение четырех часов. Хорошая сцена, кулисы, помещения для актеров. С этой разборной сценой ездили по всей стране, играли не только в городах, но и в сельской местности. С помощью болгарской технической службы где-то в долине монтировали театральную сцену, зрители же усаживались по склону горы. Однажды играли на футбольном поле. Под хохот зрителей, разместившихся на трибунах, мы выбежали на поле в трусах и майках. А через минуту, когда открылся занавес, были уже в концертных костюмах. Подобные шутки, импровизационные находки укрепляли контакты с публикой. В Габрове, где меня избрали почетным гражданином города, выпала честь открыть новое здание театра.

Особые отношения сложились у нас с Венгрией. Об этой стране я могу рассказывать очень много. И всегда с большой теплотой вспоминаю встречи, которые там были на самых разных уровнях.

Когда мы впервые ехали в Венгрию, то поняли, что с нашим русским языком там нечего делать. И хотя венгерский язык очень труден, но, если мы хотим, чтобы нас хорошо принимали, надо им овладеть. Никто нас об этом не просил, никто не беспокоился — ни в Министерстве культуры, ни в других организациях. В результате напряженной работы мы смогли сыграть спектакль на венгерском языке, что немало способствовало нашей популярности.

Мы не полиглоты, но стараемся играть на языке той страны, где гастролируем. Просто выучиваем перевод, специально подготовленный к гастролям. Дело не в том, чтобы вызубрить текст. Надо не просто произносить его, но играть, ощущая природу чужой языковой стихии. Свободно ориентироваться в национальных особенностях юмора. Конечно, это трудно. Но другого выбора нет: реприза, оставшаяся непонятой, — худший вид провала.

Мы играли на английском, венгерском, немецком, польском, румынском, словацком, чешском языках. А однажды несколько месяцев напряженно работали, чтобы не ударить в грязь лицом перед зрителями Японии, но в последний момент поездка сорвалась: почему-то вместо нас поехал другой коллектив. Так и не пригодился нам японский язык.

В языковом обиходе разных стран остаются выражения из наших миниатюр. В Румынии, например, вошло в обиход «И что же будет?» Это из диалога о том, что в конце года, дабы не остались неосвоенными выделенные учреждению средства, начинают скупать ненужные вещи. Скажем, рояль, чтобы в нем картошку хранить.

Директор спрашивает у сотрудника:

— Зачем нам рояль?

— Поставим при входе.

— И что же будет?

— Солидно будет.

— А электропечи купил?

— Не достал.

— Значит, ничего не купил?

— Как же, купил. Холодильник.

— Зачем нам холодильник?

— Летом включим.

— И что же будет?

— Пиво холодное будет.

Вопрос «И что же будет?» стал в Румынии поговоркой.

В этом же роде был случай на гастролях в Венгрии. У меня в репертуаре был монолог Скептика, гражданина унылого и во всем сомневающегося. Все ему не то и не так. Даже весна его не устраивает. Вот раньше, говорит он, была весна, не то, что теперь. Так вот, этот Скептик время от времени приговаривал:

— Нет, теперь тоже... Кое-что есть... но... не то!

По-венгерски «кое-что есть» — это «валамиван». Почему-то это выражение так понравилось венграм, что вошло в их быт. У входа в крупнейший будапештский универмаг появился большой транспарант: «Приходите к нам, у нас валамиван!» А на улицах Будапешта прохожие приветствовали меня этими словами.

Наш юмор
в гостях у англичан

Английский посол, ценитель юмора, посещал наши спектакли. Я об этом ничего не знал, но вот как-то мы с Ромой получаем приглашение приехать на один день из

409

Ленинграда в Москву с тем, чтобы выступить в английском посольстве. Посол возвращался в Англию и устраивал прощальный вечер.

Утром машина встретила нас на вокзале и отвезла в посольство на завтрак, который давала супруга посла. Нам показали посольство, подарили какие-то журналы, пластинки. После обеда поехали отдохнуть в гостиницу «Москва», о чем заранее побеспокоились англичане. А вечером — снова посольство. Для концерта, кроме обычных вещей, я приготовил специальный номер.

Нас поблагодарили, отвезли на вокзал, посадили в «Красную стрелу». Так закончился день, проведенный как бы на английской земле.

Через какое-то время я получил предложение подготовить программу для английского телевидения. На Би-би-си открывался новый, тринадцатый канал, и по этому случаю приглашались артисты из разных стран.

Это потребовало от нас основательной подготовки, ежедневных занятий с преподавателями английского языка. Формируя репертуар, мы понимали, что надо брать вещи, понятные и близкие всем зрителям независимо от национальной и социальной принадлежности.

В наших миниатюрах, показанных англичанам, речь шла о том, что жизнь нельзя разменивать на мелочи, о неудавшейся любви, об одиночестве. В сатирических персонажах, над которыми мы смеялись, англичане увидели своих собственных взяточников и бюрократов.

— Вот вы показываете бюрократа, а ведь известно, что истинный бюрократ родился в Англии, — говорили нам. — А вашу хитрость — дать персонажам русские имена для отвода глаз — мы, конечно, раскусили...

Кроме нескольких товарищей по театру, в качестве партнера я пригласил англичанина Била Кемпбелла. Сын одного из руководителей коммунистической партии, он в семнадцать лет приехал в Советский Союз. Работал на радио, исполнял песенки в программах Утесова, снимался в эпизодической роли в фильме «Веселые ребята». Общение с ним помогло мне лучше освоить английскую речь.

В Лондоне для нас было снято специальное помещение, где мы вместе с режиссерами, осветителями, звукорежиссерами репетировали в течение десяти дней по восемь часов ежедневно. Нашими первыми зрителями, за реакцией которых я внимательно наблюдал, стал технический персонал студии. На съемку пришли также люди, заранее купившие билеты. Таким образом, программа, рассчитанная на один час пятнадцать минут, сопровождалась живой зрительской реакцией.

Все прошло успешно, о чем свидетельствовали рецензии в «Тайме» и «Дейли мейл». Англичане заключили с нами контракт еще на четыре такие программы.

Вторую мы показали меньше чем через год. Стали готовить третью. Но тут вызывает меня министр культуры Е. А. Фурцева:

— Аркадий Исаакович, вы ведь уже, кажется, были в Англии?

— Был.

— Ну пусть теперь поедет Людмила Зыкина.

Что можно было возразить? Действительно, пусть поедет. Хорошая артистка.

Екатерина Алексеевна Фурцева по-житейски, конечно, была женщиной неглупой. Но чтобы быть министром культуры, этого, наверное, мало. Нужно еще специальное образование или хотя бы любовь к искусству. Она же ходила в театры, на концерты, на выставки, лишь когда нельзя было не пойти. Когда кого-то сопровождала. В общем-то я вспоминаю ее добром, думаю, что другие наносили более серьезный ущерб искусству, грубо вмешиваясь в творчество того или иного художника. К тому же к концу своей деятельности она чему-то научилась...

Но, так или иначе, а контракт с Би-би-си был разорван, по нему заплачена огромная неустойка. После чего в Англию нас уже не приглашали.

Ошибочка вышла

Однажды в Министерстве культуры мне сообщили, что я приглашен в Западный Берлин на Международный фестиваль пантомимы в качестве гостя и что от меня требуется прочитать там доклад о влиянии пантомимы на смежные жанры сценического искусства. Конечно, это было приятное известие, но, с другой стороны, я ведь не теоретик и не очень-то привычен к чтению докладов. Времени до фестиваля, однако же, было достаточно, чтобы основательно подготовиться, и я не терял его даром.

Перед отъездом зашел в министерство, чтобы оформить командировку, и там один из ответственных сотрудников порекомендовал мне захватить с собой какие-нибудь причиндалы (так и выразился), то есть аксессуары (поправил он себя под моим взглядом); ну, маску какую-нибудь или парик. На всякий случай. Помнится, я еще пошутил, что вряд ли меня поймут верно, если я выйду читать доклад в маске. А ответственный сотрудник ответил совершенно серьезно, что меня могут попросить поработать по моему «основному профилю». Конечно, может быть, и не попросят. Но если все-таки вдруг попросят, неудобно будет отказываться. Тогда я сказал, что в любом случае откажусь обязательно. Ведь я не мим, и, для того чтобы преодолеть языковой барьер, мне надо выучить номер на немецком языке. К чему я не готов и подготовиться за два-три дня до отъезда уже не успею. Ответственный сотрудник согласился со мной. На том и расстались.

Сначала я прибыл поездом в столицу ГДР, где меня встретили представители нашего посольства. С ними состоялся такой разговор.

— Мы очень надеемся на вас, — сказали они. — Когда выйдете на сцену, помните: за вами красный флаг.

— На какую сцену? — удивился я. — Разве доклад нужно читать со сцены? Я думал, это более камерное предприятие.

— Какой доклад? — в свою очередь, удивились они. — По программе послезавтра ваш концерт. Вы выступаете во втором отделении, а в первом — Марсель Марсо.

Тем временем машина въехала на территорию Западного Берлина и остановилась у здания Академии искусств. Не успел я опомниться, как один из устроителей фестиваля сказал мне:

— Поздравляю, все билеты на ваш концерт за два часа были проданы.

— На мой концерт?

— Да, конечно.

У меня подкосились ноги.

— А Марсо во втором отделении?

— Нет, только вы. Марсо уже выступал.

Дело еще в том, что из-за обычных организационных неурядиц мы приехали на фестиваль с опозданием. Открытие уже состоялось. До моего концерта оставалось 64 часа. Я попросил дать мне переводчика, пришел в гостиницу, заказал себе крепчайший кофе и принялся за работу. Я работал безостановочно. Не выходя из гостиничного номера и не смыкая глаз. Я стал отбирать из своего репертуара те номера, которые имеют какое-то отношение к пантомиме. Кроме переводчика, мне помогал артист и завпост нашего театра И. И. Минкович.

Элементов пантомимы в моих номерах всегда было достаточно много. Еще в те времена, когда я учился у Соловьева и играл в мольеровских комедиях-балетах, я чувствовал вкус к острой пластической выразительности. Но соревноваться с Марселем Марсо по этой части? Безумие!

Кроме того, надо было вспомнить номера. Отобрать их таким образом, чтобы они представляли собой нечто внутренне цельное. А главное, ни один из них нельзя было совершенно лишить текста. Сократить текст — еще куда ни шло, но механически перевести его на язык пластики не было никакой возможности.

У меня был великолепный переводчик. Разобравшись в ситуации, он проявил недюжинную стойкость и самоотверженность. Но в конце работы мне было жалко на него смотреть, так он устал. У меня же от волнения сна не было ни в одном глазу.

Произнося текст по-русски, я схватывал и заучивал перевод, прося переводчика делать мне самые тонкие замечания по части осмысленности моих интонаций. Хорошо еще, надо было говорить по-немецки, а не на каком-нибудь другом языке. Немецким я все-таки немного владею. Спасибо незабвенным педагогам нашей Петровской школы! Не совсем зря они учили меня.

Что я могу сказать о том выступлении? Я видел, как люди аплодировали. Но аплодисментов не слышал. Все было как в немом кино. Потом мне сказали, что меня вызывали 14 раз.

Когда все было позади, ко мне в гримуборную зашел профессор-театровед Ю. А. Дмитриев, тоже приглашенный на фестиваль. Он был единственным советским человеком, присутствовавшим на том концерте. Юрий Арсеньевич пытался меня уверить, что все было просто великолепно. Но кажется, отчаялся убедить меня в этом.

Зашел и Марсель Марсо. Тоже стал поздравлять. Мы с ним давние знакомые, и обычно, когда он приезжает в Москву, у нас всегда находится время друг для друга. (Между прочим, общаемся мы с ним по-немецки, на котором он изъясняется значительно лучше меня.) Но на сей раз мы пока еще не виделись. Марсель сказал, что перед моим выходом на сцену он заглянул ко мне, чтобы поздороваться и сказать «той-той» (что-то вроде нашего «ни пуха ни пера»), и был крайне удивлен, что я ничего ему не ответил. После чего решил, ни слова не говоря мне, пригласить за кулисы врача.

— Ты был ужасно бледен, — сказал Марсо, — и я испугался.

Затем он стал изображать, как я выглядел. И это было так смешно, что окончательно привело меня в нормальное состояние.

Вернувшись в Москву, я пришел в министерство. чтобы сказать тому ответственному сотруднику, мягко говоря, неприятные слова. Почему из-за разгильдяйства и равнодушия этого человека я должен был полгода готовить доклад вместо концерта?! И почему это должно было сойти ему с рук?!

Но то ли он скрывался от меня, то ли еще что — словом, я его не застал. Зато встретил на лестнице Игоря Александровича Моисеева. Он только что вышел из какого-то высокого кабинета, где, очевидно, отчитывался об очередной поездке своего прославленного ансамбля за рубеж. Увидев в моих руках кипу вырезок из западноберлинских газет и журналов, Моисеев мрачно заметил:

— Зачем вы принесли сюда все эти рецензии?! Здесь это никого не интересует.

Вскоре по приезде я тяжело заболел. И уверен, что не в последней степени из-за этих 64 часов бешеной подготовки на свой страх и риск. Года через два, поправившись, я рассказал обо всем этом Екатерине Алексеевне Фурцевой. И в ответ получил благодарность за... весьма забавный рассказ.

— Не надо утрировать! — было сказано мне с милой улыбкой. — Ведь все обошлось. Вы ведь вышли тогда из положения, дорогой Аркадий Исаакович.

Константин и Аркадий Райкины. Начало 80–х годов

Е. Райкина

А. Яковлев

Е. Райкина в роли Зелимы
в спектакле
Театра им. Евг. Вахтангова
"Принцесса Турандот".
1964 год

Театр А. Пономарева "Чет–нечет". Алексей
Яковлев и Ольга Макеева в спектакле
"Дон–Жуан"

Зима 1974 года

К. Райкин. Театр "Современник" и творческий вечер "Давай, Артист!"

◀ Перед выходом на сцену. В кулисах

Театр им. Евг. Вахтангова. Репетиция сцены масок в спектакле
"Принцесса Турандот" . А. Райкин и М. Ульянов – Бригелла. 1964 год

А.И. Райкин репетирует сцену масок в спектакле "Принцесса Турандот" в Театре им. Евг. Вахтангова. Рядом Ю. Яковлев – Панталоне. 1964 год

В гостях у Т.А. Товстоногова в БДТ

было "дядя ваня",
зале — полно!
ене — полно, в
— дядя ваня, три

Фотовыставка к юбилею

пускай все будет, все...но пускай
чего то не хватает!

Рабочий момент съемки фильма "Люди и манекены"

Репетиция спектакля "Его величество театр"

"Его величество театр" . Финал спектакля

Ян Френкель – один из любимых композиторов.
Автор песни "Добрый зритель"

На репетиции с актерами театра

Репетиция записи песенки "Добрый зритель в 9–м ряду".
За роялем – Я. Френкель. Исполняет песенку А. Райкин

На репетиции

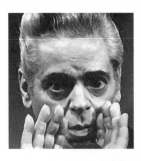

Финал спектакля "Дерево жизни"

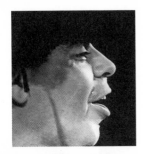

18 Аркадий Райкин

Плюсы и минусы

Известный ученый-экономист Павел Григорьевич Бунич — мой хороший знакомый. Последние несколько лет мы вместе проводим отпуск в одном из санаториев на Рижском взморье и с удовольствием беседуем на самые разные темы. В частности, о взаимоотношениях искусства и экономики.

Для меня наши беседы тем более интересны, что я всегда полагал: не имеет смысла ограничивать себя узкопрофессиональными рамками.

Невозможно постигнуть и творчески применить внутренние законы профессии, не сознавая ее общественного назначения, не ощущая ее диалектической переклички с другими профессиями.

Вот почему я счел возможным предложить вниманию читателей запись диалога с П. Г. Буничем. Это сжатый конспект не одного, а множества наших с ним разговоров.

* * *

А. Р. Я показываю явление, вскрываю, так сказать, его механизм, но не договариваю до конца. Это важный для меня прием. И вообще — прием искусства. Ведь если со сцены все сказать до конца, зритель решит, что вы примитивны, что вы сказали ему банальность. Надо уметь вовремя остановиться, подвести зрителя к ответу. Чтобы он сам дошел до него, сам «произнес». Впрочем, обычно я не позволяю себе говорить, точнее, подразумевать то, что не является актуальным для максимально широкого круга людей.

П. Б. Но при этом ведь не скажешь, что вы ломитесь в открытую дверь.

А. Р. Надеюсь, что нет. Обдумывая спектакль, я обычно стремлюсь учитывать, что люди не столь информированы, как хотелось бы. Информирован относительно узкий круг. Остальные, может быть, догадываются, но не додумывают. А если они увидят в той или иной миниатюре подтверждение своих догадок, то, выйдя из зрительного зала, будут думать дальше, глубже. И утвердятся, быть может, в том, что мы со сцены имели в виду, но впрямую не высказали.

П. Б. Таким образом, вы учитываете социально-психологические свойства восприятия истины — вроде бы общеизвестной и общезначимой, но обретающей действенность только тогда, когда она становится открытием и достоянием каждого. А это, в свою очередь, происходит лишь в том случае, если, ставя диагноз явлению, вы указываете или намекаете на его неотрывность от широкого контекста причин и следствий.

А. Р. Я всегда к этому стремился, всегда опасался уподобиться тому медику, который самозабвенно лечит какой-нибудь один орган, не заботясь о том, как болезнь отражается на других.

Устранить тот или иной недостаток, взятый в отдельности, не означает искоренить его природу, дать ответ на всю совокупность вопросов, которые он вызывает. В сущности, так называемых отдельных недостатков не бывает. Вся наша деятельность, в какой бы сфере мы ни работали, — единая цепь. Я много думаю и говорю со сцены о таком явлении, как коллективная безответственность. Она возникает и тогда, когда никто ни за что не отвечает. И тогда, когда каждый отвечает только за свое.

П. Б. Макс Планк говорил, что все на свете разделено только потому, что нет ни одной головы, которая могла бы все вместить.

А. Р. Поскольку все взаимосвязано, то и мы с вами, Павел Григорьевич, не имеем права замыкаться каждый на своем «участке». Во всяком случае, для меня, сатирика, это аксиома, убеждение, выработанное всем моим творческим и гражданским опытом.

П. Б. Я давно говорю, что вы, Аркадий Исаакович, в своем деле часто бываете бо́льшим экономистом, чем многие мои коллеги. Могли бы вы привести пример из собственной практики, который бы свидетельствовал об экономическом эффекте сатиры?

А. Р. Пожалуйста. Был в нашем театре — уже довольно давно — такой номер, который на первый взгляд мог показаться не более чем забавной шуткой, выдумкой. Актер едет в поезде и очень боится своей популярности — будут искать общения, не дадут покоя. И тогда он объявляет себя руководителем сапожного дела, а на вопрос, где именно он трудится, небрежно отвечает первое попавшееся — на шестой обувной. Вот тогда-то его покой и погиб. Люди стали приносить ему ботинки и туфли, жаловались, угрожали, требовали. Оказалось, что у них большие счеты с этим учреждением ширпотреба...

Прошло несколько лет. Как-то приехали мы на гастроли в один город. И вдруг ко мне в гостиницу приходит директор шестой обувной фабрики и приглашает меня на... производственное совещание. Меня встречали торжественно: докладываем вам, товарищ Райкин, что ваши критические замечания уже учтены. Мы сейчас боремся не только за выполнение плана, но и за качество продукции...

П. Б. Руководители той фабрики проявили, быть может, несколько наивную, но чуткую реакцию. Но ведь бывает, наверное, и так, что некие ответственные товарищи, пришедшие к вам на спектакль, реагируют на критику совсем по-другому. Проблема, мол, поднята правильно, но поднимать ее и рассуждать о ней надо в другом месте; не публично, не на сцене, а в соответствующих кабинетах.

А. Р. И это не раз бывало. Помню, однажды, много лет назад, после очередной премьеры я был вызван повесткой (!) к одному из начальников ленинградской милиции и привлечен к ответу за то, что посмел посмеяться над одним безграмотным, грубым блюстителем порядка в чине сержанта.

— Вы дискредитируете постового в глазах народа! — грозно сказали мне.

— А может быть, милицию дискредитирую не я, а именно этот конкретный человек в синей форме? Может, надо наказать за это его, а не меня? И потом, один постовой — это еще не вся советская милиция, не так ли?

— Мы-то с вами, товарищ Райкин, это понимаем, — ответили мне вкрадчиво и доверительно, — но не всякий зритель это поймет...

Нет уж! Ни время, ни современники не нуждаются в подобных «адвокатах».

И все-таки сатирик — своего рода врач, он вскрывает порок для того, чтобы стало возможным этот порок вылечить.

П. Б. Вы часто говорите об этом...

А. Р. Бесконечно. Но, знаете ли, это — вся моя жизнь. Когда-то наш театр начинался со спектакля «Не проходите мимо». Так вот, я и до сих пор не считаю этот девиз наивным. У социальной пассивности всегда находится много защитников, иной раз весьма изощренных по части «высоких» аргументов. Иногда приходится слышать скептическое: «Ну куда вы, право, — на медведя с рогатиной?!» Но еще чаще — осторожное: «Вы знаете, это слишком остро». Для меня и то, и другое — комплимент. Сатирический театр и должен быть острым, а не тупым. Смелым, а не трусливым.

Человек, который желает добра себе и своему народу, должен говорить только правду. Как бы горька она ни была. Впрочем, нередко мы встречаемся с таким явлением, когда бюрократ заявляет: «Правильно вы продернули бюрократов, я тоже с ними борюсь» или когда казнокрад выражает свою радость в связи с тем, что в такой-то миниатюре мы выводим на чистую воду таких, как он. Так что же, спрашивается, молчать — лучше? Или говорить не всю правду, только часть ее?

П. Б. Сказать часть правды несколько лет назад было бóльшим мужеством, чем всю правду сейчас. Некоторых сегодняшних крикунов вчера вообще не было слышно, или они славословили то, что ныне хоронят. Теперь, когда правде дан «полный вперед», — надо увидеть новые просторы и темы. Иначе нельзя осуществить миссию впередсмотрящего.

Каковы эти темы? Как экономист скажу: это борьба с показной революцией, с новыми лозунгами, заполненными старым содержанием. Срочно нужен следующий шаг — от формы к содержанию. В этом суть сущего.

А. Р. Да, от слов надо переходить к делу. Тем более что силу слова, его эффективность у нас понимают порой весьма странно. А ведь напишите хоть на каждой стене аршинными буквами: «Сделаем наш завод образцовым!» — никого это не тронет, если во дворе валяется дорогостоящее оборудование. Одни и те же слова в одном случае могут вдохновлять, в другом — нет. Все зависит от того, насколько слова соответствуют своему реальному содержанию. Не говоря уж о том, что всему свое время и свое место. Если, например, руководитель своим повседневным образом жизни не доказывает того, к чему призывает с трибуны, ему перестают верить. Вот он твердит о перестройке, об экономии, об интенсификации и демократизации, а люди видят, что он выстроил себе дачу за государственный счет. Пусть он толкует о совести, а люди видят, что он бессовестен во многих своих действиях. У другого, честного, те же самые слова будут работать иначе...

П. Б. Для меня несомненно, что один из главных критериев для вас как артиста — не просто общественная целесообразность, но, я бы сказал, рентабельность смеха. Не скажу, что это вообще в природе сатиры. Ибо есть смех не только актуальный, но и вечный. То есть такой, объектом которого становятся вневременные человеческие слабости. Вы же, как правило, смеетесь над тем, что уже завтра не будет, не должно быть актуально. Не возникало ли у вас в этой связи чувства... ну, скажем, чувства сожаления, что вы, художник, не работаете, так сказать, впрок?

А. Р. Лишь в той степени, в какой это чувство знакомо каждому театральному артисту или режиссеру. Такова уж природа театра: он существует сегодня. Что же касается философской стороны дела, то я убежден, что бесследно исчезает лишь то, что не проникнуто внутренней заботой о связи времен, о преемственности. Да, я сосредоточен на сегодняшнем, на преходящем. Но забочусь при этом о завтрашнем дне, о будущем. Не так ли поступает и ученый, для которого занятия прикладными научными опытами отнюдь не противоречат служению чистой науке? Тут мы опять приходим к идее взаимосвязанности всего со всем.

Кстати, мне очень дорога мысль, точнее, давнее мое ощущение, что наука и искусство (я говорю уже не только о сатире и экономике, но в более широком плане) — это как бы два потока, берущих начало из одного родника, имя которому Жизнь.

П. Б. Это достаточно тонкий вопрос. Конечно, было бы наивно утверждать, что цели и средства искусства и науки во всем совпадают.

А. Р. А вы не могли бы сформулировать, в чем, по-вашему, главная задача искусства?

П. Б. В необходимости опережать время. Не только соответствовать ему, но и быть чуть-чуть впереди. В этом смысле и в науке, и в искусстве особенно важна роль не просто хорошего профессионала, но — личности. Как-то вы, Аркадий Исаакович, высказали мысль, что для сатирика вовсе не обязательно, чтобы зритель смеялся. Главное, чтобы он задумался.

А. Р. Да. Напряженная тишина в зале для меня самая дорогая реакция.

П. Б. Можно ли в таком случае сказать, что вы ориентируетесь на подготовленного зрителя?

А. Р. Надо уточнить, в каком смысле подготовленного, к чему «подготовленного». Одно из незыблемых условий, которому наш театр следует в течение всего своего существования, — ясность, простота, лаконизм выражения мысли. Но!.. «Остроумная манера писать состоит, между прочим, в том, что она предполагает ум также и в читателе...» Афоризм этот принадлежит Фейербаху. Рукой Ленина в «Философских тетрадях» написано: «метко!» Вот и наш театр стремится работать для умного зрителя, для доброго, отзывчивого, чувствующего юмор, но прежде всего — умного.

П. Б. Этот вопрос я задал вам неспроста. Ибо для того чтобы вести за собой умного зрителя, мало быть умным артистом. Надо быть личностью. Или, если угодно, провозвестником нового. То же можно сказать и об ученом, о человеке, личный пример которого для студентов очень важен. Спору нет, все мы — коллективисты, убеждать нас в этом не надо. Но по-прежнему десять тысяч дураков равны одному дураку: толк от них один. А Эйнштейна они не заменят.

А. Р. Все это так. Но, видите ли... каждый дурак может быть умным, и наоборот.

П. Б. То есть как?

А. Р. В свое время я показывал одного директора, для которого самым главным было — сколоть лед у парадного подъезда да выкрасить забор, и одного дворника, у которого очень хорошо работала голова, образование имел высшее, но просто так жизнь у него сложилась. И у обоих ничего не получилось. У директора завод разваливался, а дворник падал на льду, лопатой попадал себе по ногам, директор учил его, как лед надо скалывать. И оба они слыли дураками. А если бы поменять их местами? В своем деле можно быть дураком, а на другом месте — умным.

П. Б. Это проблема некомпетентности...

А. Р. ...и доверия. Когда мы утверждаем: «Все для человека», мы не всегда помним, что от самого же человека все и зависит. Если, конечно, ему доверяют.

П. Б. Есть такое выражение: своя тема в искусстве. Выражение достаточно истрепанное, но понятие-то подлинное. Неотъемлемое от личностного своеобразия художника. Так вот, я думаю: какова ваша тема? Формулой на это не ответишь, но, во всяком случае, для меня она не сводится к чистой исповедальности. То есть она, очевидно, выражается каким-то опосредованным образом.

А. Р. Истинный сатирик — лирик в душе. Об этом еще Гоголь писал, да и вся судьба Гоголя — тому подтверждение. Но видимо, такова уж моя природа — человеческая, творческая, — что личные свои заботы мне неинтересно выплескивать публике. Другое дело, что всегда стараюсь понять, насколько моя боль похожа на боль других, многих. И только убежденный в том, что она достаточно типична, выношу ее на сцену, так сказать, в объективированной форме.

Знаете, Павел Григорьевич, счастье сатирика — не чувствовать себя в одиночестве.

П. Б. Это счастье любого человека. Каждому свойственно стремление реализовать себя в обществе, добиться признания.

А. Р. Когда зрители смеются и размышляют, они тем самым поддерживают меня. Точнее, ту идею, которая нам с ними вместе представляется важной. И хотя, как утверждал Белинский, комедия не может исправить жизнь, все-таки во власти искусства комедии, сатиры создать общественное мнение вокруг той или иной проблемы. Я верю в силу общественного мнения. И это — мое счастье.

У меня есть такой монолог, написанный одним из наших любимых авторов, Леонидом Лиходеевым. Я выхожу на авансцену и говорю, обращаясь прямо в зал:

«Вы приходили сюда и ждали от меня слова, которое вызывало бы в вас радость или печаль, но вы всегда ошибались — у меня не было такого слова. Это слово вы приносили с собой. Время рождало его, и оно рвалось из ваших сердец или робко выглядывало.

И если я произносил его, вы улыбались или грустили... Вероятно, искусство — это только искра, которая, подобно электрическому заряду, летит с одного полюса на другой... Когда ее не ждут, когда ей некуда лететь — она не вылетит... Электрическая искра летит с минуса на плюс. Плюс — это вы, друзья мои! Было бы у вас меньше минусов, стало бы больше плюсов. Каждый перечеркнутый минус — это плюс!»

Цена оценки

Никто не возьмет на себя смелость критиковать книгу профессора математики о дифференциалах, не имея соответствующей математической подготовки. Никто не отважится давать указания хирургу, не понимая ничего в медицине. Но есть одна область, судить о которой вправе каждый. Это — искусство.

Зрителям вовсе не надо быть специалистами, чтобы сказать о спектакле «мне понравилось» или «мне не понравилось». Но при этом важно отдавать себе отчет в том, что твое мнение — всего лишь твое мнение, а не истина в последней инстанции.

Если учесть, что зрители отличаются друг от друга вкусами и симпатиями, образованием и возрастом, наконец, просто характерами и биографиями, то мнения о всяком произведении искусства всегда и неизбежно окажутся противоречивыми, разными. Их можно представить в виде сложной иерархической лестницы оценок — положительных и отрицательных, беспристрастных и предвзятых, взволнованных и равнодушных, компетентных и невежественных.

На самом верху этой лестницы мне видится профессиональный критик, глубокий знаток искусства, призванный формировать общественное мнение.

В памяти возникают имена и лица замечательных критиков, которые пользовались у нас, практиков театра, огромным уважением: Б. Алперс, П. Марков, И. Соллертинский, А. Эфрос, Ю. Юзовский, С. Дрейден... О чем бы они ни писали, хотелось ли безоговорочно признать их точку зрения или, наоборот, поспорить с ними, в любом случае я читал и перечитывал их с пользой для себя.

На мой взгляд, самое ценное качество критики — убежденность, что собственное мнение надо доказывать, а не навязывать. Доказывать и отстаивать его, за него бороться.

Критика — профессия мужественных.

К сожалению, об этом часто забывают. Лукавят, рассчитывая, как видно, что плохой спектакль может стать хорошим от дифирамбов «нужной теме». Меняют свои взгляды в угоду ситуации, руководствуясь не интересами общего дела, а конъюнктурными соображениями. Сколько раз мне приходилось видеть, как, придя на новый спектакль, критик старается уйти незаметно, чтобы не пришлось высказывать работникам театра свою точку зрения до тех пор, пока он не выяснит, точно не узнает, что думают об этом спектакле «наверху».

Смешны и жалки усилия критиков, полагающих, что их авторитет тем выше, чем чаще они печатаются. Неужели им никогда не приходилось слышать, как зрители говорят между собой:

— Читали, как разругали пьесу?

— Еще бы! Надо обязательно пойти: видимо, очень интересно.

Это ведь именно про них говорят. Про тех, кто любит во что бы то ни стало «мелькать», любой ценой оставаться на поверхности.

Помню, лет двадцать назад один такой критик (образованный, между прочим, человек, но трусливый до неприличия) с возмущением говорил мне о всемирно известной балерине, в то время заболевшей:

— Представьте, она отказалась поехать в колхоз. Все едут туда выступать, а она, видите ли, не может.

— Ну и что?

— А то, что ей это так не пройдет. Вы сами понимаете, как к этому отнесутся кое-где.

— Если бы ей предложили танцевать в зале Чайковского, я бы и то усомнился, стоит ли, поскольку там плохой пол. А мы должны беречь эту уникальную артистку...

— Вы так говорите, Аркадий Исаакович, как будто я этого не понимаю. Но искусство, между прочим, принадлежит народу.

— При чем тут это?

— А при том, что ее пригласили колхозники.

— Но колхозников много, а она одна. Почему же из сотен приглашений надо принять именно это, а не другие? Лучше организовать ее выступление по телевидению, чтобы смотрели не десятки, а миллионы. В искусстве замены нет.

Казалось, я убедил собеседника. Но тут же выяснилось, что мои доводы подействовали на него весьма своеобразно.

— Как хотите, Аркадий Исаакович, а я теперь ни строчки о ней не напишу. Да ведь и не напечатают, пока она в опале.

— А вдруг напечатают? Ну не сейчас, так некоторое время спустя...

Он тряхнул своей артистической шевелюрой и с гордостью произнес:

— Аркадий Исаакович, я уже давно не в том возрасте и не в том положении, чтобы приносить в редакцию статьи, которые мне не заказывали. Я не мальчишка какой-нибудь, чтобы писать на свой страх и риск!..

И он еще гордился этим!

Нет уж, нельзя быть критиком при такой готовности сдаваться без боя.

Для меня беспринципный критик-профессионал стоит на низшей ступени «лестницы оценок». Призванный стоять на высшей, он сам, что называется, спустил себя с лестницы. Мне его не жалко.

А вот тех зрителей-непрофессионалов, которые смотрят спектакль с «ведомственной точки зрения», искренне подозревая сатирический театр в намерении запятнать честь той или иной профессии, я нередко жалею. Как правило, это люди, не повинные в том, что подозрительность оказывается их главным зрительским качеством. Неповинные, но обделенные способностью непосредственно воспринимать искусство.

Иногда их реакция просто анекдотична. Как в известном рассказе об одном французском враче, который, побывав на концерте знаменитой певицы Арну, сказал:

— Это самая блестящая астма, которую мне когда-либо приходилось слушать.

Впрочем, я говорю не о чудачестве, а об эстетической глухоте.

Когда-то я пел безобидную песенку «Ты ласточка моя» — в миниатюре о том, как скромный, хороший пожарный не мог объясниться в любви. Так вот, целая пожарная команда написала мне о том, сколько подвигов она совершила за такой-то период времени, какое мужество она проявила, спасая людей из огня. Пришлось отвечать, что и среди мужественных пожарных бывают скромные и застенчивые люди, которые не могут найти подходящие слова при объяснении в любви.

Удивительно, что это было серьезное письмо, которое прошло через несколько серьезных организаций, было скреплено печатью, и, отвечая на него, надо было серьезно доказывать, что мы ни сном ни духом не хотели обидеть наших славных пожарных.

Кстати, я вовсе не исключаю того факта, что большинство подписавших письмо не видело миниатюры. Это большинство просто поверило кому-то одному или нескольким, кто усмотрел в лирической миниатюре сатирический криминал.

Уважаемый Аркадий Исаакович!
В связи с серьезными претензиями, высказанными общественностью по поводу нового спектакля, показывае-

мого Вами на гастролях, необходимо уточнить текст и трактовку ряда номеров.

Необходимо пересмотреть текст вступительного монолога, который из-за неточности приводит в ряде мест к неверным обобщениям и двусмысленности.

Пример со специалистом-столяром, которому приходится иметь дело с целой «лестницей» несведущих в деле руководителей — бюрократов и показушников, — претендует на обобщение, что это характерно для всего стиля руководства. Ваши оговорки (об ученых во главе многих учреждений и о необходимости советоваться со специалистами) явно недостаточны.

В связи с этим и сатирическая гипербола с призывом «Берегите бюрократов!» теряет свою ироничность и воспринимается как пример «вселенского» бюрократизма, душащего все и вся... И поэтому фразы «Народ крепчает» (благодаря бюрократам), «Армия ослабнет», «Извините за правду», о необходимости иметь мужество, чтобы говорить правду, становятся двусмысленными и бестактными. Неточен пример с очередями, когда нехватку автобусов и продавцов предлагается решить весьма легким способом — за счет разбухших учреждений и освобождения их от бездельников. Здесь явная логическая подмена разных проблем.

Нечетко сформулирован пример о товарах на выставке и в магазине (при чем тут намек на «рядового покупателя»?).

Задавая тон всей программе, вступительный монолог из-за своей неточности ставит под сомнение и ряд положений в других местах программы. Так, правильная в финале мысль о том, что манекеном может стать любой (и рабочий, и ученый и т. п.), воспринимается непомерно обобщенно. Нечетка и последующая мысль (манекены можно поставить, положить и т. д.), ибо неясно, кто это делает (автор? Райкин? бюрократ? или система?).

...И последнее. Стоит ли Вам завершать заключительный монолог, а с ним и весь спектакль в минорной тональности?

Я понимаю, Аркадий Исаакович, что ряд высказанных мною формулировок покажется Вам излишне прямолинейным и несовместимым с таким тонким делом, как сатира, юмор. И конечно, меньше всего авторы и Вы хотели, чтобы отдельные места программы воспринимались так, как я сформулировал к ним претензии. Но если возможно инакопонимание, если создается двусмысленность, мы обязаны с Вами над этим задуматься и сделать так, чтобы этого не было...

НАЧАЛЬНИК...
(имя не называю из сочувствия к этому человеку)
29. IX. 70 г.

В 1966 году редакция «Известий» получила письмо от ветеринаров Крымской области. Письмо было адресовано мне.

На новогоднем «Огоньке», — писали эти «специалисты», — выступая в своем жанре по Центральному телевидению перед многомиллионной аудиторией, Вы высмеяли ветеринаров, и не по какому-то отдельному случаю или определенному характерному примеру, а огульно, так сказать, скопом, всех до одного.

Почему? Какие у Вас имеются к этому в наше время данные? Что заставляет Вас ассоциировать ветеринаров с понятием смешным, оскорбительным, отрицательным?

Вспомним, как это было в выступлении вашего ансамбля: изображая заведующего кадрами в качестве отрицательного типа, Вы сказали, что Ваш герой учился на ве-

теринара. *В это время ансамбль, создающий фон Вашему выступлению, как бы подчеркивает, что в этом главная «соль», слышатся звуки «хи-хи». Далее, после небольшого диалога, в ходе которого выясняется, что изображаемый герой безнадежный неудачник и абсолютно бестолковый человек, Ваш партнер заявляет, что Вы, то есть завкадрами, напрасно переквалифицировались, мол, раз ты такой, оставался бы ветеринаром. Слаженный ансамбль вторит «ха-ха»... Разве подобная типизация характерна для ветеринаров?*

...В нашей стране ветеринаров представляют действительные и почетные академики, маститые профессора, заслуженные деятели, доктора и кандидаты наук, лауреаты Государственных премий, большие коллективы работников, генералы, полковники, и многие, многие другие, в том числе тысячи совхозных и колхозных ветврачей и ветеринарных техников. И все они неудачниками себя не считают. Кого Вы имели в виду своим фельетоном? Наших ученых? Но мы ими гордимся.

Сидя за праздничным столом и видя, чем оборачивается перед советскими потребителями животноводческая продукция, касается ли это масла, сыра, колбасы, ветчины или жареной индейки, Вам не следовало бы забывать, что во всем этом есть доля труда тех, кого Вы огульно высмеиваете. Мы отвергаем Вашу насмешку как устаревшую для нашего времени, вздорную, а главное — в высшей степени оскорбительную для советских ветеринарных специалистов. Мы ждем ответа на поставленные вопросы через печать, ответа обстоятельного, серьезного и не в форме отговорочек или улыбочек с намеками, что-де Вас неправильно поняли. Мы хотим ясности.

*Ветеринарные специалисты Крымской области
(всего 60 подписей)*

Ознакомившись с этим письмом, я ответил, как меня и просили его авторы, через печать. И мой ответ был опубликован в «Известиях». Привожу его почти полностью, полагая, что, несмотря на прошедшие двадцать лет, он и сегодня может найти своих адресатов. Разумеется, далеко не только среди ветеринаров.

«Так вот, совершенно серьезно.

Миниатюра была такая: кадровик вызывает сотрудника и приказывает ему стать изобретателем. Сотрудник, не имеющий никакого отношения к изобретательству, естественно, пытается отказаться. Тогда кадровик приводит довод: меня, мол, тоже когда-то вызвал мой начальник. Здоров был мужик — сам говорил, других не слушал. Вызвал, говорит: сядешь, Иннокентий, на кадры. А я на ветеринара учился. Я любил это дело. А он как рявкнет — и все. С тех пор и сижу...

Таким образом, мы приобрели плохого завкадрами и, возможно, потеряли прекрасного ветеринара. Может быть, мы потеряли как раз того человека, который, будучи на своем месте, обогатил бы ветеринарную науку и который увеличил бы животноводческую продукцию, и мы, сидя за праздничным столом и видя, чем она оборачивается перед советским потребителем, касается ли это масла, сыра, колбасы или жареной индейки, обрадовались бы от всей души.

Вот какого человека мы, возможно, потеряли.

А все почему?

А все потому, что начальник его в свое время был крепкий мужик. Сам говорил, других не слушал.

Так почему же обиделись шестьдесят ветеринарных специалистов Крымской области на эту миниатюру?

Я, признаться, долго думал над этим.

Всякая сатира обязательно обижает кого-то. В этом ее суть.

Кого же высмеивала эта миниатюра? Она высмеивала тех, кто сидит не на своем месте. Такой человек действительно может оказаться в дураках. Каждый может оказаться в глупом положении.

Вот, допустим, меня, артиста, вызывает кадровик и говорит:

— Поезжай на село! Коров лечить будешь.

— Позвольте, — говорю...

— Не позволю!

И поехал бы я коров лечить. Налечил бы я вам. А параллельно, поскольку штатная единица в театре освободилась, какого-нибудь хорошего парня, чудного ветеринара, вызвали бы и сказали:

— Стань артистом, будешь людей смешить.

— Позвольте, — сказал бы парень, — какой же я артист!

— Вот и поезжай.

Насмешил бы он вас.

Может, это, правда, не так страшно было бы. Ну, раскусил бы его зритель в первый же вечер, ну, не пришел бы на следующий день в театр. И все дела. Несправедливость торжествовала бы всего один день. А вот когда человек сидит прочно и долго не на своем месте и все на него в обиде, вот тут бы в самый раз напустить на него шестьдесят ветеринарных специалистов Крымской области. Так нет же, не пишут.

Людям свойственно где-нибудь трудиться. У них есть профессия и призвание. Я еще не встречал ни одного человека, у которого бы не было какого-нибудь рода занятий.

А поскольку в своей деятельности я имею дело непосредственно с людьми и объекты моей деятельности — люди, и все они имеют род занятий, может, кто-нибудь посоветует, как мне быть...

Сейчас я испытываю чувство тревоги. Недавно по телевизору показали мою миниатюру «Защита диссертации». Там отец готовит диссертацию, одновременно нянча своего грудного ребенка. А малосознательный ребенок кричит, орет и даже писает в пеленки невзирая на научную работу своего родителя. И вот я думаю, а вдруг этот самый младенец обиделся. Телевизор ведь смотрят и грудные. Дескать, как это вы осмелились показывать нас — будущих счетоводов, пожарных, монтажников, геологов, летчиков, ветеринаров. Мы готовимся строить светлое завтра, а вы нас — в мокрых пеленках!

Есть такая детская игра «да и нет не говорить, черного и белого не покупать», а поскольку почти все взрослые — это бывшие дети, некоторые затягивают эту инфантильную забаву до седин.

Ветеринара — не трожь, пожарного — не касайся, артиста — не упоминай, продавца — не зацепи, начальника отдела кадров — не дай Бог, стариков — ни-ни, детей — тем более, женщин и мужчин — ни в коем случае! И остается нам образ простого советского беспощадного сатирика в виде мотылька. Ни охнуть, ни вздохнуть, ни тебе на лист присесть, ни тебе цветок понюхать. Знай порхай — отдыхай — наслаждайся!

А я не могу отдыхать, не имею права. Потому, что сатира направлена не против возраста и пола, не против профессий и места жительства, а против врага номер один — тяжелого явления, которое называется невежество.

Люди обиделись. Правильно, что обиделись. Молодцы ребята! Только не те обиделись. А как бы хорошо, чтобы в редакцию «Известий» пришел документ:

Уважаемая редакция!
Просим напечатать на страницах вашей газеты нижеследующее.
Открытое письмо Аркадию Райкину.
На новогоднем «Огоньке», выступая в своем жанре перед многомиллионной аудиторией, вы высмеяли невежд

не по какому-то отдельному случаю или по определенному характерному примеру, а огульно, скопом, всех до одного. Почему? Какие у вас имеются к этому в наше время данные? В то время, как мы, невежды, сделали что могли и где только смогли, не исключая даже науку и искусство; в то время, как мы, не щадя ни своего, ни тем более чужого живота, получали поощрения, ставили все с ног на голову, наломали дров так, что дым шел коромыслом; в то время, когда мы, невежды, изобрели очки для втирания и тратили на выеденное яйцо наши родные народные средства, — вы осмеливаетесь нас безответственно высмеивать. И вам, наверное, невдомек, что среди невежд были довольно-таки выдающиеся люди, свои гении. Они придумали свои неписаные законы, свою арифметику. И дважды два становилось пять, восемь, двенадцать. Сколько надо было нам, невеждам, столько и становилось. И, сидя за праздничным столом и видя, чем оборачивается перед советским потребителем наша продукция, мы испытываем законную гордость. А вы позволяете себе...

Но такого письма я пока еще не получил. А жаль. Потому что, когда придет такое письмо, я уж соображу, что сатира действительно достигла цели.

А что касается «слаженного ансамбля», который, как справедливо указывают ветеринарные специалисты Крымской области, вторит «ха-ха», так ансамбль действительно смеется и действительно слаженный, и, слава Богу, большой. Каждый вечер тысяча триста зрителей Театра эстрады, как бы подчеркивая, в чем главная «соль», произносят звуки «хи-хи». И «ха-ха» произносят. И «хо-хо» произносят. И даже «хе-хе».

И тем самым разделяют точку зрения сатирика, понимая смысл и цель сатиры. Среди них люди разных возрастов, профессий, разных местожительств, занятий, и все они смеются. Правда, попадаются и молчаливые единицы, которые обиделись потому, что поняли, или обиделись потому, что не поняли, и которые собираются написать мне письмо, как это сделали шестьдесят ветеринарных специалистов Крымской области в рассуждении индейки.

С глубоким сожалением,
Аркадий Райкин.

Остается добавить, что за годы, прошедшие со дня публикации письма ветеринаров, я неоднократно получал подобные упреки.

Впрочем, бывает и так, что люди, которых мы высмеиваем, в которых целимся, вовсе отказываются замечать, что речь идет о них. Делают вид, что театр критикует каких-то абстрактных лиц, быть может, и в природе не существующих. Или пытаются повернуть дело таким образом, будто они с театром заодно.

К примеру, в одной из миниатюр я изображал няню, которая приходит в семью и требует для себя лучшую комнату, двуспальную кровать, телевизор и т. д. Так вот, после этого знакомые рассказывали мне, что к ним пришла точно такая же няня домовымогательница и стала предъявлять точно такие же непомерные требования. А когда эти требования отвергли, с возмущением заявила:

— Мало вас Райкин показывал.

Вот тебе и обратная связь.

И еще одно письмо, опубликованное в «Московских новостях» 8 февраля 1987 года, то есть совсем недавно. Его автора, пожелавшего остаться неизвестным, возмутило мое выступление на съезде Всероссийского театрального общества в октябре 1986 года, напечатанное в этой газете.

Впрочем, его возмущение вызвал не я один. Но вот что говорится в мой адрес:

«В номере 45 опубликована статья Райкина, где он пишет, что у нас в стране вместо «грандиозных успехов» — «полная бесхозяйственность», вместо «великих свершений» — развал, вместо «героического труда» — пьянство. Думается, что даже ярый противник СССР постеснялся бы сказать такое о нашей Родине».

Что можно ответить? Время изменилось, но, как я уже говорил, психология осталась прежней. Метод передержек и подтасовок, которым пользуется автор письма, к сожалению, мне хорошо знаком.

Вспоминается одна, примерно пятнадцатилетней давности, история. Не какой-то неизвестный человек, а в ту пору заведующий отделом культуры ЦК КПСС В. Ф. Шауро сказал, глядя мне прямо в глаза:

— Что там «Голос Америки» или Би-би-си! Стоит в центре Москвы человек и несет антисоветчину!

Оказывается, то, что я делаю, — «антисоветчина»! И это говорит не кто-нибудь, а человек, направляющий развитие культуры в нашей стране!

Обычно в разговорах с Шауро трудно было понять, что конкретно вызывало его недовольство. Случалось, в более спокойных ситуациях, я показывал ему текст и говорил:

— Ну, давайте посмотрим! Что здесь не так?

— Нет, что вы? Текст — это ваше дело!

Мне говорили, что он бывал на наших спектаклях. Но я его никогда не видел, и своего мнения он не высказывал.

В той критической ситуации, когда он обвинил меня в антисоветчине (хорошо еще не назвал врагом народа!), стало ясно, что продолжать работу трудно, если не невозможно. Вот тогда-то прямо из его кабинета на Старой площади меня увезли в больницу с тяжелым инфарктом. Приехала «скорая помощь», уложили на носилки — никто не шелохнулся, не извинился. Только внизу гардеробщица, увидев носилки, сказала доброе слово.

Чтобы закончить эту довольно мрачную страницу моей жизни, скажу, что, уже лежа в Кунцевской больнице, я получил письмо от главного редактора «Правды» М. В. Зимянина. Он писал, что все образуется. Не обращайте внимания на эти обвинения, «держите хвост морковкой». Надо заметить, что с Зимяниным мы познакомились во время гастролей нашего театра в Чехословакии, где он был тогда послом. Получив его дружеское письмо, я воспрял духом. В тот момент оно меня очень поддержало.

Случались и выстрелы в спину. Это было после того, как я исполнил монолог Л. Лиходеева, в котором были ленинские цитаты. Высказывания Владимира Ильича Ленина о бюрократизме как бы сопоставлялись с тем, что происходило тогда, в начале 70-х годов.

Мне было сказано, что цитировать В. И. Ленина не надо.

— Почему?

— Ну, знаете, вдруг вы что-то неточно скажете. Да и подбор цитат какой-то не тот.

Я не сразу понял, что дело совсем не в возможной неточности цитат, а в боязни этих людей за свои места. Как же они так оплошали, что пропустили подобное! Ведь получалось, что за пятьдесят с лишним лет корни бюрократизма, о котором предупреждал Ленин, еще углубились, а крона его пышно разрослась.

Но мало того, что мне вычеркивали цитаты Ленина. Была запущена сплетня. Оказывается, я отправил в Израиль гроб с останками матери и вложил туда золотые вещи!

Впервые я узнал это от своего родственника. Он позвонил мне в Ленинград и с возмущением рассказал, что был на лекции о международном положении на одном из крупных московских предприятий. Докладчика — лектора из райкома партии — кто-то спросил: «А правда ли, что Райкин переправил в Израиль драгоценности, вложенные в гроб с телом его матери?» И лектор, многозначительно помолчав, сказал: «К сожалению, правда».

Рома тут же позвонила в райком партии, узнала фамилию лектора и потребовала, чтобы тот публично извинился перед аудиторией за злостную дезинформацию, в противном случае она от моего имени будет жаловаться в Комитет партийного контроля при ЦК КПСС — председателем его тогда был А. Я. Пельше. Ее требование обещали выполнить, и через несколько дней мне сообщили по телефону, что лектор был снова на этом предприятии и извинился по радиотрансляции. Якобы этот лектор отстранен от работы.

Хочется верить, что так оно и было на самом деле. Но на этом, к сожалению, не кончилось. Я в очередной раз слег в больницу. Театр уехал без меня на гастроли. И вот, удивительно, всюду, куда бы наши артисты ни приезжали, к ним обращались с одним и тем же вопросом:

— Ну, что же шеф-то ваш так оплошал? Отправил в Израиль...

Словом, всюду — в Москве, в Ленинграде, в Ворошиловграде — одна и та же версия. Считали, что я не участвую в гастролях отнюдь не из-за болезни. Что чуть ли не в тюрьме...

Выйдя из больницы, я пошел к В. Ф. Шауре.

— Давайте сыграем в открытую, — предложил я. — Вы будете говорить все, что знаете обо мне, а я о вас. Мы оба занимаемся пропагандой, но не знаю, у кого это лучше получается. Вы упорно не замечаете и не хотите замечать то, что видят все. Как растет бюрократический аппарат, как берут взятки, расцветает коррупция... Я взял на себя смелость говорить об этом. В ответ звучат выстрелы. Откуда пошла сплетня? Почему она получила такое распространение, что звучит даже на партийных собраниях?

Он сделал вид, что не понимает, о чем речь, и перевел разговор на другую тему.

Но самое смешное — это помогло. Как возникла легенда, так она и умерла.

Однако шлейф остался. После публикации в «Ленинградской правде» статьи, в которой давалась высокая оценка спектаклю (где был упомянутый выше монолог Лиходеева), в редакцию приехал секретарь по пропаганде Ленинградского обкома В. Г. Захаров. По-видимому, его прислал Г. В. Романов — в ту пору первый секретарь обкома, чье раздражение я вызвал еще и своим телеинтервью, сказав, что на меня произвели сильное впечатление спектакли БДТ «Три мешка сорной пшеницы» и «История лошади» (они не понравились Романову). Захаров устроил в редакции разнос: «Что вы там написали: «Театр всегда актуален»?» Ну и пошло и поехало. Газете было дано указание забыть о нашем театре.

Христианская религия говорит: если тебя ударили по левой щеке, подставь правую. Что же, может быть, такие любители есть! Я таких не встречал. Меня же били и по правой, и по левой, а за неимением третьей — все начиналось сначала.

Вот мы сваливаем все на время. Верно ли? Оно ведь субстанция безучастная. Вероятно, дело не во времени, а в людях, живущих в это время. В их поведении.

Легкой и удобной правды не бывает

Зло многолико. Но человеческих пороков в чистом виде не так уж много: трусость, жадность, зависть, себялюбие. Дальше в этом перечне пойдут разновидности уже названных качеств. Эти пороки, делающие человека рабом, искусство бичевало во все времена. И во все времена бичевать их было искусством, потому что они никогда не появляются открыто, называя самих себя по имени.

Трусость никогда не объявит себя трусостью — это же стыдно. Она притворится житейским опытом, мудростью, заботой, чувством долга — чем угодно, лишь бы выглядеть достойно. Зло, когда оно обнаружено и разоблачено, не опасно. Оно плохо выглядит, лишено обаяния и никого не победит. Поэтому во все времена зло мимикрировало.

Наш театр сатирический. До недавнего времени в наш адрес слышались упреки — где же позитивные примеры? Где положительный герой? Так много грандиозного и прекрасного в нашей жизни, а вы, товарищ Райкин, все о недостатках. Картина получается какая-то неприглядная. Каждому человеку, от которого я это слышал, а таких было немало за историю нашего театра, я внутренне желал одного — зубной боли. Чтобы заболел у него один зуб. Всего один, но сильно. Чтобы житья не давал. И побежал бы этот человек к зубному врачу. А зубным врачом оказался я. И сказал бы я ему тогда, глядя на его страдальческие глаза: чем вы недовольны? Почему у вас лицо такое перекошенное? Ну да, один зуб у вас разболелся — ну и что? А остальные-то тридцать один здоровы.

Так стоит ли из-за одного зуба портить настроение себе и другим? Нехорошо, товарищ, неприглядная картина получается. Идите и ликуйте! Ликуйте, что вы в общем и целом здоровый и цветущий человек.

Вот в такой ситуации он, может быть, что-нибудь бы и понял. Ведь сатира — это тоже боль. Во многих сферах жизни мы слишком много ликовали. Ликовали в сельском хозяйстве, в экономике, промышленности, на собраниях, на съездах, в печати, на экране, на сцене. Не страна, а общество взаимного восхищения.

Это было совсем недавно. Сейчас не так, лица заметно посерьезнели. Самое большое достижение за последнее время, если можно так сказать, ликвидировали ликующий лик. Он вышел из моды.

Читаешь центральные газеты, и иногда такое впечатление, что цитируют наши прошлые программы. Что ни страница, то наша тема — карьеризм, очковтирательство, жульничество. Господи, да мы об этом давным-давно говорили со сцены. Только тогда юмора было больше, а сейчас порой уже не до смеха. Нужно спасать положение.

Сатирик — профессия, требующая особого мужества. Мы всегда на передовой, в войне с теми, кто становится объектом нашего внимания, кто узнает себя в том или ином персонаже, кто боится признать себя таковым, быть узнанным другими. А потому всеми силами и средствами стремится умерить наш критический пыл.

В течение полувека, как существует наш театр, каждый выход на сцену — риск, опасность получить «пулю» и как последствие тяжелого ранения — инфаркт.

Иные считают сатирика клоуном, предназначение которого — смешить публику. А для этого он-де выискивает разных моральных уродов, стараясь показать действительность в неприглядном виде, зло поиздеваться над недостатками. Значит, надо запретить насмешнику порочить, оскорблять свой народ. Поверьте, далеко не всегда весело и уютно нам, сатирикам. Ведь какими только стрелами нас не забрасывают.

После спектаклей мне часто задавали один и тот же вопрос: «Как вам разрешили?» И никому не приходило в голову спросить меня, а как я сам себе разрешил подобное? Как отважился? Ведь правда не бывает легкой и удобной. Но я говорил ту горькую правду, которая меня волнует. И не ради смеха. Мой закон жизни — не молчать, чтобы кому-то угодить, потрафить.

Вот и приходилось быть все время в боевой готовности. Когда я занимал определенную позицию в отношении к бюрократу, со стороны их, бюрократов, и иже с ними чиновников, тоже до смерти боящихся критики, сыпались самые оскорбительные обвинения в антисоветчине.

Вообще, сколько разговоров велось вокруг разговоров. И каждый раз я узнавал про себя что-то новенькое. Была у меня миниатюра, где я рассказывал, как один деятель собирается совершить поездку в Париж.

— Что тебя тянет в Париж? — спрашивали его. — А у нас ты не насмотрелся?

И пошло и поехало. Такие подтексты усмотрели в этих словах: ага, недоволен нашими порядками, захотелось в Париж и прочее.

Чувство патриотизма — одно из самых высоких и благородных чувств. Только совсем не надо кричать о нем на каждом углу, митинговать, не нужны лозунги, клятвы, ложный пафос, к которым у нас выработалось излишнее пристрастие. Убежден, они куда менее действенны и впечатляющи, чем прямые, правдивые, идущие от сердца слова.

Ведь пропаганда сейчас должна быть значительно сложнее, чем все мы привыкли. Она не терпит никаких лобовых приемов. Многократным повторением громких слов ничего не сделаешь. Надо думать о том, как общаться с людьми, как заставить их прислушиваться, вникать, верить сказанному.

Сатира — тоже пропаганда. И мне, и моим коллегам нельзя применять лобовые приемы, нельзя брать тривиальные темы, давно приевшиеся проблемы. Пустой номер! Только не могу согласиться с формулой, которая с чьей-то легкой руки была закреплена за эстрадой: «утром в газете, вечером — в куплете». Возможно, для куплетистов она вполне пригодна. Однако, если сатирик станет придерживаться ее, результат окажется ничтожным. Мы должны раньше других заметить, распознать в делах какого-то персонажа опасные для общества явления, мешающие жить, портящие жизнь. Поэтому такой испуг перед сатириками — слишком много видим и понимаем. Кому-то это очень не нравилось. А ведь мы должны являться своего рода провидцами, предусматривать, что будет.

Не могу сказать, что то было «предвидение», но, во всяком случае, мой герой — пьяница, посетитель «греческого» зала «Эрмитажа», появился много лет назад. Какое возмущение в некоторых кругах вызвал он тогда: «оскорбил», «исказил», «издевается над представителем рабочего класса», «оклеветал народ». В ту пору еще не ставился так остро вопрос о борьбе с пьянством. Вообще разное отношение к вопросам «пития» в разные периоды жизни страны на моей памяти. Когда-то появление на работе в нетрезвом виде грозило исключением из партии. Потом на это не стали обращать внимание и пили везде — на заводе, прямо у станка, в учреждении, на улице, в подъезде, а на людей, не употребляющих алкоголь, смотрели с опаской. Что-то здесь не так! Не наш человек!

В свое время, когда я вывел на всеобщее осмеяние своего жалкого героя и получил некую «инъекцию» внушения, я пошел в соответствующее учреждение, посоветовал открыть на западный манер много кафетериев, бистро, не для того, чтобы они приносили какие-то доходы хозяйству, а чтобы было людям где посидеть в удовольствие в свободное время, побеседовать с друзьями, книгу почитать, журнал, газету. Но на меня посмотрели как на фантазера, несущего всякую околесицу, занимающегося пустяками. А теперь видим: не «напраслину» я нес со сцены и не пустяки занимали меня!

Нерешенных проблем, тем для сатирических монологов, фельетонов, миниатюр, реприз пока, к сожалению, предостаточно.

Я часто убеждаюсь, что с удивительной легкостью относимся мы к государственному карману. Разве непомерно раздутая управленческая «махина» по руководству искусством не подтверждение тому? Если взгромоздить домá всех учреждений, руководящих искусством, одно на другое, верхние этажи окажутся в космосе. Оттуда ничего не видно, мы все выглядим как муравьи. И в каждой из контор — руководители, инспектора, просто сотрудники. Все получают зарплату, все пишут бумаги — приказы, инструкции, положения, в каждом учреждении — всяк на свой лад. А нас, исполнителей, не так уж много, и нередко не знаешь, в какую сторону и поворачиваться. Такое впечатление, что огромное количество кучеров, которые все время погоняют: «но»! А лошадей гораздо меньше. В результате движения не происходит, топчемся на одном месте. Слишком много желающих на чужом горбу въехать в рай!

Сегодня во всех областях хозяйственной, экономической, социальной жизни старые представления, старые методы, понятия никак не приемлемы. Новые скорости требуют и нового «машинного парка», и новых «водителей» — высоких профессионалов, подлинных знатоков своего дела. У нас, ни для кого не секрет, пока в этом плане положение далеко не блестяще. Могут утвердить на том или ином участке человека, ни одним фактом своей биографии не соответствующего назначению. Каких же можно ждать результатов от подобной расстановки кадров?

И опять я вспоминаю свой монолог на эту тему в одном из спектаклей, который тогда посчитали «надругательством» над действительностью. А нынче пожинаем плоды многие годы существовавшей системы «хозяйствования».

Прошлое? Но ведь и сегодня я замечаю немало сюжетов для критики. К примеру, никому, уверен, не удастся меня убедить в том, что финансист, будь он самый светлый ум, должен и может решить, как оплачивать труд и артисту, и врачу, и педагогу, и инженеру, и истопнику, и дворнику. Не может, потому что необходимо досконально знать специфику работы каждого из них. Вот и получилась буквально поражающая диспропорция: дворник оказывается в лучшем материальном положении, чем врач, чем учитель общеобразовательной школы. Нормально ли?

Мы все говорим о перестройке, сетуем, что это не так легко происходит. А я думаю, что, может быть, так и надо. Хуже, когда легко. Что-то поразительно недостоверное в этой легкости. Выступает человек перед людьми. Говорит темпераментно, с пафосом. Но только вместо слов «грандиозные успехи» говорит о бесхозяйственности. Перестроился человек. Пафос тот же, только не верю я ему. Более того, я его узнаю, это мой старый персонаж — приспособленец.

Как перестроить мышление, душу? Надо, чтобы мысли, слова и дела совпадали. Поначалу и представить страшно! Десятилетиями нас учили, что эти три вещи не только совпадают, но происходят в разных местах: дела на работе, слова на собрании, мысли наедине с самим собой, по ночам.

Значит, наедине с самим собой, как на собрании, на собрании, как на работе, и т. д. Должна быть тренировка, чтобы приучить себя к этому. По частям это еще может получиться. Но чтобы все вместе, нужно время.

Да, конечно, внешне наши «герои» изменились. Иные повадки, походка. По новой моде костюм, головные уборы, прическа. А сущность все та же: бюрократ, приспособленец, хапуга, взяточник, очковтиратель...

Лицо и маска

Радиоголос журналиста-международника обещает сорвать маску с чьей-то сомнительной политической физиономии. «Сорвать маску» — достаточно распространенное выражение. Мне, однако, не нравится, когда так говорят.

Для меня маска — это прежде всего образ-маска, творимый актером. Его детище. Маска не прикрытие, не камуфляж, но концентрированное, освобожденное от частностей воплощение сущности изображаемого персонажа. Она — не характер, взятый в индивидуальном плане и постепенном, последовательном развитии, но тип. То есть характер, возведенный в степень обобщающего, гротескного — трагического или комического — преувеличения.

Впрочем, отдаю себе отчет в том, что мое определение театральной маски неполно, кустарно. Я рискнул привести его лишь потому, что оно добыто моим практическим опытом и в известной мере указывает на основные художественные ориентиры и пристрастия моей актерской жизни. Вообще говоря, в вопросах, связанных с театральной маской, необходима историко-теоретическая фундаментальность, на которую я не вправе претендовать. Но нашими театроведами эти вопросы разрабатываются весьма робко и узко, о чем можно только сожалеть.

В течение многих лет я постоянно сталкивался с тем, что критерии, применимые к искусству психологического театра, автоматически переносили на Театр миниатюр. Ругали за то, что у нас не как во МХАТе. Или хвалили за то, что мы, дескать, глубоко проникаем в характеры персонажей, исследуем их жизнь, их внутренний мир, что называется, по правде. Хвалили, впрочем, реже — чаще ругали. Но, так или иначе, в нас видели не то, чем мы являемся в действительности. Не понимали или не хотели понять художественную специфику жанра миниатюры.

Не то, что нам уж совсем не везло на понятливых критиков и исследователей. Но часто, даже желая поддержать, обращали внимание лишь на проблематику наших выступлений. Как будто их форма — нечто отдельное и может быть вынесена за скобки этой проблематики. Сталкиваясь с критикой такого рода, в пору заключить, что наш театр — это что-то вроде киножурнала «Фитиль»: там — сатира, и у нас — сатира.

А все потому, что искусство театральной маски — это как бы не высшего сорта искусство.

С моей точки зрения, здесь налицо удивительно косная, неповоротливая система эстетических ценностей; хорошо — это только тогда, когда правдоподобно и психологически достоверно, узнаваемо. Но если убедительность впечатления достигается посредством гротеска, абсурда — тогда это либо плохо, либо сомнительно, от лукавого, так что лучше и не вдаваться в этот способ работы, лучше замолчать его (а то, не ровен час, выяснится, что театр Райкина не на генеральном пути развития советского искусства).

Разумеется, трудно примириться с тем, что художественные особенности нашей работы остаются в стороне, превращаются в некий довесок, о котором вроде бы и говорить не стоит. И когда я слышу, что мы занимаемся борьбой с негативными явлениями (и только), хочется прибавить к этому, что прежде всего мы занимаемся особым видом художественного творчества.

* * *

Искусство маски — основа моего театрального воспитания, тот фарватер, в котором я всегда шел. Это определенный свод приемов и навыков, то есть техника, ремесло. И вместе с тем определенный образ мышления, который вырабатывался во мне не только благодаря моим непосредственным учителям (прежде всего Соловьеву), но и под воздействием искусства Чаплина или, скажем, ныне забытого гастролера-итальянца Николо Луппо, этого виртуоза трансформации.

Чаплин и Николо Луппо — величины, конечно же, несоизмеримые по своему масштабу и значению. Один — гениальный художник, другой — изощренный профессионал, чья сфера деятельности была относительно узка. Но они не так далеки друг от друга, как может показаться на первый взгляд. У них общие предки, с которыми они не теряли родства, — буффоны, фарсеры, дети райка, некоронованные короли балагана.

Я всегда остро чувствовал эту внутреннюю связь и чувствовал, что во мне течет та же театральная кровь.

Это искусство, это направление имеет множество разных оттенков и ответвлений, коренится в разных культурных традициях. И конечно, одному артисту — даже такому, как Чаплин, — невозможно овладеть всеми его гранями, охватить всю его амплитуду. Кроме того, давно прошли те времена (по крайней мере в европейском театре), когда искусство маски существовало в чистом, беспримесном виде...

Но все это говорит лишь о том, что маска — в самой природе театральной игры, лицедейства.

Могут возразить: разве только в маске дело? Конечно, не только в ней. Но я говорю о том, что наиболее близко лично мне. О том, с чем мне приходилось бороться, отстаивая ту правду и поэзию театра, которая близка мне как артисту определенной творческой индивидуальности, манеры, школы.

В этой борьбе я проигрывал чаще, чем побеждал. Да, я действительно так думаю, при том что судьба была ко мне более благосклонна, чем ко многим моим коллегам — замечательным мастерам эксцентрической, гротескной школы, увы, не имеющей сегодня сколько-нибудь внятного продолжения.

Если бы я работал в «нормальном» драматическом театре, то наверняка не смог бы реализовать свое тяготение к гротеску, к образу-маске в той степени, в какой мне это удалось. Ни характер репертуара, ни печально знаменитое «равнение на МХАТ» не позволили бы мне это сделать. Однако и в Театре миниатюр, вообще на эстраде поиски художественной выразительности могли бы быть более смелыми. Обидно вспоминать о тех замыслах, что так и остались невоплощенными (или недовоплощенными) по причине якобы чрезмерно, недопустимо острого решения, которым приходилось жертвовать ради того, чтобы сказать со сцены хоть что-нибудь, имеющее отношение к реальной жизни.

В искусстве ведь одна и та же мысль, выраженная по-разному, — это уже разные мысли.

Тем не менее, оглядываясь на пройденный путь, мне кажется, я вправе утверждать, что он складывался под знаком постепенного (хотя зачастую слишком медленного, вынужденно медленного) усложнения тех задач, которые ставит перед артистом искусство маски.

Был у меня долгий период, когда мне больше всего нравилось менять свой внешний облик до неузнаваемости, как бы жонглировать масками — в рамках одного спектакля. Несколько раньше, до и во время войны, когда я выступал в качестве конферансье сборных программ, я стремился к тому, чтобы быть на сцене самим собой, чтобы зрители воспринимали меня как равного собеседника. Эти две тенденции поначалу существовали в моей работе параллельно, но уже во второй половине 40-х годов трансформация, то есть «жонглирование масками», на много лет стала главенствующей, если не единственной. Я тогда не задумывался, почему произошло именно так.

С течением времени, однако, мне все чаще стала приходить в голову тревожная мысль, что артисты, чье искусство ограничивается набором приемов, комических трюков (пусть даже виртуозных), умением эффектно подать репризу, приняв то один, то другой шаржированный облик, — такие артисты обычно не могут подолгу удерживаться на гребне успеха. Их техника, по-своему блестящая, рано или поздно устаревает, приедается. Даже если они стремятся к тому, чтобы шарж не носил отвлеченного, а тем более бездумного характера.

И тогда я стал — осторожно, не очень уверенно — уходить от резкой и полной трансформации внешнего облика. Стал менять только головные уборы: фуражка, кепка, шляпа, треух и т. д. служили опознавательными знаками моих персонажей-масок. А потом и от этого отказался, придя к убеждению, что внешнее перевоплощение вообще необязательно для того, чтобы зритель мог отличить артиста от персонажа.

Легко сделать вывод (многие так и поступали), что я разочаровался в образе-маске как способе театрального мышления. Но это не так. Отказавшись от смены личин, маске я остался верен.

Сатирическая миниатюра — в принципе искусство масочное. Но мало быть актуальным, мало попасть в точку, мало произнести вслух то, что людям хочется услышать...

Они должны быть также уверены в том, что за тысячью лиц есть одно лицо. Они должны быть уверены, что ты говоришь от своего имени, и только при этом условии можно завоевать (точнее, каждый день завоевывать) право говорить и от их имени.

С некоторых пор моя главная маска — артист Аркадий Райкин. Разумеется, как человека меня волнуют те проблемы, о которых я говорю со сцены. Но необходимо регулировать это волнение, а тем более в монологе создать у зрителей ощущение (если угодно, иллюзию) особой своей могущественности. Я обязан быть победителем — это привлекает и убеждает больше всего.

С одной стороны, артист — такой же, как и все, с другой стороны — решительно от всех отличается. Здесь для меня нет мелочей. Важен и элегантный костюм с бабочкой, и летящий, почти танцевальный выход к публике — выход артиста, человека, как бы наделенного особыми свойствами.

Нельзя эксплуатировать эти эффекты, нельзя красоваться. Но и опускаться до «среднестатистического» облика, поведения, состояния духа артист тоже не имеет права. Равно как не имеет права выплескивать публике всего себя, каков он есть в быту. Нужен кураж особого рода — такого не бывает и не может быть в жизни. Нужно преображение сценой. (Зрители должны почувствовать, что ты можешь то, чего они не могут и никто, кроме тебя, не может.)

Когда в шестидесятые годы Рубен Николаевич Симонов задумал восстановить «Принцессу Турандот», великий спектакль своего учителя Евгения Багратионовича Вахтангова, он обратился ко мне с просьбой принять некоторое участие в этой работе. Речь шла о создании новых интермедий для четырех масок — Бригеллы, Тартальи, Труффальдино и Панталоне. Как известно, эти интермедии предполагают постоянное обновление текста, актерскую импровизацию, входящую в ткань феерической сказки Карло Гоцци, злободневные, сиюминутные реалии.

В свое время Борис Васильевич Щукин, игравший у Вахтангова Тарталью, сочинил на репетиции сцены загадок, которыми испытывают принца Калафа, следующий текст:

— Что такое: четыре ноги, длинный хвост и мяукает? Кто-то отвечает: кошка. Тогда Тарталья говорит:

— Я тоже думал, что кошка. Оказалось — кот.

Реприза, как говорится, тут есть. Но во-первых, за многие годы, прошедшие со дня премьеры, она стала общеизвестна, и необходимого эффекта неожиданности мы не смогли бы добиться, если бы стали повторять ее. А во-вторых (и это главное), в ней нет подлинной остроты, в ней есть только балагурство, реприза ради репризы.

Вот почему я предложил заменить ее. Репетируя с актерами, которым были поручены роли масок, я сказал:

— Давайте спросим у принца Калафа: «Что будет с сельским хозяйством?» После чего маски должны броситься врассыпную, точно испугавшись своего же вопроса. А потом вернуться и произнести трагическим шепотом: «Об этом — не надо! Не стоит задавать такой вопрос, потому что мы и сами не знаем, как на него ответить».

Не стану утверждать, что мой вариант был верхом остроумия. Но по крайней мере он был ориентирован на сегодняшний день, и, с моей точки зрения, юмор именно такого типа мог бы внести в спектакль живое начало.

Актеры, должен признаться, довольно вяло отреагировали на мое предложение. Но для меня это был вопрос принципиальный. Вопрос выбора определенного контакта со зрительным залом. Я стал убеждать артистов, что от них потребуется совсем не так много отваги, как они думают. И они решили попробовать. Стали импровизировать — получилось очень смешно. (Артисты были первоклассные!) Когда же мы показали, так сказать, черновик этой сцены Р. Н. Симонову, он помрачнел, а после репетиции отвел меня в сторону.

— Вы сошли с ума! — таков был его приговор.

Обдумав дома сложившееся положение, я пришел к выводу, что продолжать участвовать в этой работе мне не следует. В вопросе, казалось бы, сугубо частном, незначительном как в капле воды отразилось наше расхождение в главном: в отношении к смыслу восстановления спектакля, к его сверхзадаче. И я твердо сказал Рубену Николаевичу, что, хотя глубоко уважаю его большой талант, все же не считаю возможным заниматься сценической археологией.

Мы расстались. «Принцессу Турандот» и по сей день играют с репризой про кошку. Так спокойней. Спектакль идет, и я, как говорится, не враг ему. (К слову сказать, в нем была занята и моя дочь, много лет игравшая Зелиму.) Но остаюсь при своем мнении: маска не есть нечто окаменевшее, дошедшее до нас сквозь века в виде некоего раритета. Да и всякий спектакль, не только масочный, сколь бы легендарен он ни был, не может быть реконструирован лишь из почтения к памяти его создателей. Можно скопировать мизансцены, текст, декорации, но его душу, его атмосферу подобными стараниями не воскресить. Надо непременно стремиться к тому, чтобы внести в старый спектакль что-то новое, внешне, быть может, даже нарушая его облик, но зато вписывая его в контекст современности.

Прогулки по берегу

Люблю Рижское взморье.

Каждый год, если, конечно, не случается что-нибудь непредвиденное, мы с Ромой приезжаем на курорт Майори на полтора-два месяца.

В санатории, где мы отдыхаем, комфорт, тишина, покой.

Покой — привилегия старости, ее завоевание. Я, стало быть, завоевал. И что в результате? В результате этому радуешься только тогда, когда тебе доступно не только это.

Чтобы в полной мере наслаждаться покоем, нужно его уравновешивать беспокойством. Нужна уверенность, что кому-то ты еще можешь понадобиться.

У меня в санатории — телефон. И так же, как дома, я редко отключаю его. Если телефон молчит целый день, мне не по себе. Если только и делать, что ходить на процедуры и просматривать газеты, сидя в шезлонге, — измаешься, изведешься. Это уже не покой, но, если угодно, отторгнутость. Как! Без меня что-то происходит? Обходятся без меня? Обидно!

И все-таки относиться к этому надо трезво.

У Жванецкого есть монолог от лица человека, тоскующего по участию в жизни. Он сидит в четырех стенах своей малогабаритной квартиры и воображает, будто от него зависит, входить ли кораблям в Бискайский залив. Его никто не слушает и никто не услышит, никому дела до него нет, вообще он ни разу не был в Бискайском заливе и скорее всего не будет там никогда. Но он — командует: его нереализованная энергия требует выхода. Это смешно, но еще больше — грустно. Не хочу такого выхода.

Мир без меня существует и будет существовать. Как бы ни оборачивалась моя жизнь, надо уметь любить мир без меня, чувствовать внеличный ход вещей.

Каждый хочет защитить себя от сознания, что всему на свете положен предел. Я принадлежу к тем, кто ищет защиту в соразмерности, ясности, упорядоченности жизни, творимой искусством. Иными словами, я держусь того старомодного убеждения, что искусство может и должно быть источником гармонии, которой недостает нашим природным свойствам.

Не бодрость чувств, но бодрствование духа — вот что такое идеал старости. Но не к тому ли должен стремиться и художник — во всякую пору, с юности начиная, с первых шагов?

Мир без меня... Получается так, что я принимаю эту формулу лишь в свободное от работы время. Распространить ее на свою жизнь всецело — величайшая роскошь, которую я никогда не мог себе позволить и уже не хочу.

Звонит телефон. Необходимо срочно вылететь на два дня в Москву — раскаленную, расплавленную, чтобы как-то повлиять на строителей, затягивающих отделку нового здания нашего театра. А что, без меня нельзя? Нельзя, говорят. («Нужен авторитет, Аркадий Исаакович...») Втайне радуюсь этому. Хотя делаю вид, что досадую. Да и впрямь нехорошо в мои-то лета пренебречь режимом, прервать отдых... И все-таки, даже если бы не возникла подобная необходимость, мне следовало бы ее выдумать для поддержания своего общего тонуса.

Но вот проходят два дня деловой суеты; я возвращаюсь, уставший, и теперь уже готов продержаться (неделю, две, три?) в состоянии олимпийского спокойствия, то бишь в санаторном режиме. Прилежно следуя ему, можно подводить итоги.

Впрочем, подведение итогов обязывает к последовательности, обобщениям, исповеди, а я не задаюсь такой целью. Это — для человека иной судьбы, иного характера, иной профессии. Я совершаю прогулки по берегу — из Майори в Дзинтари и обратно, и мне легко дышится и думается легко. Здесь воздух какой-то особенный: воздух моего детства, моих воспоминаний — так я его ощущаю. И я путешествую по своей жизни — не по строгому маршруту, а как бог на душу положит. Я полностью вверяю себя прихотливому течению ассоциаций, возникающих во мне без малейшего принуждения и, кажется подчас, без ощутимой связи друг с другом. Я нахожу в этом удовольствие, подобное тому, которое испытывает пловец, когда, прекращая на время рассекать водную поверхность, ложится на спину и держится без движения, точно невесомый.

Помню, слышу отчетливо, как мама пела. У нее был чистый голос, но пела она редко. (Говорят, голос ушедшего человека, даже самого близкого, стирается из памяти в отличие от его внешности. По-моему, это неверно.)

Мои сестры, конечно, в маму пошли. Вечно слышу от них мамино:

— Как ты такое выдерживаешь! Боже мой, как тебе трудно!

Но никогда не слышал, чтобы они пели. Еще вдруг всплывает, как отец учил меня таблице умножения... на пальцах. Этим особым способом издревле пользовались торговые люди, но теперь он совсем забыт. Кому он нужен в эпоху электронных калькуляторов? Однажды я продемонстрировал отцовскую «ручную арифметику» известному математику академику Виноградову и, кажется, изрядно удивил его. Но больше всего сам удивился тому, что смог его удивить на его же, так сказать, территории...

Академика Виноградова, как и родителей моих, нет на свете. Его уже не спросишь, действительно ли он тогда удивился или, может быть, только сделал вид из светской любезности. Но я давно заметил, что, казалось бы, пустяки, необъяснимо осевшие в памяти на многие годы, становятся дороги и значительны, если связаны с теми, кого уже нет.

Я брожу по берегу залива и «разговариваю» со своими навек умолкнувшими собеседниками. Банальная мысль, но не уйти от нее: пока я есть — и они есть. Утешает ли это — дело другое.

Один из персонажей Шолом-Алейхема спрашивает, какая разница между человеком и портным. И сам себе отвечает: никакой разницы — человек живет и умирает, и портной живет и умирает.

Не стоит думать, что это — псевдоглубокомыслие или просто шутка. Это — естественный, здоровый взгляд на то, что невозможно познать до конца.

Не проходит и дня, чтобы не позвонили Катенька и Котя. Конечно, хорошо, что дети заботливы, особенно если учесть, что они давным-давно вышли из детского возраста. Но ведь бывает и так, что за столом собирается большая семья, а поговорить не с кем и не о чем. Поэтому для меня так ценно, что нас скрепляют не только родственные узы, но и общие интересы.

У одного из моих друзей есть излюбленная фраза: коллекционирую единомышленников. Если вдуматься, этим занят каждый из нас — мы ищем, упорно, хотя порой и бессознательно, ищем людей, близких нам духовно, и стремимся сохранить их рядом с собой. Если родители для детей и дети для родителей не входят в их «личную» коллекцию единомышленников, мне кажется это признаком неблагополучия, сигналом к тому, чтобы самым серьезным образом пересмотреть свои действия.

Мне больно и страшно слышать рассуждения о том, что у наших детей слишком легкая жизнь, мало трудностей и лишений. И что от этого, дескать, страдают их человеческие качества. Это неправда. Трудности, беды, гонения — не они формируют личность. Они лишь обнаруживают, удостоверяют существующие, но скрытые до поры черты характера. Человека формирует счастье. И если он вырос не таким, как нам всем хотелось бы, то скорее всего потому, что счастья ему оказалось недостаточно.

Я думаю, что если с детства пробуждать в человеке личность (а это прежде всего значит уважать его, признавать за ним право на самостоятельное суждение, выбор, поступок), то он и будет становиться лучше, и к трудностям будет готов.

Мы с Ромой стремились ни в чем не подавлять наших детей, не читать им нотации о том, что такое хорошо и что такое плохо. Но мы всегда знали, что если будем учить их одному, а сами — поступать по-другому, то ничего хорошего не получится.

Мне нравится, что мои дети стали артистами. Но мы с Ромой никогда не считали, что это обязательно. Мы не принуждали их, не тянули за уши, ничего не делали для того, чтобы повлиять на их выбор профессии.

Катенька с детства мечтала о сцене, играла в театр. Воображала, приглашая меня в игру, будто я — директор театра, а она — актриса, пришедшая наниматься в труппу.

— Вам не нужны актрисы?

— Нет, — отвечал я, — не нужны. Впрочем, мужчину я бы взял, а актрисы — нет, не нужны.

Она выходила за дверь и тут же возвращалась, напялив мою шляпу.

— Только что у вас была моя партнерша; она мне сказала, что вам нужны мужчины в театр.

— Позвольте, — отвечал я как ни в чем не бывало, — какая партнерша?! Здесь никого не было.

Тогда она поверх шляпы надевала платок, как бы одновременно изображая актрису и актера.

Когда Катеньке исполнилось двенадцать лет, она сыграла Козетту в спектакле Театра имени Евг. Вахтангова «Отверженные» по роману Виктора Гюго.

Это произошло неожиданно. Спектакль вахтанговцы привезли в Ленинград на гастроли, но исполнительница роли Козетты, девочка Катиного возраста, приехать не смогла. Начался учебный год. Тогда ассистенты стали искать другую девочку в школьной самодеятельности города. Сбились с ног, но подходящую кандидатуру не нашли. Все это происходило на глазах у Николая Павловича Акимова, который посоветовал попробовать Катю. Она понравилась — и ее утвердили на роль.

Игравший Жана Вальжана Андрей Львович Абрикосов сказал мне после Катиного дебюта, что у нее есть серьезные способности и, если она не утеряет с возрастом природную искренность и непосредственность, из нее может получиться актриса.

Мы с Ромой, конечно, присутствовали на спектакле, но так волновались, что не могли да и не хотели прийти к такому же выводу. Со стороны не только виднее, но и безопаснее судить. Но с этого момента сама Катя твердо выбрала свой путь.

Через несколько лет, когда она заканчивала среднюю школу, Рубен Николаевич Симонов сказал мне:

— Надеюсь, вы отдадите нам вашу Катю.

В сущности, ни от меня, ни от Ромы это уже не зависело.

Катя поступила в Училище имени Б. В. Щукина, по окончании которого была принята в вахтанговскую труппу и проработала в этом театре уже больше двадцати лет.

А Котя в детстве увлекался биологией, жизнью животных. У него еще тогда выработалось то, что называется «экологическим мировоззрением». И до сих пор, не заглядывая в труды своего любимого Брема, он выдает вам любую справку обо всем, что относится к животному миру.

Бывало, мы приходим с ним в зоопарк, и он говорит:

— Пап, ты погуляй, тебе неинтересно.

А сам подолгу рассматривает, изучает какую-нибудь невзрачную, с моей точки зрения, птичку.

Он хорошо рисовал, сочинял стихи, серьезно занимался спортом. Но биология постепенно вытесняла все остальные увлечения.

При Ленинградском университете создали специализированную физико-математическую школу, в которой был «биологический» класс. Котя учился в этом классе, и мы с Ромой почтительно наблюдали, как он со своими приятелями целыми днями решал недоступные нашему разумению задачи по математике, физике и даже логике.

Но вскоре все резко переменилось.

Выступая на каком-то университетском вечере, Котя показал девять пантомимических сценок, придуманных им самим. (Он и раньше баловался пантомимой, но — в домашнем кругу, и это было именно баловством.) От его ученых одноклассников нам, родителям, стало известно, что на вечере выступление Коти имело успех. И мы попросили его показать эти сценки нам. Но он наотрез отказался, а мы, по своему обыкновению, не стали настаивать.

В то время наш театр готовился к гастролям в Венгрии, и мне разрешили взять в поездку сына. На гастролях, среди прочих выступлений и встреч, меня пригласили выступить в пионерском лагере для детей работающих в Венгрии советских специалистов. Это было сверх запланированной программы, и без того насыщенной, утомительной. К тому же подходящего для детской аудитории репертуара у меня в те годы уже не было. И тогда я сказал полушутя:

— Котенька, было бы хорошо, если бы ты меня выручил!

А он, к моему удивлению, ответил совершенно серьезно:

— Хорошо. Я попробую... Знаешь, папа, а я ведь давно мечтал, чтобы ты попросил меня об этом.

Несмотря на известный риск, мне теперь ничего другого не оставалось, как дать ему шанс попробовать себя.

Пионеры долго хлопали его пантомимическим сценкам, а сопровождавший нас венгерский писатель Года Габор шепнул мне:

— Запомните этот день. Сегодня в вашей семье появился еще один артист.

Это было 18 августа 1964 года.

По окончании Училища имени Б. В. Щукина Котя был принят в театр «Современник», где дебютировал в главной роли в спектакле «Валентин и Валентина». За десять лет работы в этом театре он сыграл пятнадцать больших ролей, среди которых герои Шекспира, Достоевского, Чехова... Параллельно он работал в ГИТИСе, помогая своему старшему товарищу Олегу Павловичу Табакову в его студийных поисках. И вдруг (снова неожиданность) он изъявил желание работать в Театре миниатюр. За это время он стал не только синтетическим артистом, но и автором моноспектакля «Давай, артист!».

Не мне судить, что из этого получается. Скажу только, что работаем дружно и я доверяю ему.

Мой внук, Алеша Яковлев, сын Кати, — тоже артист, точнее, ему предстоит это доказать. Закончив Училище имени Б. В. Щукина, он был принят в Театр имени М. Н. Ермоловой, снялся в кино. Но счастливое начало — еще не гарантия содержательного творческого пути...

Я думаю о том, как крепко все в жизни взаимосвязано. Стоит этим связям расшататься, жизнь становится странной, неуправляемой. Простой пример — на нем строился ряд моих миниатюр — на производстве кто-то выдвигает «встречный план» и начинает делать ручек гораздо больше, чем дверей у автомобиля... я бы руки по-обломал тем, кто такое допускает!

Театр — тоже замкнутая цепь. Мы все «смежники», звенья одной цепи. Если одно звено порушено, уже все... оборвыш, а не цепь.

Вот мы съездили в США. Нам предложили целый ряд контрактов. Трудно сказать, как будут развиваться наши отношения в дальнейшем. Ведь лет двадцать тому назад нас приглашал на сорокадневные гастроли по городам США продюсер Сол Юрок. Потом приглашения повторялись. Поступали они и из Японии, где, кстати, вышла книга о нашем театре. Писали о нас в Италии, в Англии, в Соединенных Штатах Америки. Из Америки я привез газету «Нью-Йорк таймс» с большой рецензией на спектакль «Мир дому твоему».

В общем-то, наверное, жаль, что не удалось познакомить с нашим театром зрителей тех стран, где к нам проявляли интерес. Никак не пытаясь преувеличить свою роль, думаю, что такое знакомство вряд ли могло нанести урон престижу советского искусства.

Дверь, которая ведет на сцену, оснащена очень тугой пружиной. Необходимы силы.

Чтобы доказать свое право на творчество, нужно играть перед публикой, а чтобы играть перед публикой, нужно иметь на это право. Получается замкнутый круг. Но тому, кто на это жалуется, лучше не пытаться его прорвать. В нашем деле можно чего-то добиться лишь «через не могу», лишь в виде исключения.

Еще я думаю, что у молодого артиста нет времени на разбег. Он должен стремиться к тому, чтобы взлет был почти вертикальным. Во всяком случае, невозможно добиться больших результатов, не ставя перед собой большие цели.

Долгая жизнь в искусстве — это постоянная борьба с самим собой. Разумеется, это борьба и с внешними обстоятельствами, но с самим собой — прежде всего, труднее всего.

Кто-то из знаменитых музыкантов (не помню кто, но, в сущности, это мог бы сказать любой хороший музыкант) так объяснил причины изнурительной регулярности своего труда: если я один день не прикоснусь к инструменту, это замечу я один. Если два дня — почувствуют коллеги. А если три — поймут слушатели.

В полной мере это относится и к актерам. С той, однако, поправкой, что инструмент актера — он сам. Он и скрипач, и скрипка.

Однажды выступал я в Одессе, в Зеленом театре. Концерт закончился. Я спрыгнул со сцены в зал и направился к выходу:

— А теперь пошли домой!

Зрители последовали за мной. Так мы и шли по ночному городу до гостиницы «Красная», где я остановился. Пожелав друг другу спокойной ночи, мы разошлись.

На следующий день я решил повторить:

— А теперь пошли домой!

Но вдруг чувствую, кто-то дергает меня за рукав. Мальчик лет семи, не больше.

— Товарищ Райкин! Вчерашняя хохма сегодня уже не хохма.

Что я мог ответить? Он был прав.

Серьезно и успешно работает на эстраде, ищет Геннадий Хазанов.

Я его помню еще мальчиком — лет с десяти он начал, что называется, крутиться (другого слова не подберу) в нашем театре. В театральный вуз его не приняли (отчасти потому, что в 18 лет он выглядел на 14), и он стал учиться в инженерно-строительном. Но у него не было сомнений в том, что он станет артистом. У Хазанова большое будущее. Ведь он умеет не только смешить. В нем есть высокая грусть — оборотная сторона умного смеха.

Артистизм куда-то уходит.

Я имею в виду не только актеров, но вообще исполнительское искусство. За летний сезон я успеваю вдоволь наслушаться симфонической и камерной музыки. Я был свидетелем того, как с приходом дирижера В. Синайского ожил Латвийский симфонический оркестр. Да и вообще в Дзинтари в это время концертная жизнь бьет ключом.

Говорят, многие из нынешних наших дирижеров — хорошие профессионалы. А по-моему, нельзя быть хорошим профессионалом, если рука тяжела и сам ты тяжел, надрываешься. Вот Ю. Темирканов, В. Спиваков — они артистичны!

Некоторые полагают, что артистизм — нечто вроде изящных манер. Какая чепуха! Натан Рахлин был неуклюж, с короткими руками, но как он преображался, соприкасаясь с музыкой! Не чета иным эффектным махальщикам, позерам с дирижерской палочкой, которые только и знают, что натаскивать оркестрантов, следить, чтобы не сбились.

Артистизм — это способность слушать музыку в себе и воодушевлять ею оркестр и публику.

Одно из самых сильных, незабываемых и, увы, почти непередаваемых впечатлений в моей жизни — филармонические концерты в Ленинграде: те знаменитые концерты, где бывала удивительная довоенная ленинградская публика. Таких лиц в зале больше нет.

Я слушал дирижеров Г. Абендрота, К. Зандерлинга, пианистов М. Юдину и В. Софроницкого, был свидетелем восхождения Д. Ойстраха, Э. Гилельса, Л. Когана, С. Рихтера...

Помню лекции И. Соллертинского — не только в филармонии, но и у нас в институте: он читал на параллельном курсе, и весь институт собирался на эти лекции. Он был небезопасно остроумен. Когда А. Пазовскому, тогда главному дирижеру Мариинки, кто-то в театре насолил (за дело), Соллертинский сказал:

— Ложка дегтя в бочку с орденами.

Мы с И. Андрониковым иногда играли в Соллертинского, оба говорили его голосом, чуть глуховатым, похожим на голос Шостаковича...

Я любил приходить на репетицию оркестра, чтобы потом сравнивать ее с концертом. На репетиции понимаешь, как должно быть, каков уровень замысла.

Помню, как приехал Вилли Ферреро. Первый раз он приезжал в Россию мальчиком-вундеркиндом, а четверть века спустя — всемирной знаменитостью. На репетиции, дирижируя «Болеро» Равеля, он поддерживал левой рукой правую, чтобы не «размахаться». Вел репетицию, не обращая внимания на то, что в зале собралось множество людей. После этого многие ушли разочарованными, недоумевающими; те, кто помнил его вундеркиндом, говорили, что было бы лучше, если бы он таким и остался в памяти. А вечером — откуда только взялись легкость, изящество, зажигательность!

Ничего нет прекраснее чувства гордости за художника, когда публика ждет провала и уже вынесла ему свой приговор, а он — побеждает публику, восхищает ее своим мастерством. И, казалось, неминуемый провал оборачивается несомненным триумфом.

Но чаще бывает наоборот: иной репетирует превосходно, вдохновенно, а в результате — средняя работа. Вроде бы делает все то же, что и на репетиции, а эффекта нет.

Очевидно, среди множества качеств, составляющих мастерство, не последнее место занимает умение определенным образом рассчитывать силы. Памятуя об этом, предпочитаю беречь силы на репетиции. Но у меня из этого мало что получается.

Невозможно забыть, как Мария Юдина шла к роялю. Как монахиня на молитву. Не поднимая глаз. Вот пример удивительной собранности. Еще до того, как она начинала, вы чувствовали: сейчас произойдет что-то необычно значительное.

В любом исполнительском творчестве мысль должна приходить непосредственно в процессе исполнения, публично, как бы впервые. Так случается, когда глубоко индивидуален замысел и предварительно проведена большая работа. Когда артист предельно сосредоточен и выходит к зрителям, чтобы поделиться с ними пережитым и продуманным. Конечно, нельзя не считаться с тем, что он — часть природы. На него влияет многое... его собственное самочувствие, окружение, события, происшедшие в этот день... Бывает, что партнер проглотил почему-то реплику... ответил ему заученной интонацией. Бывает, артист не учитывает, что публика сегодня не такая, как вчера, и не дает необходимой в таких случаях интонационной, темповой корректировки.

Я не могу увидеть себя со стороны. Но обязан. Иначе я — не артист. Мне нужно, чтобы кто-нибудь, кому я доверяю, смотрел, как я репетирую. Потом я сравниваю впечатление этого человека со своим собственным. Так, мне достаточно, чтобы в зале был Котя, — я спокоен.

Я знаю, что режиссерам всегда было трудно со мной работать. Но и мне с ними.

Перебираю в памяти тех, кто в разные годы ставил у нас спектакли: Н. Акимов, Е. Альтус, А. Белинский, Н. Бирман, Э. Гарин, Б. Дмоховский, В. Зускин, Ф. Каверин, В. Канцель, В. Кожич, Б. Норд, Б. Равенских, М. Розовский, Р. Суслович, И. Липский, А. Тутышкин, Е. Симонов, В. Фокин... много славных имен. Но все они приходили и уходили, все были только гостями в семье нашего театра.

Это можно объяснить чем угодно, только не той актерской фанаберией, согласно которой режиссер якобы сковывает творческую свободу исполнителя-солиста. Если бы такая фанаберия была мне свойственна, я бы не был учеником Соловьева.

Между прочим, когда наш театр едва родился, я очень хотел, чтобы Владимир Николаевич поставил у нас спектакль. Но он сказал, что не знает, как это делается. Он имел в виду, что спектакль можно поставить только по глубокому внутреннему импульсу, а не по дружбе, не из хорошего отношения.

Я не встречал режиссеров, которые, придя к нам в Театр миниатюр, не навязывали бы нам своего опыта. Иногда — успешно и даже талантливо, но не учитывая нашу специфику.

Я далек от мысли задним числом сетовать на них. Просто в этом плане всегда возникали какие-то объективные (скрытые или явные) противоречия.

У выхода из концертного зала в Дзинтари ко мне подошел пожилой, благообразного вида человек:

— Я ваш старый почитатель.

— Очень приятно.

— Вы помните свое первое выступление?

— Конечно. Еще бы!

— А помните, как тогда Маяковский что-то выкрикнул вам из зала?

— Не помню.

— А я помню.

— Очень приятно. Но дело в том, что, когда Маяковский был жив, я еще не начинал выступать.

Почитатель выглядел таким обескураженным, что мне захотелось утешить его:

— Не огорчайтесь. Просто и вы, и я прожили такую долгую жизнь, что ее начало теряется в глубине истории.

По свидетельству Поля Валери, Э. Дега говорил:

— Высоко ставить надо не то, что ты сделал, но то, что сумеешь сделать однажды; иначе просто не стоит работать.

Поразительно, что это сказано семидесятилетним (!), достигшим вершин мастерства художником.

Когда я выхожу на сцену, я чувствую, знаю, что мой возраст — мой враг. Я пытаюсь забыть об этом, хотя не могу отрицать известную логику, когда говорят об артистах: такой-то сумел (или не сумел) вовремя уйти.

Меня всегда волновала старинная метафора, уподобляющая сцену жизни, а занавес — смерти. В ней — смысл моего существования. Жить без сцены я физически не могу.

Мало кто помнит, глядя на двухэтажное строение в Майори, на самом берегу, где теперь курортная поликлиника, что рядом некогда размещалась пожарная команда. А я — помню.

В Майори я ездил с родителями поездом из Риги, и отец водил меня и сестер (нашего младшего брата Максима еще не было на свете) смотреть на пожарных в остроугольных, поблескивающих медью касках, казавшихся мне золотыми.

По мосткам можно было дойти до купальни. Огороженная низким дощатым заборчиком, она казалась мне где-то далеко в море. За этим заборчиком тоже было море, но уже бескрайнее, уходящее за горизонт. Меня интересовало, можно ли и большое море огородить.

Теперь я точно знаю — нельзя, и это меня не огорчает. Но на многие другие вопросы у меня по-прежнему нет ответа.

Содержание

Литературно-художественное издание

Райкин Аркадий Исаакович

Воспоминания

Ведущий редактор О.М. Тучина
Художественные редакторы И.А.Сынкова, Е.Д.Селиванова
Компьютерный дизайн: Р.Р. Алеев
Технический редактор Н.Н.Хотулева

Подписано в печать с готовых диапозитивов 29.10.98.
Формат $60 \times 90^1/_{16}$. Печать офсетная. Бумага типографская.
Усл. печ. л. 15. Тираж 10 000 экз. Заказ № 1711.

Налоговая льгота — общероссийский классификатор
продукции ОК-00-93, том 2; 953000 — книги, брошюры

Гигиенический сертификат
№ 77.ЦС.01.952.П.01659.Т.98. от 01.09.98 г.

ООО "Фирма "Издательство АСТ"
Лицензия 06 ИР 000048 № 03039 от 15.01.98.
366720, РФ, Республика Ингушетия,
г. Назрань, ул. Московская, 13а
Наши электронные адреса:
WWW.AST.RU
E-mail: AST@POSTMAN.RU

При участии ООО «Харвест». Лицензия ЛВ № 32 от
27.08.97. 220013, Минск, ул. Я. Коласа, 35-305.

Ордена Трудового Красного Знамени полиграфкомбинат
ППП им. Я. Коласа. 220005, Минск, ул. Красная, 23.

Качество печати соответствует качеству предоставленных
издательством диапозитивов.

"Звезды мировой философии" –

уникальное по полноте издание, рассказывающее об основных этапах развития философской мысли, знакомящее с биографиями и концепциями более чем двухсот величайших мудрецов, таких как Платон и Аристотель, Иисус Христос и Будда, Конфуций и Чжуан-цзы, Руссо и Шамфор, Гегель и Шопенгауэр, Чаадаев и Толстой.

Впервые в книгах серии
"Звезды мировой философии":

"Мудрость трех тысячелетий"
"Энциклопедия высокого ума"
"Философия сорока пяти поколений"
"Золотая философия" –
включены исторические справки, посвященные наиболее важным вехам в истории цивилизации.

*

Дополнительную ценность книгам серии придает тщательно подобранный иллюстративный ряд.

Огромное количество вдумчиво обработанного и любовно преподнесенного философского материала делает книги серии желанными как для специалистов, так и для широкого круга читателей.

Издательство АСТ
представляет:

◆ *серия "Классики зарубежной психологии":*

труды З. Фрейда, К.-Г. Юнга, В. Райха,
Э. Фромма и других основоположников психологической науки

◆ *серия "Всемирная история в лицах" —*
настоящий подарок любителям истории

В серии вышли:
А. Манфред **"Наполеон Бонапарт"**
Н. Павленко **"Петр Великий"**
Н. Павленко **"Вокруг трона"**
(издание 2-е, переработанное и дополненное)
С. Утченко **"Цезарь. Цицерон"**
И. Стоун **"Фрейд"**
Д. Волкогонов **"Семь вождей"** (в 2 т.), **"Сталин"** (в 2 т.),
"Ленин" (в 2 т.), **"Троцкий"** (в 2 т.)

◆ альбомы по искусству и классика искусствоведения. Восьмисот-
страничная **"Энциклопедия живописи"** и **"История искусства"** Эрнста
Гомбриха – книга, мировой тираж которой превысил 5 млн.
экземпляров

◆ многотомные **"Энциклопедия литературных героев"** и **"Все ше-
девры мировой литературы в кратком изложении"**

Все эти и многие другие издания вы можете
приобрести по почте, заказав
БЕСПЛАТНЫЙ КАТАЛОГ
по адресу: 107140, Москва, а/я 140. "Книги по почте".

Москвичей и гостей столицы приглашаем посетить московские
фирменные магазины издательства "АСТ" по адресам:
Каретный ряд, д. 5/10. Тел. 299-6584.
Арбат, д. 12. Тел. 291-6101.
Татарская, д. 14. Тел. 959-2095.
Звездный б-р, д. 21. Тел. 974-1805
Б. Факельный пр-д, д. 3. Тел. 911-2107.
2-я Владимирская, д. 52. 306-1897.
Оптовая торговля:
«Издательство АСТ»
129085, Москва, Звездный бульвар, дом 21, 7-й этаж
Тел. 215-43-38, 215-01-01, 215-55-13